AS PLANTAS MEDICINAIS E O SAGRADO

A Etnofarmacobotânica em uma revisão historiográfica da medicina popular no Brasil

Dados Internacionais de Catalogação na Publicação (CIP)
(Câmara Brasileira do Livro, SP, Brasil)

Camargo, Maria Thereza Lemos de Arruda
    As plantas medicinais e o sagrado: a etnofarmacobotânica em uma revisão historiográfica da medicina popular no Brasil / Maria Thereza Lemos de Arruda Camargo. – 1ª ed. – São Paulo: Ícone, 2014.

    Bibliografia.
    ISBN 978-85-274-1242-1

    1. Botânica – Morfologia. 2. Eletrobotânica – Pesquisa. 3. Eletrofarmacologia – Pesquisa. 4. Plantas medicinais. 5. Plantas medicinais – Brasil. I. Título.

13-06804   CDD-581.6340981

Índices para catálogo sistemático:
1. Brasil: Plantas medicinais: Botânica.   581.6340981

Maria Thereza Lemos de Arruda Camargo

AS PLANTAS MEDICINAIS E O SAGRADO

A Etnofarmacobotânica em uma revisão historiográfica da medicina popular no Brasil

1ª edição

Brasil – 2014

Ícone editora

Fotografias
Coleção Alberto Gurni
Coleção Maria Thereza L. A. Camargo

Arte de capa
Carlos Avelino de Arruda Camargo

Projeto gráfico, adaptação de capa e diagramação
Richard Veiga

Revisão
Marina de Fátima Soares Castanho
Fabiana Mendes Rangel
Maria Inês de França Roland
Juliana Biggi

Todos os direitos reservados à:
ÍCONE EDITORA LTDA.
Rua Anhanguera, 56 – Barra Funda
CEP 01135-000 – São Paulo – SP
Tels./Fax.: (011) 3392-7771
www.iconeeditora.com.br
iconevendas@iconeeditora.com.br

In memoriam
Prof. Dr. Orestes Scavone

Prefácio

O conhecimento das plantas é primordial em todas as civilizações. Do metabolismo entre a humanidade e as plantas nascem quase todos os sistemas de sobrevivência, em especial aqueles com predominância de coleta e caça que ainda usam instrumentos como redes e cordas feitas de plantas. Usos alimentares e psicoativos, fornecimento de fibra, combustível, utensílios, remédios, aromas, cores: a vegetação é a cornucópia da natureza.

Conhecer as plantas foi um dos fundamentos das ciências naturais e, muito antes de sua formalização moderna, em todas as técnicas vitais, todas as magias, toda devoção à natureza, elas ocuparam sempre um papel central.

A própria noção do sagrado se encontra, em grande medida, na fitolatria. Por isso, esse tema é um dos grandes debates clássicos na origem da antropologia e da sociologia. As noções de sacrifício, dádiva, tabu, totem, maná, força espiritual encarnaram-se em um conjunto de vegetais e ritos a eles associados.

A presente obra de Maria Thereza Lemos de Arruda Camargo, *As Plantas Medicinais e o Sagrado. Etnofarmacobotânica em uma revisão historiográfica das plantas e seus papéis na medicina popular no Brasil*, é um imenso esforço de compilação desses saberes botânicos e de seus significados, de seus usos e de suas representações nas mais diversas épocas e regiões. É uma obra de referência, com riqueza de interesses, pois combina uma enorme erudição botânica com um domínio amplo e enciclopédico da bibliografia especializada em História e Antropologia da Medicina e Religião.

Em diversos trabalhos anteriores, Maria Thereza já investigava as relações entre usos de plantas e práticas religiosas, especialmente as afro-brasileiras, como a Umbanda e o Candomblé e, também, a ampla medicina popular dos herboristas e das garrafadas, dos curandeiros, benzedeiras, rezadores, raizeiros, pais e mães de santo, mestres catimbozeiros, juremeiros, pajés urbanos e pajoas.

Maria Thereza é uma das maiores estudiosas da etnofarmacobotânica brasileira. Já publicou diversos livros sobre medicina popular em geral e sobre diversas plantas em particular, como a jurema, a mandioca, o milho, a ipomeia, os anti-helmínticos etc.

Seu campo de estudo aborda a identificação e a descrição botânica. Porém, não se restringe a buscar o papel funcional das plantas nas medicinas tradicionais. Sua análise abrange o reconhecimento do papel mágico-religioso no processo de cura, no qual se daria uma complementaridade entre o sacral e o funcional, de forma a obter mais do que apenas uma *eficácia simbólica*, como escreveu Lévi-Strauss, pois incorpora a materialidade farmacobotânica com a ritualística e a crença.

Embora não adentre os estudos contemporâneos sobre a questão do efeito placebo e seu uso na aferição da eficácia dos fármacos, da indústria farmacêutica, Maria Thereza identifica um papel central na subjetividade do paciente, que só consegue "sentir-se curado", ao dar sentido ao seu sofrimento por meio da inserção de sua afecção em um sistema simbólico moral. A crença e a expectativa constituem, afinal, o fator mais importante da cura. A fé, na religião ou na ciência, constitui parte considerável do efeito farmacológico.

Na história colonial brasileira, por exemplo, a superioridade da medicina indígena e cabocla era amplamente reconhecida e, de forma geral, o recurso às medicinas não hegemônicas ou oficiais fez e faz parte de uma tradição popular de extrema importância. Este livro esmiúça diversos aspectos desses saberes múltiplos, que vão das designações anatômicas populares e etnopatológicas aos sincretismos da farmácia jesuítica com a sua triaga, panaceia de origem latina acrescida de plantas locais.

Dividido em três partes, o livro mostra inicialmente as tradições mesopotâmicas, egípcias, gregas, latinas, antigas, medievais e renascentistas. Aborda as Américas, desde o mundo pré-colombiano até a atualidade na segunda parte, e o relevo particular ao estudo do Brasil, na terceira.

A obra enfoca a conexão entre o uso de psicoativos e as dimensões da cura e do sagrado. O transe, obtido de muitas maneiras, desde o "transe cinético" da dança até as incorporações mediúnicas, é um recurso central, análogo em certa medida aos estados hipnóticos, e serve de veículo xamânico, tanto do agente da cura como do seu objeto, o paciente. O xamã entra em transe para diagnosticar de maneira holística abrangente a origem da etiologia do mal-estar, e o paciente entra em transe em processos de cura catártica. O uso do som para curar também é analisado, desde as fórmulas de encantamentos até as litanias e as preces.

O simbolismo vegetal, com as árvores como um eixo axial vertical, que têm as copas no céu, o tronco na terra e as raízes no submundo, investiu todos os produtos das plantas, especialmente os ingeríveis, como alimentos ou psicoativos com significados profundos.

As interpretações e análises dos fenômenos do sincretismo, da transculturação ou das fusões culturais sempre estiveram no pano de fundo do debate sobre as contribuições dos saberes tradicionais, indígenas ou mestiços à arte de curar, desde os primeiros naturalistas como Guilherme Piso, no Nordeste ocupado pelos holandeses no século XVII, aos viajantes estrangeiros e cronistas do século XIX, como Carl von Martius. O primeiro valorizava o conhecimento dos indígenas, desprezado pelo último.

Com um índice remissivo que permite a consulta sobre cada planta, este livro amplia os estudos do catimbó, da umbanda e do candomblé, para uma análise comparativa ampla das plantas usadas em cada uma dessas tradições, verificando suas origens americanas, europeias, africanas ou asiáticas. Além disso, a obra relata as plantas da tradição europeia clássica, medieval e renascentista, explicando a teoria da medicina humoral que prevaleceu na tradição hipocrático-galênica.

Temos, certamente, uma obra de referência para os estudiosos da História da Medicina, da Botânica e da Farmácia e de seus significados mais abrangentes na História da Cultura. O campo da Etnofarmacobotânica fica enriquecido com uma obra vasta e rica em informações e análises teóricas sobre o campo das tradições de cura populares, especialmente as fitoterapêuticas, enfocadas desde um olhar antropológico e etnográfico apoiado nos recursos de uma grande erudição botânica prática.

Prof. Dr. Henrique Carneiro
Professor de História Moderna da Universidade de São Paulo (USP)

Agradecimentos

Quarenta anos de pesquisa e intensivos estudos da Etnofarmacobotânica direcionada ao universo mágico-religioso da medicina popular no Brasil me levam a recordar a trajetória percorrida, de forma a deixar, aqui, registrado, meu eterno agradecimento a quantos emprestaram sua colaboração para a realização de meus estudos e, consequentemente, para a elaboração deste livro. Nem mesmo me recordo quando dei início a estes escritos, visto que vez por outra os interrompia a fim de cumprir outros compromissos de trabalho e, até mesmo, produzir outras obras, as quais, nesse meio-tempo, foram publicadas.

Em homenagem póstuma, meu profundo agradecimento àquele que foi responsável pela sólida base de todo o saber que, com o passar do tempo, fui acumulando na área da Etnofarmacobotânica: Prof. Dr. Orestes Scavone, insigne professor, médico, farmacêutico e botânico. De 1972 a 1983, junto à disciplina "Plantas medicinais e tóxicas", no Departamento de Botânica do Instituto de Biociências da USP, lado a lado, na mesma sala de trabalho com este mestre, usufrui de seu saber. Complementei-o com aquilo que adquiria em sala de aula e, sobretudo, no Laboratório de Taxonomia, a princípio, sob a orientação do Prof. Dr. Sylvio Panizza, depois pela Prof.ª Dra. Ana Maria Juliete, seguida do Prof. Dr. José Rubens Pirani. A este, meu particular agradecimento pelo suporte importante na formação de minha coleção de exsicatas, resultante das coletas efetuadas durante minhas pesquisas de campo por este Brasil afora, hoje conservada no Herbário do Departamento de Botânica da USP.

No mesmo Departamento, meu eterno agradecimento pelo apoio constante da grande mestra e amiga Prof.ª Dra. Berta Lange de Morretes, de quem recebi valiosos ensinamentos, acompanhando, de 1983 a 1985, suas brilhantes aulas de anatomia foliar e de estruturas secretoras de princípios ativos de plantas medicinais, no curso de graduação e pós-graduação, além dos livros por ela cedidos para minhas consultas.

Ainda no Departamento de Botânica da USP, meu sincero agradecimento ao Prof. Dr. Antônio Salatino, na área de Quimiotaxonomia e à Prof.ª Dra. Maria Luiza Salatino, professora de plantas medicinais, pelo sempre pronto apoio, pois a eles recorri inúmeras vezes para diferentes esclarecimentos sobre as plantas de meu interesse de estudo.

Meu reconhecimento ao Prof. Dr. Bráulio do Nascimento que, ao dirigir no Rio de Janeiro, na década de 1970, o hoje Centro Nacional de Cultura Popular – IPHAN – e tomar conhecimento de meus estudos sobre plantas medicinais empregadas na medicina popular, convidou-me para integrar o grupo de professores, os quais atendiam as solicitações das Universidades Federais do país para a realização de cursos especializados. Foi esta atividade que propiciou a mim, por mais de uma década, a oportunidade de contatos com diferentes regiões brasileiras. Mesmo já afastada desse compromisso, permaneço em constante contato com as áreas por mim palmilhadas, para onde, vez por outra, me dirijo, de forma a manter laços de amizade com vários estudiosos, bem como atualizar minhas pesquisas.

Meu especial agradecimento à amiga Profª. Maria do Carmo Vendramini, sempre acompanhando de perto minhas atividades dentro e fora da Universidade, que, na área da etnomusicologia, colaborou neste livro com importantes depoimentos sobre suas pesquisas relacionadas a toques de sino e a diferentes instrumentos musicais no acompanhamento de atos religiosos direcionados a curas de enfermidades.

Minha profunda gratidão à Profª. Dra. Liana Salvia Trindade e ao Prof. Dr. Líseas Nogueira Negrão, do Departamento de Ciências Sociais da USP e às Profªˢ. Dra. Maria Helena Concone e Dra. Josildeth Consorte, da PUC-SP. A convite deste grupo, passei a fazer parte do Centro de Estudos da Religião "Duglas Teixeira Monteiro", sediado na Faculdade de Filosofia, Letras e Ciências Humanas da USP, para onde me transferi em 1986. Com o apoio desse Centro de Estudos, de cujo corpo de diretores vim a fazer parte, criei o *Herbário Etnobotânico e Banco de Dados*, publicado em 1999 com o apoio da FAPESP.

Agradeço muito ao Prof. Dr. Elisaldo Luiz de Araújo Carlini, da Unifesp – antiga Escola Paulista de Medicina – pelo seu constante apoio e reconhecimento pelas minhas atividades voltadas aos estudos das plantas na medicina popular, convidando-me a participar de bancas e outros eventos.

Destaco meu enorme agradecimento ao Prof. Dr. Alberto Gurni, companheiro de trinta anos dos *Simposios Argentino y Latinoamericano de Farmacobotánica* que, em sua função de Professor Titular Plenário de Farmacobotânica y Diretor do Museo de Farmacobotánica de la Facultad de Farmacia y Bioquímica, Universidade de Buenos Aires, dispensou seu precioso tempo na preparação de fotos de plantas medicinais de sua autoria, constantes de sua coleção particular, para colaborar na ilustração do livro que ora apresento.

Agradeço ao grande amigo e velho companheiro daqueles encontros científicos, Prof. Dr. Carlos Chifa, Professor Titular de Farmacobotânica da Universidade Nacional del Nordeste – Argentina, pelo apoio incondicional que vem emprestando aos meus estudos.

Ao amigo, Prof. Dr. Carlos Eugênio Marcondes de Moura, autor e coordenador de importantes obras sobre cultura afro-brasileira, com destaque para aquela que reúne vasta bibliografia[1] referente às obras sobre os afronegros e seus descendentes no Brasil a partir de 1637 – meu agradecimento

---

1. Vide bibliografia.

pelas inúmeras oportunidades de trocarmos ideias, durante tardes de cafezinho em meu apartamento, das quais fui extraindo subsídios importantes para este livro.

Aos meus irmãos Carlos Cerqueira Lemos e Fernando Cerqueira Lemos que, de uma forma ou outra, emprestam seu apoio aos estudos que estou desenvolvendo há quatro décadas.

À Ana Lúcia Araújo, minha secretária, que, no desempenho pleno das atividades do cotidiano de minha vida privada, permitiu minha dedicação exclusiva ao término deste livro, meu eterno agradecimento.

Minha homenagem ao meu marido Aristides, que já não está mais entre nós, e meu profundo agradecimento aos meus filhos: Aristides, o qual, residindo no Ceará, tem proporcionado oportunidades de contatos, favorecendo minhas pesquisas, a exemplo da geógrafa Maria Ferrer Araújo, do Instituto Chico Mendes, sediado na cidade do Crato. A ela, meu agradecimento sincero pelas oportunidades de incursões por áreas que circundam aquela cidade, e também de Juazeiro do Norte, Barbalha, Nova Olinda, Santana do Cariri e Missão Velha, cidades que compõem o Geopark Araripe. Estas são áreas onde tenho encontrado valiosos subsídios para o conhecimento da religiosidade local, associada às práticas médicas populares. Estendo a ela, ainda, meus agradecimentos pelas oportunidades de percorrer as reservas florestais da Chapada do Araripe, com sua rica flora medicinal; a João Paulo, pela autoria de várias fotos de plantas medicinais aqui reproduzidas; Mário, por seu companheirismo durante minhas andanças pelo nosso Brasil; Carlos Avelino, que, dispensando seu precioso tempo de professor universitário, elaborou a capa deste livro; minha nora Diana, que, ao lado dos meus filhos, vem a representar o que tenho de mais precioso na minha vida.

Apresentação

Maria Thereza Lemos de Arruda Camargo é etnofarmacobotânica – palavra que ainda não consta dos dicionários porque é uma ciência nova, de fronteira, apesar de concernir o estudo de práticas populares tradicionais extremamente antigas. Dito de outra maneira, então: esta estudiosa da medicina popular tem se interessado particularmente pelos usos das plantas rituais afro-brasileiras e sua eficácia terapêutica mágico-religiosa na medicina popular, tal como ela aborda especialmente na terceira parte deste livro[2].

Sendo um campo de estudo novo, Maria Thereza cumpre, neste livro, todo o trajeto, pleno de erudição, para nos explicar não apenas como se forma essa área de conhecimento, mas também como finca suas raízes nas práticas sociais. Por isso, ela volta à época antiga, aos primórdios das práticas terapêuticas mágico-religiosas no ocidente e, a partir delas, à organização dos saberes derivados. Retraçando a maneira como aquelas práticas empíricas foram aos poucos sendo sistematizadas, busca desembaraçar os fios pelos quais elas foram transmitidas por diversas culturas e lugares ao longo do tempo, atingindo e influenciando não apenas as práticas populares, as quais se comunicavam por via oral, mas, também, os práticos especializados que, detentores de um saber letrado, constituíram grupos com funções hierarquicamente definidas em diferentes sociedades. O livro refaz todo esse percurso, narrando os processos de experimentação, acumulação e circulação de saberes, até tocar no limite atual da apropriação desse campo de conhecimento, ainda não reconhecido pela academia.

As histórias contadas neste livro e as informações detalhadas sobre as plantas que Maria Thereza expõe organizadamente, conforme as narra, são o resultado de um saber prático acumulado também pela própria autora, ao abrir-nos um campo de conhecimento prático[3] teoricamente

---

2. Ver também seus livros: *Plantas medicinais e de rituais afro-brasileiros I*. São Paulo: Almed; 1988 e *Plantas medicinais e de rituais afro-brasileiros II*. São Paulo: Ícone; 1998.

3. O termo "prático" parece derivar do piloto, ou piloteiro, que conhecia minuciosamente os acidentes hidrográficos de determinadas rotas e que, com esse conhecimento adquirido pela prática ou experiência, era capaz de conduzir uma embarcação através dessas áreas. Ou seja, alguém com uma experiência empírica acumulada sobre determinado campo do conhecimento.

organizado, compartilhando não apenas a sua erudição universitária, mas também, e talvez sobretudo, a sua experiência de pesquisadora que coletou informações junto aos práticos, em suas andanças pelos sertões[4]. Como ela mesma conta: "desde a década de 1970, venho desenvolvendo pesquisa bibliográfica e de campo pelo país afora, com raizeiros, curandeiros, benzedeiras, rezadores, pais e mães de santo, mestres catimbozeiros, juremeiros, pajés urbanos e pajoas, entre outros, assim como em favelas, onde se concentram indivíduos procedentes de diferentes localidades do país".

O livro expõe as raízes da fitoterapia, mostrando como se deu historicamente a relação das práticas curativas com as plantas medicinais, especialmente as psicoativas (papoula, mandrágora, heléboro, cânhamo, meimendro, entre outras), sem separar artificialmente o processo empírico de aquisição do conhecimento prático daquele de sacralização da medicina popular. Na tradição dos pensadores do Brasil, a autora identifica como aportam e se misturam, aqui, as correntes doutrinárias de diferentes origens, com predominância do catolicismo europeu, que recolheu tradições greco--romanas e árabes, das crenças de origem africana e indígenas; para ela, o denominador comum entre todas essas linhagens era o caráter nitidamente mágico-religioso de que eram investidas as manipulações das plantas medicinais.

Hoje, quando os avanços da ciência encontram seu contraponto nas catástrofes ecológicas e na seleção de patogenias cujo controle lhe escapa incessantemente, ao mesmo tempo em que se perdem aceleradamente a diversidade de bancos genéticos, esta estudiosa propõe-nos voltar nossa atenção para os saberes tradicionais. Sem romantismo, sem saudosismo; ao contrário, com vistas às questões atuais de saúde pública. O desafio que ela coloca é o de incorporar a subjetividade dos indivíduos aos parâmetros científicos da farmacologia.

Maria Thereza lecionou disciplinas relacionadas ao estudo das plantas medicinais e tóxicas, durante muitos anos, no Departamento de Botânica do Instituto de Biociências da Universidade de São Paulo. Entretanto, sua abordagem jamais se enquadrou nos campos e divisões tradicionais dos saberes, de modo que atuou também no Departamento de Ciências Sociais da Faculdade de Filosofia, Letras e Ciências Humanas[5], na mesma universidade, e, ainda, no Centro de Estudos Etnofarmacológicos da Unifesp. Ela se interessa principalmente pela eficácia das terapêuticas mágico-religiosas na medicina popular, nem sempre comprovada pelos métodos científicos, mas eventualmente verificada como resultado da fé, da vontade ou do efeito placebo – em suma, da subjetividade dos indivíduos, conforme aponta Henrique Carneiro, no seu Prefácio. A maneira como as populações lidaram historicamente com essa relação entre a cura e o universo mágico--religioso passou sempre pela prática, pela materialidade – por meio das plantas, em particular, matéria primordial dos fazeres humanos. Os investimentos simbólicos e anímicos projetados sobre

---

4. Não é à toa que Maria Thereza ganhou o 1º Prêmio no "Concurso Mário de Andrade" de monografias, conferido pela Prefeitura do Município de São Paulo, em 1972, pela pesquisa que realizou em favelas de São Paulo, e o 1º Prêmio no "Concurso Nacional Câmara Cascudo", conferido pelo Centro de Artes da Universidade Federal do Rio de Janeiro, em 1989, pelo estudo sobre *Plantas do catimbó em Meleagro de Luís da Câmara Cascudo*.

5. No Departamento de Ciências Sociais, junto ao Centro de Estudos da Religião "Duglas Teixeira Monteiro", organizou um herbário etnobotânico, cujo *Banco de Dados* foi publicado pela FAPESP em 1999.

as plantas e a maneira como foram manipuladas sempre constituíram, no entanto, o elo fraco do conhecimento farmacobotânico e da sua transmissão. É esse elo que a autora tenta valorizar, tanto do ponto de vista histórico e etnológico como do ponto de vista funcional. Pois espiritualidade e religiosidade têm nas práticas sociais os seus fundamentos, isto é, as autoridades religiosas não são mais do que homens e mulheres; no caso, aqueles que manipularam e manipulam as plantas, construindo seus saberes e sua autoridade a partir dessas práticas e dos seus efeitos.

Conheci Maria Thereza quando ainda criança e estreitei amizade com ela quando fui seu aluno, no curso de Biologia da USP: a partir desse momento, o afeto foi acrescido com a admiração pela professora e com o respeito pela pesquisadora e grande conhecedora da medicina popular e outras ciências populares. Como historiador, continuo admirado com a sua capacidade de coletar informações brutas, de organizá-las, mas também com sua preocupação generosa em divulgá-las e, sobretudo, com sua habilidade de integrá-las a disciplinas tão distantes na academia. *As plantas medicinais e o sagrado* é uma contribuição fundamental para o conhecimento dos processos históricos extremamente complexos que conduziram à incorporação de plantas das mais variadas origens em uma medicina popular, no Brasil; mas importa perceber também, além do texto, as qualidades pessoais de sua autora, que tornam possível constituir um novo campo de conhecimento interdisciplinar, mais próximo da realidade dos homens.

Prof. Dr. Carlos Zeron
Professor de História da Universidade de São Paulo (USP)

Sumário

PARTE 2

AS PLANTAS MEDICINAIS E OS PRIMEIROS HABITANTES DAS AMÉRICAS, 105

PARTE 3

AS PLANTAS, O SAGRADO, A MEDICINA POPULAR NO BRASIL, 211

Introdução

Desde os primórdios da humanidade, constroem-se sistemas de ideias que possam explicar sobre tudo o que diz respeito à vida, ao que se vê e ouve; ao que se teme a respeito da doença, da morte e da pós-morte, além do que se atribui às plantas dentro destes conceitos, visto estarem elas mantendo estreita relação com o ser humano, cuja história vem de muito longe. Magos e xamãs, desde o despertar da Humanidade, buscam dominar os valores que as encerram, emprestando-lhes poderes sobrenaturais.

Desde milhares de anos antes de nossa Era, muitas mudanças ocorreram até o surgimento da escrita, 3000 a.C., documentando como as pessoas daqueles mais remotos tempos se defendiam dos males físicos e mentais de que eram acometidos e como os sanavam.

Cremos que a evolução do conhecimento das plantas medicinais foi um processo lento até o surgimento do grego Dioscórides, no século I, que buscou conhecer as plantas até então usadas nas curas de diferentes males. Percorrendo a parte oriental da região mediterrânea e parte da Ásia Ocidental, descreveu-as em desenhos, com dados levantados junto a informantes sobre seus usos, conhecimentos que este grego reuniu em sua importante *Matéria Médica*. A partir desta obra, o conhecimento daquelas plantas por longo período se bastou nas informações ali documentadas, até surgir o trabalho de identificação destas no século XVIII, precisamente no ano de 1735, por Carl von Linné, com sua obra *Species plantarum*. Linné procurou criar um sistema de classificação das plantas capaz de nortear aqueles que viessem a querer entendê-las em suas maneiras de ser e de criar, a fim de abrir novos caminhos a pesquisas mais consistentes, como veremos no desenrolar deste livro.

Estudos arqueológicos sobre os primeiros habitantes do Brasil apontam evidências de atividades humanas datadas de aproximadamente 50.000 anos, encontradas em sítios localizados em São Raimundo Nonato, no Parque Nacional da Serra da Capivara, no Piauí e Joinvile, em Santa Catarina. A cultura humana mais antiga chamada Tradição Nordeste, datada de 12000 a 7000/6000 a.P. (antes do presente, tendo o ano de 1950 de nossa Era como referência inicial para base de cálculo), deixou seus vestígios em sepulturas, pinturas rupestres e artefatos. Foram detectadas em amostras de coprólitos evidências de infestações parasitárias e a presença de grãos de pólen de plantas com propriedades anti-helmínticas, permitindo-nos supor que aqueles povos já utilizassem plantas para curar verminose. (Teixeira-Santos, 2010).

Desde épocas muito remotas, as relações entre os seres humanos e as plantas psicoativas vêm sendo ritualizadas em situações cerimoniais de cunho mágico ou religioso. Pesquisas arqueológicas já demonstraram que, na pré-história, o ser humano já as conhecia, a exemplo da noz-de-bétele (*Areca catechu* – Arecaceae), mascada desde 13000 anos, no Timor (Pinto *et al.*, 2002). Pinturas rupestres pré-históricas deixam evidenciar práticas de xamãs em estados alterados de consciência, conforme Carneiro (1997: 167), citando Jean Clottes e David Lewis-Williams (1997) na obra *Chamanes de la Préhistoire. Transe e Magie dans les Grottes Ornèes.*

Plantas que combatem o cansaço ou anulam a sensação de fome; plantas que estimulam o apetite sexual ou o moderam, além de outras que provocam depressão ou euforia, permitindo visões e previsões ou, ainda, aquelas que, ao mesmo tempo que curam doenças, também podem matar, já eram conhecidas desde os tempos pretéritos. Espécies vegetais com tais propriedades, isoladas ou em conjunto, ingeridas, fumadas, cheiradas ou passadas sobre a pele sã ou escarificada foram comuns em ambientes religiosos desde períodos que se perdem no tempo.

O propósito deste livro partiu do interesse em elaborarmos uma revisão historiográfica das plantas medicinais e seus usos em processos de cura da medicina popular no Brasil, com ênfase nas espécies psicoativas, entendidas como "perturbadoras da atividade do sistema nervoso central, também chamadas: psicoticomiméticas, psicodélicas, alucinógenas, psicometamórficas etc." (CEBRID, 2003).

Podemos admitir que as plantas enquadradas na categoria de perturbadoras do sistema nervoso central cumprem, em contextos religiosos, o papel de intermediárias entre o ser humano e o mundo sobrenatural. Como lembra Wasson (1992), a ideia de divindade teria surgido como resultado dos efeitos psicofamacológicos provocados pelo uso de certos vegetais. Neste sentido, o emprego de plantas psicoativas vincula-se ao elemento mágico, um dos sustentáculos de práticas religiosas de cura que as utilizam como veículo para o contato com o sobrenatural.

Com respeito ao uso de plantas capazes de proporcionar estados alterados de consciência, são importante as determinantes culturais que influenciam na resposta alucinatória, visto que os valores culturais ligados ao seu uso devem apresentar variantes na fenomenologia do quadro alucinatório. Neste caso, imaginamos o consumo de uma bebida no ritual entre indígenas em seus ambientes culturais e a mesma bebida consumida no meio urbano por indivíduos desvinculados daqueles ambientes. À atividade biológica que possa ocorrer, soma-se a influência de elementos culturais que vão permitir ao ato de ingerir aquela bebida vivências alucinatórias diferentes.

Contudo, Schultes *et al.* (2001), em *Plants of the gods*, admitem que é tal a complexidade dos efeitos psicofisiológicos proporcionados por uma planta que o termo "alucinógeno" nem sempre cobre toda gama de reações capazes de ocorrer. Neste sentido, conforme Joanathan Ott (1995), um grupo de etnólogos compreendido de Gordon Wasson, Karl Ruck e ele próprio, em 1978, propuseram o termo "enteógeno" (do grego *entheos* – deus dentro ou tornando deus interiormente), a fim de substituir as designações ligadas à psicopatologias, acrescentando não se tratar de um termo teológico ou farmacológico, mas cultural, para designar todos os inebriantes xamânicos. Luna (1983) faz referência às plantas *teachers* ou plantas professoras, como são chamadas pelos xamãs peruanos. São as plantas empregadas em preparados alucinógenos de uso ritual, visando à comunicação com os espíritos, animais ou coisas, àqueles que vão ensinar como diagnosticar e curar doenças.

São várias as designações referentes às plantas psicoativas usadas em contextos religiosos: mágicas, sagradas, divinas, poderosas e mesmo enteógenas. Porém, "planta sagrada" é a expressão por nós usada como designativo de plantas empregadas em rituais religiosos de cura de males físicos, mentais e espirituais, sejam elas psicoativas ou não.

Entretanto, não pretendemos fazer uma abordagem teórica sobre o sagrado, assunto já bastante trabalhado por estudiosos como Malinowiski (1984), Rudolfo Otto (1992), Thomas F. O' Dea (1969), Mircea Eliade (1979), dentre vários outros. A ideia de sagrado voltado às plantas, por nós adotada, é orientada pelo pensamento de Durkheim (1989) quando este, ao se referir aos seres sagrados, neste caso, as plantas, afirma serem as mesmas, por definição, seres separados de seu contexto natural. Ele ainda afirma que as coisas sagradas são aquelas que os interditos isolam e resguardam da vida profana. As plantas tornam-se sagradas quando de seu deslocamento para outro sistema, diferente daquele de sua origem – o do contexto vegetal propriamente dito – e da imputação a elas de um valor sacral[6]. Esta, porém, é a definição que mais se enquadra nas maneiras de pensar e agir dos protagonistas na medicina popular, no lidar com os objetos de culto em suas diferentes finalidades.

Bem antes dos descobrimentos, os portugueses já sabiam da existência de plantas empregadas na preparação de bebidas com poderes mágicos, tal como ocorria na Europa do período greco--romano. Em tempos anteriores, os oráculos gregos do Templo de Esculápio já usavam bebidas que faziam dormir, a fim de ouvirem o que ditavam os deuses nos tratamentos de doenças. O conhecimento sobre as plantas com tais poderes se espalhou pela Península Ibérica, onde eram usadas principalmente em práticas de feitiçaria. Exímia conhecedora das plantas que levavam os usuários a alterações comportamentais, seus representantes manipulavam poções que eram ingeridas e unguentos de uso tópico capazes de excitar, sedar, fazer dormir ou, ainda, permitir os famosos voos das feiticeiras.

A descoberta da América favoreceu aos conquistadores o conhecimento das plantas nativas, principalmente aquelas que proporcionam aos usuários estados alterados de consciência, as psicoati-vas. O tabaco foi um elemento essencial da magia e da religião entre os índios da América tropical. Enrolar o tabaco e acendê-lo, fumá-lo e mandar a fumaça para os céus e para os espíritos invisíveis, era procedimento comum entre os pajés, como diz Métraux (1994). Importantes também eram as técnicas de preparação de bebidas inebriantes, usadas em diferentes situações ritualísticas da vida tribal, preparadas com plantas psicoativas ou por meio de processos de fermentação de vegetais, para a obtenção de bebidas de teor alcoólico. Neste sentido, lembramos o período em que o Brasil

---

6. Termo emprestado de Cândido Procópio Ferreira de Camargo em *Kardecismo e Umbanda*. Vide bibliografia.

recebia feiticeiros fugidos da Inquisição, conhecedores de fórmulas mágicas como relatadas nos autos do Santo Ofício, onde empregavam sucedâneos das espécies empregadas na Europa.

As plantas psicoativas de caráter alucinatório, devido à sua composição química, com a ocorrência de alucinação visual, auditiva e percepção de coisas inexistentes, desempenham o papel de condutoras na "ascensão" ao universo sagrado. Lá habitam divindades, espíritos evoluídos e demais entidades divinizadas com as quais são travados diálogos, tanto para pedir ajuda como para agradecer curas. Diálogos em que também a linguagem corporal se faz presente, visto que o suplicante empresta o corpo para falar com seu deus. Isolados ou em grupos, desenvolvem práticas piedosas com posturas dolorosas, subindo longas escadas ou percorrendo de joelhos consideráveis distâncias, assim como em situações mais prazerosas, na execução de danças acompanhadas de sons ritmados emitidos por instrumentos musicais, geralmente percussão, além de cantos e palmas.

Colonizadores portugueses e espanhóis procuraram destruir práticas indígenas de cunho religioso e político, práticas essas em que as plantas psicoativas tinham papel importante. Astecas, maias, incas e tupi-guarani, conhecedores das espécies dessa categoria, tinham seus usos combatidos severamente pela Igreja Católica. Os astecas utilizavam os sonhos como razão de Estado e os incas também atribuíam aos sonhos papel político oracular, sendo, inclusive, prevista em sonhos de seu líder Huayana Capac, a vinda dos espanhóis (Carneiro, 2002: 232).

Certamente, as plantas nativas americanas que se enquadravam na categoria de psicoativas, em especial no Brasil, vêm escrevendo sua própria história a partir do início da colonização. Foi quando os conquistadores e as missões religiosas infiltradas em meio às populações nativas passaram a introduzir ideias novas junto aos costumes tribais, interferindo em suas crenças e em seus rituais. Dentre as determinações por ordem de superiores, estava a

> *Proibição ao culto aos antepassados e a exigência de sepultamento dos mortos, o combate contra as múmias, a imposição do batismo e do casamento monogâmico, a proibição da idolatria (...) e a proscrição do uso de plantas alucinógenas* (Carneiro, 2002: 174)

Segundo este autor, as plantas alucinógenas e as afrodisíacas tiveram seu conhecimento excluído dos herbários[7] nos séculos XVII e XVIII, visto terem sido elas atacadas pela Igreja do século XVI, a fim de obter o sucesso na missão de extirpação das idolatrias e na implantação do cristianismo. Anchieta fazia parte daqueles religiosos que participavam da missão por meio do trabalho de catequese. Em carta de 1585, ele se refere ao hábito indígena de tragar o suco de uma planta deletéria, provavelmente o tabaco, dizendo que "em seguida, ficava santo e perfeito na sua vocação", conforme Souza (1993: 230).

---

7. Herbários eram livros que tratavam de plantas.

A Inquisição desempenhou papel de destaque nas condenações, como mostram os arquivos datados de 1536 a 1787, relatando torturas aos indígenas que usavam plantas mágicas em cerimônias de adivinhação (Beltrán, 1992).

São muitos os autores que já trataram das plantas americanas usadas pelos nativos, tais como: Ramon Pardal (1937), sobre as plantas da medicina indígena americana; Richard E. Schultes (1976), sobre as espécies nativas brasileiras; Gonçalves de Lima (1975), com um estudo etnobiológico de bebidas e de alimentos fermentados primitivos; Nunes Pereira (1974, 1980), tratando das comidas, bebidas e tóxicos da Amazônia brasileira; Lewis & Elvin Lewis (1977), sobre a toxicidade das plantas rituais entre povos primitivos; Vera P. Coelho (1976), referente às plantas psicoativas e o mundo simbólico; Chillean Prance (1972), em estudos comparativos sobre uso de plantas psicoativas entre tribos amazônicas; Henrique Carneiro (2002), tratando dos alucinógenos e da história da Botânica e da Farmácia entre os séculos XVI e XVIII, dentre outros autores e suas obras, mencionados e referidos na bibliografia no final.

Apesar das proibições e dos severos controles exercidos pelos colonizadores, os indígenas continuaram a exercer suas práticas religiosas voltadas a curas, empregando as plantas nativas, suas conhecidas. Sem perderem totalmente a originalidade quanto aos seus poderes mágicos calcados na mitologia indígena, as plantas nativas passaram a ocupar espaços nos sistemas de crenças afro--brasileiros que, aos poucos, foram se organizando no País.

A medicina popular que ora tratamos se define como sistema médico, visto envolver basicamente técnicas de diagnóstico, interpretações etiológicas e terapêuticas, voltada ao ser humano em questões de saúde física, mental e espiritual. Baseada em ideias e valores ditados pelo consciente coletivo[8], prevalecendo o paradigma interativo, tem seus conhecimentos transmitidos por meios predominantemente orais. Seu vínculo com elementos doutrinários de cunho religioso de diversas origens permite-nos entendê-la como uma medicina sacralizada de contorno nitidamente mágico-religioso.

Com base no conhecimento empírico acumulado, desenvolvido por meio de uma dinâmica própria, as práticas médicas populares vão seguindo o curso de sua própria história, adequando-se às realidades que o tempo histórico vai delineando, segundo os diferentes contextos socioculturais nos quais se insere. Estudos de tais contextos, entendidos como agrupamentos humanos inseridos em sociedades urbanas ou rurais, nos permite perceber como tais grupos "relacionam-se, confrontam-se, competem-se, aliam-se, misturam-se e se interpenetram a fim de proteger, aumentar ou legitimar

---

8.　Adotamos o termo *consciente coletivo*, visto nos identificarmos com o pensamento de Émile Durkheim (2008: 500-1): "Antes de ser devido a qualquer poder inato do indivíduo, o ideal coletivo, expresso pela religião, foi antes idealizado pelo indivíduo com base nas exigências da vida coletiva. Foi assimilando os ideais elaborados pela sociedade, que ele se tornou capaz de conceber o ideal. (…) Certamente, encarnando-se nos indivíduos, os ideais coletivos tendem a individualizar-se. Cada um eliminando-lhe alguns elementos, acrescentando-lhe outros. O ideal pessoal origina-se, assim, do ideal social".
Em outras palavras, seguindo o pensamento de Durkheim, para que surja uma consciência coletiva é preciso que se produza uma síntese das consciências particulares, nos parecendo ser como ocorre na medicina popular, em contextos socioculturais particulares, nos quais seus membros se articulam, conscientemente, em campos semânticos próprios. Daí, a ideia que temos de consciente coletivo.

aquilo que consideram seu patrimônio, seja cultural, histórico, ideológico, ou seja, seu estilo de vida", como diz Rita Amaral (1992). São saberes médicos se articulando em campos semânticos próprios, cujos significados ficam restritos aos membros dos diferentes grupos nos quais se inserem, segundo as ideias religiosas veiculadas pelos diferentes sistemas de crença que se desenvolvem no País. Citamos: catolicismo, pentecostalismo, kardecismo, além dos sistemas de crença de origem e influência indígena: catimbó, jurema, toré, pajelança, entre outras, e sistemas de influência e origem africana – basicamente o candomblé e a umbanda.

A medicina popular, como sempre o fez, vem dividindo espaços nas sociedades contemporâneas lado a lado com o sistema médico hegemônico. Porém, por influência do etnocentrismo da medicina hegemônica, as práticas médicas populares são entendidas como produto de cultura inferior e por não ter valor reconhecido cientificamente. Entendendo que, entre culturas, não há uma superior à outra, há apenas diferenças, as medicinas que competem na preferência popular representam paradigmas diferentes, orientados por padrões culturais diferentes. Em Puttini (2011),

> *No mundo social, em que vigoram os processos judiciais de curandeirismo, a máquina estatal garante os recursos estáticos no tempo e no espaço. Entende-se que, neste relacionamento funcional, o saber médico (universitário) preponderam diretrizes e caracteriza a natureza desta relação, como uma relação de dominação sobre outras práticas de cura não médicas, para num segundo momento, manter o poder e saber médicos hegemônicos na realidade da vida cotidiana.*

Como diz Puttini, constrói-se a prática oficial de cura, controladora da vida social, ao mesmo tempo em que se cria a figura "criminosa do curandeiro". Expressão de caráter generalizado, que nos confunde por não retratar o perfil dos reais detentores do saber médico popular em toda sua sapiência. Esta, fartamente demonstrada nos trabalhos etnográficos de biólogos, botânicos, farmacólogos e cientistas sociais em geral, os quais trazem subsídios de real valor, principalmente quando direcionados às Ciências Médicas e Farmacêuticas, a exemplo do conhecimento de espécies botânicas medicinais ainda não conhecidas da comunidade científica.

Embora considerando as diferenças entre o sistema médico hegemônico e o sistema médico popular, podemos admitir que os dois tiveram seus começos em uma raiz ancestral comum situada em tempos pré-históricos. O primeiro seguiu seu caminho rumo à racionalização em bases científicas das ideias médicas, cujos primeiros passos ocorreram no longínquo século V a.C. com Hipócrates (460-377), separando a arte médica do sagrado. Dependendo da interpretação que queiramos dar, teria sido naquele século o marco histórico que determinou o início da medicina ocidental conhecida em nossos dias. Entretanto, conforme Carvalho (2004), tal início teria ocorrido no século XVII com a descoberta da circulação sanguínea por William Harvey (1578-1657), somada à célebre concepção dualista de René Descartes (1596-1657), separando o físico do espiritual, ao conceber o corpo humano como uma máquina, reduzindo-o a partes, de forma a poder estudar o corpo de forma sistemática em suas partes constitutivas.

Com a revolução científica, as plantas medicinais começaram a perder sua identidade. No começo do século XX, com a identificação dos agentes responsáveis pela ação terapêutica – os princípios ativos: alcaloides, glicosídeos, óleos essenciais, entre outros – foi possível determinar os fitofármacos, abrindo caminho para a identificação das estruturas químicas dos agentes ativos, dirigidas à produção de medicamentos sintéticos, passando a indústria farmacêutica a não mais necessitar das plantas para tal produção. A natureza do ser humano começa a perder sua dimensão ecológica e a doença passa a ser entendida como um mau funcionamento da engrenagem biológica. Assim, passa a medicina a se distanciar do conceito holístico próprio da medicina popular, ao entender a saúde como um reflexo do organismo como um todo – mente e corpo – em sua relação com o meio ambiente natural e social, como admite Capra (1988: 141). Embora o autor adote a expressão "medicina holística", nós a substituiríamos por "medicina interativa". É na interatividade entre todos os elementos presentes nos rituais de cura, considerados os componentes físicos, bioquímicos e psicológicos, onde estão os fundamentos básicos, os quais regem as terapias médico-populares, ao proporcionar ao doente o "sentir-se curado", estado almejado pelo paciente e conquistado com a interferência do curador em sua maneira de perceber a doença e debelá-la.

A espiritualidade, condição humana de dimensão transcendental, está presente na tradição médica popular brasileira por herança, basicamente, das principais matrizes influenciadoras *portuguesa, indígena e africana* – considerando tais matrizes tal como se apresentavam no século XVI. A exemplo de Portugal, que vivenciava uma medicina monástica orientada por um catolicismo forte e punitivo, trazendo em seu bojo influências de outras culturas, mesmo de tempos muito anteriores à Era Cristã, como aquelas em que as práticas médicas eram de cunho teúrgico, a exemplo daquela vivenciada pelos antigos povos da Mesopotâmia. Acrescentamos, ainda, as influências da arte médica oriunda dos povos árabes, os quais permaneceram na Península Ibérica cerca de 700 anos.

Quanto à matriz africana, referimo-nos a um continente que, desde tempos muito anteriores ao século dos descobrimentos, já vivenciava trocas culturais entre povos de seu próprio espaço continental, bem como com povos asiáticos que já haviam se instalado não só no norte africano, como em sua costa oriental, estabelecendo contatos comerciais, assuntos que discutiremos no desenrolar deste livro.

Ao ser incapaz de dar uma explicação concreta para a espiritualidade ou a um estado de espírito, por se tratar de um bem imaterial, a mente humana vagueia por um universo que não existe no concreto, mas ela crê existir. Sabemos, todavia, que existe porque isso se herda do grupo familiar ou social, nele buscando os significados e sentido da vida. Contudo, a espiritualidade mantém uma relação de parentesco com a religiosidade. Esta, no desempenho de seu papel social na orientação da conduta do ser humano na vida em sociedade, busca, ainda, discipliná-lo em suas ideias sobre o intangível universo de seus pensamentos voltados ao sagrado, levando-o a obedecer a doutrinas e regras, aquelas que vão dar sustentação aos sistemas de crença. Decorrente da diversidade destes e, envolvida no processo histórico das práticas médicas populares, diferentes categorias de profissionais, com suas designações próprias, vão firmando-se nos diferentes contextos socioculturais, como seus protagonistas, são elas: *curandeiros, benzedeiras, rezadores, raizeiros, pais e mães de santo, mestres catimbozeiros, juremeiros, pajés urbanos e pajoas*, entre outros (Camargo, 2005/2006).

Consideramos que, a partir da interação que se estabelece entre curador e consulente em rituais de cura, se torna sagrado, ao ser investido de poder, todo o conjunto ritualístico compreendido de elementos materiais e imateriais empregados, como: benzeduras, passes, bênção, banhos, transes de incorporações e, sobretudo, as plantas medicinais empregadas em chás, unguentos, xaropes, garrafadas e, ainda, cremadas em cigarros, charutos, cachimbos e incensórios, aos quais são atribuídas propriedades que transcendem às classificações taxonômicas, fórmulas químicas e análises farmacológicas. Para o curador, outras propriedades são tão ou mais importantes que os aspectos materiais dos elementos que compõem o conjunto ritualístico de cura (Oliveira,[9] 2010).

O curador ouve atentamente o doente, que tem estampado em sua fisionomia o sofrimento pelo qual passa. Assim, com base em sua experiência, é capaz de perceber que o sofrer implica interação de fatores físicos, mentais, sociais e espirituais, conjugados subjetivamente por aquele que padece de algum mal. Este mal pode ser traduzido em dor física localizada, possibilitando ao curador, depois de uma interpretação etiológica subjetivamente construída e por ele decodificada, determinar o órgão afetado ou a parte do corpo atingida e a terapia a ser aplicada, de forma a devolver ao doente o estado anterior que o motivou à consulta.

Ao delinear seu perfil nos diferentes contextos socioculturais, a medicina popular vai imprimindo aqui e acolá traços herdados das três principais matrizes influenciadoras, traços possíveis de ser apreendidos pelas pesquisas de Etnofarmacobotânica, visto tratar-se da união da Etnologia com a Farmácia e a Botânica. Dado o caráter multidisciplinar dessa área de estudos, torna-se possível resgatar dos detentores desse saber médico valiosas informações de interesse científico. Tais interesses não se situam somente no campo da Botânica com relação às plantas medicinais, muitas vezes ainda desconhecidas dos cientistas, mas também sobre as diferentes formas de usos e indicações terapêuticas de interesse da Farmacologia e Clínica Médica.

Entretanto, salientamos não ser objeto deste livro tecer quaisquer considerações sobre sincretismo, aculturação, interação, etnicidade ou outras formas de identificação do fenômeno ocorrido no Brasil com o encontro das três principais matrizes já referidas, as quais deram origem, basicamente, ao que hoje denominamos medicina popular. Ferretti (1991) faz uma revisão da literatura sobre sincretismo religioso, onde as três matrizes comparecem com nitidez.

Na historiografia que ora apresentamos, procuramos nos deter também na constatação das constantes retomadas de ideias e pensamentos voltados a fatores mágico-religiosos associados às plantas, de períodos anteriores que, em novas roupagens, vão reaparecendo no percurso histórico por nós trilhado. São plantas que, percorrendo longos caminhos através dos séculos, muitas delas vindas de muito longe e em um vai e volta, acabaram por criar raízes em terras brasílicas.

---

9. *A construção cultural da saúde e o espaço da medicina tradicional.* Conferência apresentada no 2º Simpósio Internacional de Etnobotânica, La Paz, Bolívia, 16-18 de setembro de 2003 e no Encontro Internacional de Saúde Natural, na Universidade Federal de Santa Catarina, Florianópolis, SC.

Para conhecermos todo esse vaivém, recorremos às obras daqueles estudiosos que vasculharam o passado da medicina desde os começos da humanidade, cujos estudos encontramos subsídios que nos permitiram preparar esta historiografia. Dentre os autores consultados, destacamos: Maximiano Lemos (1899), Pedro Lain Entralgo (1972), Paul Diepgen (1932), Agustinn Albarracín (1993), Ulrico de Aichelburg (1972), Frederico Pergola *et al.* (1986), Mirko Grnek (1995-1999), Howard Kee (1992), Carlo Ginzburg (1988), José P. Sousa Dias (2007), Luís Graça (1996; 2007), entre outros, que vão citados no texto e arrolados na bibliografia no final.

À influência da medicina que Portugal legou aos brasileiros, fazendo chegar até eles plantas europeias e asiáticas, somam-se aquelas que nos foram ensinadas pelos nossos indígenas, aquelas usadas em suas práticas de cura e em seus rituais religiosos.

Dentre as plantas nativas, destacam-se as usadas em rituais xamânicos, as espécies psicoativas ditas mágicas, como as mencionadas pelos autores já citados, acrescidos das obras antigas sobre plantas nativas, lembrando autores como: Joaquim Monteiro Caminhoá (1877); Alfredo Augusto Da Matta (1913); Theodoro e Gustavo Peckolt (1914); Francisco C. Hoehne (1939), obras que se somam às de N. Pino Benitez (2008), sobre plantas usadas em rituais mágico-religiosos da Colômbia; José L. Amorim (1974), sobre plantas alucinógenas americanas; Lewis & Elvin Lewis (1977), sobre a toxicidade das plantas rituais entre povos primitivos; e Richard Evans Schultes (2001), sobre as plantas dos deuses, entre outros autores cujas obras serviram de suporte para entendermos as relações entre costumes dos povos vizinhos e dos nativos brasileiros, nos usos, principalmente, das plantas de poderes mágicos.

De outro lado estão os negros oriundos de diferentes regiões africanas, chegados ao Brasil a partir de meados do século XVI, influenciando brancos e indígenas com sua capacidade de preparar poções mágicas para vários fins, atraindo-os para suas práticas médicas. Tal fato faz-nos lembrar o exemplo histórico do "amansa senhor" (*Petiveria alliaceae* L.), poção preparada pelos escravos para se vingarem de seus senhores, levando-os a estados de imbecilidade e morte (Camargo, 2007; 2011). Suas culturas e influências na formação do *ethos* brasileiro foram tratadas por estudiosos como Nina Rodrigues (1935; 1976) desde fins do século XIX, abordando questões dos negros no Brasil; Artur Ramos (1961), com sua *Introdução à Antropologia brasileira* em três volumes, obra voltada inclusive à cultura indígena e africana no Brasil; Manuel Querino (1988), abordando os costumes africanos em terras brasílicas; Perdigão Malheiro (1944), tocando em questões históricas, jurídicas e sociais dos escravos; Edison Carneiro (1947; 1948), dedicando-se à cultura banto e os ritos religiosos dos negros; Roger Bastide (1944-1978), abrindo caminho na academia aos futuros cientistas sociais aficionados, dentre outros assuntos, nos afro-brasileiros; Pierre Verger (1966-1995), com sua enorme contribuição etnográfica sobre a cultura sudanesa na África e no Brasil; Beatriz Goes Dantas (1988-2002), também voltada às questões da cultura negra no País; Vagner Gonçalves da Silva (1994; 2007) e Reginaldo Prandi (1996), especialistas em religiões afro-brasileiras; Mundicarmo Ferretti (1991-2004) e Sérgio Ferretti (1986; 1991), estudando a fundo as religiões afro-brasileiras em São Luís do Maranhão; Raul Lody (1979-2003), voltado à cultura material nas religiões de origem e influência africana, com destaque para a gastronomia; Jocélio Teles dos Santos (1995), sobre a figura dos caboclos nos candomblés na Bahia; destacando, ainda, Carlos Eugênio Marcondes de Moura (2012), autor de vasta bibliografia e organizador de importantes obras com a colaboração dos mais destacados estudiosos das religiões afro-brasileiras.

Quanto às plantas usadas em rituais religiosos de origem e influência africana, autores preocupados com a identificação botânica das espécies citadas em seus trabalhos têm inserido nestes os respectivos binômios latinos. Neste sentido, é importante salientarmos a importância que se deve dar à informação quanto às fontes usadas em tais identificações, visto ser o único meio de avaliar a veracidade de tais dados, sem os quais os binômios indicados deixam de ter credibilidade. Este pormenor permitirá que dúvidas não pairem sobre quais são verdadeiramente as espécies botânicas referidas nos textos.

Não deixamos de nos reportar às trocas culturais entre negros e indígenas quando dividiam espaços em quilombos, lembrando que, desde o século XVI, colonos portugueses mantinham índios escravizados principalmente nos primeiros engenhos no País, assunto tratado por Aldemar Fiabani (2005), Clovis Moura (1959), Genovese (1981), entre outros.

A sobreposição de elementos culturais, oriunda das três principais matrizes influenciadoras, fez gerar situações inusitadas. Embora desde o início da colonização houvesse, da parte dos portugueses, a tentativa de manter superioridade no tocante à arte médica, não foi bem assim, como buscavam. Supersticiosos e temerários de vingança aderiram à magia negra, visto serem os africanos grandes conhecedores de receitas mágicas indicadas para diferentes finalidades. Somou-se a este fator ligado às práticas médicas, também, o fator da sexualidade desenvolvida nas relações entre patrões e escravas. Assim, surgiu uma geração de crianças negras partilhando com as brancas os mesmos ambientes domésticos de seus senhores, como documentado por Debret (1949), no século XIX, embora possamos admitir que aqueles estrangeiros que andaram pelo Brasil naquele século fantasiavam a realidade brasileira ao retratar seu cotidiano.

Para podermos entender e explicar a presença das espécies exóticas de poderes curativos na medicina popular, particularmente as psicoativas, tornou-se imprescindível uma volta no tempo, a fim de conhecermos o arsenal botânico presente na medicina que Portugal legou aos brasileiros no século XVI. Para tal façanha, realizamos uma viagem às raízes do pensamento médico português em pleno período renascentista. Período histórico que vivenciou o arrojado ímpeto dos navegantes ibéricos que, à mercê dos ventos, atiraram-se ao mar em busca de novas conquistas, tendo como principal foco o monopólio do comércio das espécies orientais, as então cobiçadas especiarias.

Com o suporte da Etnobofarmacobotânica, foi-nos possível uma revisão historiográfica das plantas em contextos médico-populares, ao resgatarmos valores de seu passado histórico enquanto cultura material e imaterial, sobretudo na apreensão do simbólico nelas implícito. Foram os valores resgatados que nos levaram a entender, explicar e a dar sentido aos papéis das plantas nos diferentes contextos socioculturais que a história vem apontando na medicina popular ora em estudo.

Foi nas sociedades urbanas da Mesopotâmia e Egito, 3000-1900 a.C., onde encontramos as bases do conhecimento que nos liga à história das plantas medicinais e que, depois dos longos caminhos percorridos por terras estranhas através dos séculos, chegaram até nossos antepassados lusitanos, cujos conhecimentos sobre elas adquiridos nos foram deixados como legado.

Seguimos para a Grécia, perpassando os períodos: Creto-micênico (3000-1200 a.C.), Homérico (século IX-VII a.C.), Arcaico (século VII-VI a.C.) e Helenístico ou Greco-Romano (século IV a.C. ao VI d.C.), cujos protagonistas da área médica buscaram aperfeiçoar os conhecimentos nos papiros egípcios conservados na Biblioteca de Alexandria, a exemplo de Hipócrates (460-377 a.C.). Nessa caminhada, deparamo-nos com os pré-hipocráticos, os "asclepíades", como passaram a ser chamados os médicos anteriores às novas ideias médicas preconizadas por Hipócrates. Eram aqueles entendidos como servidores dos deuses nas práticas médicas. Seguiram-se àqueles os pós-hipocráticos, os protagonistas da arte de sarar, incumbidos de diagnosticar e curar. Passamos, depois, pela medicina greco-romana, tendo deixado marcas indeléveis na medicina de Portugal. Porém, na Idade Média, a visão cristã da medicina entre os portugueses fez com que retrocedessem em relação ao legado greco-romano, fazendo desenvolver uma medicina teológica influenciada pelo cristianismo, atribuindo às doenças um caráter religioso, reforçando a ideia de culpa e castigo divino. Foi o período em que tiveram grande prestígio as formulações miraculosas compostas de grande número de substâncias curativas, tradição médica que já vinha desde os tempos da Grécia Helenística, a exemplo das famosas *teriagas* (Albarracín, 1993). A associação entre o pecador e o doente se assemelhava às crenças sumérias que, adaptadas à visão do cristianismo, admitiam as doenças como por possessão demoníaca. Vivia-se atemorizado pelos bruxedos e encantamentos praticados pelos endemoniados. A teoria demoníaca da doença, a exemplo das epidemias que assolavam a Europa, tinham como bode expiatório os judeus. A Igreja acreditava que as curas realizadas pelos médicos judeus eram obra do demônio (Graça, 1996).

Seguindo adiante, vasculhamos o período renascentista, quando Portugal do século XVI vivenciava tempos de influência de um catolicismo forte e punitivo, fazendo desenvolver uma medicina monástica exercida nos conventos.

Iniciado o processo de colonização, em meados do mesmo século, aportam os jesuítas em terras brasílicas, a fim de desenvolver o trabalho de evangelização dos povos indígenas, paralelamente à atividade médica. Naquele trabalho de assistência religiosa e médica às populações que foram se formando no entorno dos colégios por eles fundados na costa brasileira, foram introduzindo ideias que calaram fundo na formação da cultura brasileira, refletida ainda hoje na cosmovisão médica que norteia a medicina popular. Esta é a razão de destacarmos nesta historiografia a influência jesuítica, embora saibamos dos diferentes papéis desempenhados pelas outras missões religiosas que vieram para o Brasil.

Não deixamos de abordar assuntos relacionados à criação dos Jardins Botânicos, quando, no começo do século XVIII, surgiram novos instrumentos de intercâmbio de espécies tropicais, permitindo assim o estudo comparativo de espécimes secos enviados de cada canto do mundo tropical. Os reis de Portugal mandavam seus navegadores procurar as plantas em terras de seu reino, visando a cultivá-las em Portugal e colônias. Posteriormente, esta tarefa coube aos naturalistas, ao empreenderem viagens de exploração dos recursos naturais, em particular da flora, incluindo as medicinais. José de Anchieta (1560) teria sido o primeiro a descrever as riquezas naturais do Brasil em carta ao padre Diogo Laínes em Roma, enviada de São Vicente em 31 de maio de 1560, dando notícias detalhadas do que via nas regiões de São Vicente e Piratininga. Sem dúvida, foram importantes os relatos daqueles que, no século XVI, andaram pelo Brasil, entre eles: Gabriel Soares de Sousa, em seu *Notícia do Brasil* (1587); Frei Vicente do Salvador, em *História do Brasil* (1590-1627); Pêro de Magalhães Gândavo, com sua *História da Província de Santa Cruz* (1576); Hans Staden, em *Duas viagens ao Brasil*; Fernão Cardim, com *Tratados da terra e gente do Brasil* (1540?-1625); e vários outros que narraram o que viram pelas terras brasílicas, cujas obras serão mencionadas neste livro.

Recordamos o período do Brasil holandês, no século XVII, com a vinda do Príncipe de Nassau acompanhado de cientistas, que vieram dar sua enorme contribuição ao conhecimento das riquezas naturais do Brasil, além de assuntos pertinentes à nosografia brasileira. Dentre eles, citamos Guilherme Piso (1648) e Jorge Marcgrave (1648), tendo ambos deixado importantes obras. Foi o período em que proliferaram na área médica judeus, uns fugidos do Tribunal da Inquisição e outros provenientes da própria Holanda, todos reconhecidamente superiores aos portugueses que vieram exercer a medicina.

Em Portugal, por sua vez, a Universidade de Coimbra contratou o botânico Domenico Vandelli, de Pádua, a fim de formar a geração de naturalistas e organizar expedições, as quais passaram a se chamar Viagens Filosóficas. Dentre os primeiros a cumprir essa tarefa estava Alexandre Rodrigues Ferreira, que iniciou viagem a Amazônia, e Frei José Mariano da Conceição Vellozo, no Rio de Janeiro, deixando ambos importantes obras, como: *História Natural do Pará* e *Flora Fluminensis*, respectivamente.

Por meio do Instituto Histórico e Geográfico Brasileiro, criado em 1838, formou-se em 1856 a Imperial Comissão Científica, com objetivo de explorar o interior das províncias brasileiras a fim de coletar material para o Museu Nacional e promover pesquisas científicas no País.

No século XIX, dentre os naturalistas estrangeiros que estiveram no Brasil, entre outros, citamos Auguste de Saint-Hilaire, Alexander Von Humboldt, Georg Heinrich Langsdorff, George Gardner, Albert Loefgren, Maximiliano de Neuwied, assim como Johann Baptist von Spix e seu companheiro Carl Friederich Phillip von Martius.

Depois de nossas andanças pelo passado distante, focamos as plantas em seus papéis na arte de curar, a partir do século XVI, no mundo e, particularmente, no Brasil, até alcançarmos o início do século XVIII, quando se iniciavam as buscas pela identificação dos agentes responsáveis pela ação medicinal, postulando a existência de "princípios" nas plantas, os agentes ativos no tratamento de doenças (Carlini *et al.*, 2007). Depois do isolamento de tais princípios ativos e da determinação de suas estruturas químicas para a produção de medicamentos sintéticos, as plantas passaram a ter uma importância secundária no mundo das Ciências Farmacêuticas, dominado pelos grandes laboratórios. Contudo, a partir de um interesse de ordem econômica, a produção de fitoterápicos foi incentivada por órgãos estatais, visando a atender aos programas determinados pelas Políticas Públicas de Saúde.

Implicando ideias mais elucidativas que conclusivas, o material analisado e discutido neste livro decorreu, como se viu, de dados coletados em pesquisa bibliográfica e de campo. Esta, resultado de 40 anos de andanças pelo Brasil afora conversando, entrevistando gente aqui e acolá, gravando, fotografando e, sobretudo, coletando plantas para identificação botânica e formação da coleção hoje conservada no Herbário do Departamento de Botânica do Instituto de Biociências da Universidade de São Paulo.

De nosso contato com os doutores na arte de curar em suas maneiras de ser e agir, foi-nos possível reconhecer no curador a capacidade de perceber as diferentes nuanças do ser e estar doente. Reconhecimentos que ficam claros quando interpretados por aqueles doutores capazes de analisar o doente em sua totalidade – corpo e mente – possibilitando, assim, devolver àquele que sofre, confiante na cura, o estado anterior que motivou sua consulta, passando a sentir-se curado.

Neste sentido, reportamo-nos às plantas medicinais empregadas nas terapias indicadas por esses doutores na arte de curar, que, desde tempos pretéritos, já eram indicadas por magos e xamãs e que o tempo trouxe até nossos dias para, em suas mãos, transformarem-se em remédios eficazes. Porém, admitimos que, no conjunto ritualístico de cura, compreendido de plantas, alinham-se elementos de ordem subjetiva, emprestando à medicina popular seu caráter sacral, admitindo os poderes sobrenaturais dos curadores.

Na medicina popular, bem diferente do comportamento médico, segundo o modelo cartesiano da biomedicina, o curador vê o homem em sua totalidade: corpo e mente somados ao histórico do mal que o atinge, sempre em perfeita coerência como a cosmovisão médica do grupo social ao qual pertencem curador e doente.

O livro que apresentamos se divide em três Partes:

♦ **Parte I –** Compreende a contextualização histórica do trânsito oriente/ocidente e vice-versa das plantas medicinais, com destaque para as psicoativas e seus usos[10] a partir do início da escrita na Mesopotâmia e Egito. São perpassados os períodos das antigas Grécia e Roma, considerando o papel das plantas nas medicinas pré e pós-hipocráticas, seguindo até o início da Era cristã com a *Matéria médica* de Dioscórides e a farmácia galênica. As plantas medicinais e seus papéis na medicina e práticas de feitiçaria na Europa medieval de influência bizantina e árabe até o período renascentista. As grandes navegações e o trânsito

---

10. As espécies botânicas em seus nomes populares, usadas pelas civilizações antigas, mencionadas neste livro e obtidas na literatura consultada, vêm seguidas dos binômios latinos e origem. Estes dados foram extraídos principalmente de Pio Font Quer (1978), *Plantas medicinales. El Dioscórides renovado*, visto tratar-se de fonte legítima para o conhecimento das espécies medicinais da região mediterrânea e Ásia ocidental, usadas até o século I de nossa Era pelos povos antigos tratados neste livro, as quais, posteriormente, no século XVIII, foram identificadas por Carl von Linné. Para atualização dos binômios latinos e regiões de procedência das espécies mencionadas, foi consultado o *International Plant Names Index*, que vai sempre referido com a sigla INPI.
Esclarecimento: Para facilitar ao leitor, os dados – binômios latinos e origens – acompanham o nome popular das plantas, todas as vezes em que são listadas, nas diferentes partes do livro.

das especiarias orientais junto às espécies europeias, até a chegada ao Brasil, onde foram incorporadas ao acervo das espécies nativas atualmente empregadas na medicina popular. Encerra-se esta parte com o interesse europeu na criação dos jardins botânicos.

- ◆ **Parte II** – Primeiros habitantes das Américas e sua relação com espécies botânicas de uso medicinal. As plantas medicinas, com destaque para as psicoativas, e os contatos interétnicos no processo de sacralização da medicina popular, considerando as principais matrizes influenciadoras – indígena, portuguesa e africana. Plantas nativas empregadas na preparação de bebidas rituais de cunho mágico-religioso, ensinadas pelos indígenas e a influência destes na formação de sistemas de crença onde as práticas de cura têm destaque. Influência da matriz portuguesa relacionada ao papel dos jesuítas junto aos catecúmenos com relação à doença, cura e morte, segundo pregava o catolicismo. A religiosidade na medicina popular. A devoção a Nossa Senhora e aos santos católicos na obtenção de curas milagrosas. A medicina e farmácia jesuítica. Anchieta, o naturalista. As plantas nas preparações medicinais elaboradas nas boticas junto aos colégios jesuíticos espalhados pela costa brasileira. As viagens filosóficas empreendidas por naturalistas de origem brasileira, enviadas ao Brasil. A política portuguesa referente ao cultivo de plantas exóticas em solo brasileiro. A medicina a partir da chegada da família real em 1808 e a chegada de viajantes e naturalistas estrangeiros a fim de documentar os recursos naturais do País. A medicina popular perante a medicina hegemônica que começa a se impor a partir do século XVIII na sociedade brasileira.

- ◆ **Parte III** – As plantas, o sagrado e a Etnofarmacobotânica. A espiritualidade/religiosidade na medicina popular e os princípios básicos que a regem. As plantas psicoativas ou não em seus papéis complementares sacral e funcional no conjunto ritualístico de cura. O transe de possessão em seu papel funcional nos rituais de cura em ambientes religiosos afro-brasileiros. Considerações sobre a medicina popular perante a medicina hegemônica.

Esclarecemos que, em nossa viagem pelo tempo histórico, a fim de elaborar esta historiografia, procuramos nos deter somente em períodos e lugares que julgamos mais significativos para a abordagem etnofarmacobotânica aqui proposta. Neste sentido, fazemos nossas as palavras de Carlo Guinzburg, autor da obra *Andarilhos do bem*, em uma entrevista ao *O Estado de São Paulo* – Caderno 2, em 15 de setembro, 1989, quando lhe perguntaram:

> *Entrevistador: A sua quase obstinada preocupação com o particular não obstrui uma visão global da História?*
> *Resposta: Não trato do particular sem localizá-lo em um contexto. Meu interesse pela micro-história também inclui a macro-história, mas não me interessa a situação intermediária.*

Parte 1

Contextualização histórica e sociocultural das plantas medicinais nas práticas médicas no mundo antigo e sua influência na medicina em Portugal, do século XVI

1.1. Fontes textuais do mundo antigo

Ao vasculharmos o passado histórico das plantas exóticas hoje usadas na medicina popular no Brasil, verificamos compreenderem herança de nossos antepassados lusitanos, cujas raízes estão fincadas em um passado que se perde no tempo.

Até meados do século XIX, a Botânica era entendida como parte da Medicina, como consta do *Compendio Histórico, e Universal de todas as Sciencias, e Artes, em diálogos por perguntas e, respostas, para uso dos curiosos*, publicado no Porto, Portugal, em 1817.

A história das plantas teve seu início quando o ser humano, nas sociedades primitivas, deu início à busca do conhecimento sobre os vegetais, relacionando-os com alimento, doença, remédio e veneno. No anseio de correlacionar esses conceitos, estes foram logo incorporados ao mundo mágico de magos e xamãs. Estas pessoas, capazes de influenciar no pensar e agir dos demais membros do grupo, atraíram para si o papel de desvendar os mistérios das plantas, principalmente aquelas capazes de proporcionar estados alterados de consciência, como foi documentando nas cavernas por pintores paleolíticos (Carneiro, 1997: 167). Franz Jensen (1966: 256), sobre os xamãs, diz que o traço mais característico dessas pessoas é a "capacitación psíquica particular que le confiere el poder de actuar como mediador entre los hombres y sus deidades o, respectivamente, los espíritus"[11].

Plantas com aqueles poderes tinham entre os povos primitivos o papel de reforçar suas crenças na realidade de um mundo sobrenatural, com o qual mantinham contato. Desde os primórdios dos tempos, indivíduos dotados de poderes xamânicos vêm adotando técnicas que lhes permitam o contato direto com o mundo dos espíritos por meio do transe, a fim de curar pessoas quando caem enfermas por causas sobrenaturais (Harner, 1976: 8, 142).

O primeiro documento que se tem conhecimento sobre o uso de plantas com fins curativos data do Paleolítico ou Idade da Pedra Lascada. Este, o primeiro dos três grandes períodos da história da humanidade subdividida em Idade da Pedra (5000 a 1000 a.C.), seguida pela Idade dos Metais (3000 a 1000 a.C.), aos quais se seguiram os tempos históricos (Dias, 2007: 7).

1.2. Plantas medicinais na Mesopotâmia

Na Mesopotâmia, localizada no Oriente Médio, entre o rio Eufrates e o rio Tigre, sucederam-se civilizações das quais se destacaram os sumérios, seguidos dos acádios, amoritas ou antigos babilônicos, assírios e caldeus ou novos babilônios, de onde partimos para nossa jornada atrás de subsídios, a fim de uma abordagem historiográfica sobre as plantas medicinais usadas nas práticas médicas populares.

---

11. Capacitação psíquica particular lhe dá o poder de agir como mediador entre os homens e suas divindades ou, respectivamente, os espíritos.

Foi nas sociedades urbanas da Mesopotâmia e Egito (3000 a.C.) onde encontramos as bases do conhecimento que nos liga à história das plantas medicinais que, depois dos longos caminhos percorridos, chegaram até nossos antepassados portugueses, cujos conhecimentos sobre elas foram deixados como legado; plantas que nas mãos de adivinhos e xamãs com características sacerdotais ganhavam poderes mágicos, como diz Cunha (2012).

Entre os sumérios foi encontrado o mais antigo documento escrito de cunho médico-farmacêutico (3000-1900 a.C.), uma tabuinha de argila em escrita cuneiforme contendo quinze receitas medicinais, além de centenas de tabuinhas médicas datadas do primeiro milênio. Admitiam aqueles povos que um gênio pessoal protegia os seres humanos dos demônios causadores de doenças, existindo um para cada doença (Dias, 2007: 8). Tal gênio intercedia junto aos deuses mais poderosos que podiam dar a saúde ou a doença, como Marduk, Gula ou Ea. A doença era o castigo divino originado por uma falta, através da intervenção de um demônio. O autor acima acrescenta que os conceitos terapêuticos baseavam-se na crença de que todos os fenômenos, tanto terrenos como cósmicos, se encontravam unidos e subordinados à vontade dos deuses. Dado o caráter teúrgico da medicina, toda doença e cura explicava-se por meio de uma complexa relação entre deuses, gênios benfeitores, maléficos ou demônios, embora várias causas naturais pudessem ser responsáveis pelas doenças, ainda que consideradas acessórias. Eram considerados espíritos malignos causadores da doença, Edimmu ou Ekimmu, espíritos dos mortos que não conseguiram descansar ou ficaram por enterrar, além daqueles que não dedicaram oferendas ou não teriam cumprido a sua missão na Terra. Havia também Lilu e Ardatlitt (resultantes da união entre demônios e humanos), assim como outros deuses inferiores ou diabos. Entre eles encontrava-se Nergal, causador da peste; Ashakku, da febre; Ti'u, das cefaleias; ou Sualu, responsável pelas doenças do peito, conforme Dias (2007: 9), acrescentando que o diagnóstico era obtido por técnicas de adivinhação (piromancia, hepatoscopia, oniromancia e astrologia), visando a saber qual pecado o doente havia cometido, qual demônio se apoderara de seu corpo e quais os propósitos dos deuses. A terapêutica visava à reconciliação com os deuses por meio da oração e de sacrifícios, assim como a expulsão dos demônios, recorrendo a encantamentos e purificações por magia, além da aplicação de um catártico ao qual era atribuído um conteúdo mágico ao medicamento.

No início da escrita, foi encontrado na Mesopotâmia o mais antigo documento de cunho médico-farmacêutico, uma tabuinha suméria (3000-1900 a.C) de argila, em escrita cuneiforme, demonstrando que já dispunham de várias plantas medicinais (Dias, 2007; Carvalho, 2004; Cunha, 2007; Lopes, 2004), entre elas:

- ◆ **Açafrão** – *Crocus sativus* L. Iridaceae.
  - ▷ Origem: Europa; Médio Oriente (Schauenberg & Paris, 1980).
- ◆ **Assa-fétida** – *Ferula assa-foetida* L. Apiaceae.
  - ▷ Origem: Pérsia; Turquestão; Afeganistão (IPNI[12]; Hoehne, 1939: 2190).

---

12. *International Plant Names Index* (IPNI).

- **Canela** – *Cinnamomum zeylanicum Breyne* Lauraceae.
  - ▷ Origem: Ceilão (IPNI; Rizzini & Mors, 1976).
- **_____** – *Cinnamomum cassia* Nees Lauraceae.
  - ▷ Origem: China (IPNI; Rizzini & Mors, 1976:63); toda Europa, menos o sul (Schauenberg & Paris, 1980).
- **Cânhamo** – *Cannabis sativa* L. Cannabaceae.
  - ▷ Origem: terras que circundam o mar Cáspio e Negro e de onde passou para a Pérsia e Índia, mais ou menos oito séculos antes de Cristo (IPNI; Quer, 1978:128).
- **Figueira** – *Ficus carica* L. Moraceae.
  - ▷ Origem: Ásia; Europa austral (IPNI; Quer, 1978).
- **Heléboro** – *Helleborus spp* Ranunculaceae.
  - ▷ Origem: Áustria; Etrúria; Apeninos (IPNI).
- **Linho** – *Linum usitatissimum* L. Linaceae.
  - ▷ Origem: Europa austral (IPNI).
- **Mandrágora** – *Mandragora officinarum* L. Solanaceae.
  - ▷ Origem: região mediterrânea oriental (IPNI; Lewis & Elvin-Lewis, 1977; Hoehene, 1939; Quer, 1978).
- **Meimendro** – *Hyoscyamus niger* L. Solanaceae.
  - ▷ Origem: Europa ruderal (IPNI; Schauenberg & Paris, 1980:47); dos Perineus até a Galícia (Quer, 1978).
- **Mirra** – *Commiphora myrrha* Engl. Lauraceae.
  - ▷ Origem: Arábia; Síria ocidental; Turquia centro-meridional (IPNI; Semaan & Haber, 2003); Eurásia (Joly, 1976:292).
- **Mirta** – *Myrtus communis* L. Myrtaceae.
  - ▷ Origem: desde a Catalunha até o Estreito de Gibraltar; Oriente (IPNI; Quer, 1978).
- **Papoula** – *Papaver somniferum* L. Papaveraceae.
  - ▷ Origem: Europa austral rederal; Ásia ocidental (IPNI; Schauenberg & Paris, 1980).
- **Rícino** – *Ricinus communis* L. Euphorbiaceae.
  - ▷ Origem: Índia; África; Europa austral (IPNI).
- **Salgueiro** – *Salix alba* Salicaceae.
  - ▷ Origem: toda a Europa; Ásia; África (IPNI; Schauenberg & Paris, 1980).
- **Tâmara** – *Phoenix dactylifera* L. Palmae.
  - ▷ Origem: sudeste da Ásia (Quer, 1978).
- **Timo** – *Thymus vulgaris* L. Lamiaceae.
  - ▷ Origem: Europa (Quer, 1978).

As identificações botânicas nesta parte do livro foram obtidas de vários autores, com destaque para *Matéria Médica* de Dioscórides do século I (Quer, 1978), onde estão relacionadas as plantas da região mediterrânea e Ásia ocidental. A atualização das identificações botânicas foi realizada por meio do *International Plant Names Index* (IPNI).

Surpreendeu-nos constatar entre as espécies mencionadas acima a presença na Mesopotâmia, antes da Era cristã, de plantas europeias, assunto que discutiremos adiante, quando tratarmos do trânsito das plantas entre o Oriente e o Ocidente.

Desde períodos que se perdem no tempo, o ser humano procurou mitigar a dor, a exemplo dos sumérios, que já conheciam a eficácia da papoula para produzir o sono e abrandar a dor. Originária da Ásia Menor esta planta espalhou-se pelo Islã, Pérsia, Malásia, Índia e China, fomentando guerras de interesse comercial por ser um negócio muito lucrativo, a exemplo da "Guerra do ópio" entre a Inglaterra e a China (1839-1841) (Zanini e Oga, 1985; Teixeira & Okada, 2011). Os assírios utilizavam-na como analgésico e Dioscórides, cirurgião grego do exército de Nero no século I, a empregava nas intervenções cirúrgicas como analgésico (Brosse, 1993).

Entre os povos que sucederam aos sumérios foi encontrado o *Código de Hammurabi* (2250-2200), compêndio de leis babilônicas baseado em ordenamentos legislativos, contendo regulamentos que abarcavam também o campo da Medicina, com destaque para uma enfermidade parecida com a sífilis, denominada *benu*. Esta enfermidade era considerada causa de invalidez contratual, no caso da venda de escravo com a doença (Bigelli & Pradella, 2008: 3).

Entre esses povos, a prática médica com o uso de plantas medicinais cabia aos reis, a exemplo do rei Assurbanipal, que deixou blocos de argila contendo dados sobre as espécies medicinais e as respectivas receitas. Dentre os vegetais estava a mirra (*Commiphora myrrha* Engl. Lauraceae), originária da Síria ocidental e do centro meridional da Turquia e Eurásia (Joly, 1976). Esta planta, segundo Lopes (2000), ganhou notoriedade por todos os séculos que se seguiram até atingir o cristianismo.

Merlin (2003), sobre a relação entre o ser humano e as plantas psicoativas no mundo antigo, capazes de produzir estados alterados de consciência, afirma estarem elas estreitamente relacionadas a atividades de cunho mágico-religioso, quando requerido para questões, entre outras, àquelas que envolviam estados de doença e cura. Desde épocas muito remotas, elas vêm sendo ritualizadas em situações cerimoniais de cunho mágico ou religioso. Pesquisas arqueológicas já demonstraram pinturas paleolíticas que evidenciaram, nas cavernas, práticas de xamãs em estados alterados de consciência com o uso de plantas, conforme Carneiro (1997: 167), citando Jean Clottes e David Lewis-Williams, na obra *Chamanes de la Préhistoire. Transe e Magie dans les Grottes Ornèes*. Lembramos como exemplo as plantas usadas pelos sumérios citadas acima, entre as quais predominam as espécies psicoativas: beladona, meimendro e papoula, plantas que ganharam grande prestígio na Idade Média europeia, quando a feitiçaria se apropria delas, como veremos adiante.

O Neolítico, por volta de 2000 a.C., é caracterizado no Egito pelo fim da Idade Antiga do Bronze, enquanto, na Mesopotâmia, é marcado pelo fim da civilização suméria, com o declínio da dinastia de Ur (Castro, 1975). Segundo o autor, o início do segundo milênio até 1600 a.C., foi o período da Média Idade do Bronze, quando a pecuária se desenvolveu na Mesopotâmia. Foi quando os povos nômades marcaram o processo de mobilização de populações, dando início a um relacionamento entre os velhos impérios e as populações bárbaras, tanto no Egito como na Mesopotâmia.

1.3. As plantas medicinais no Egito antigo

O elemento vegetal e sua relação com o povo egípcio, desde o Neolítico, ficou evidenciado em vestígios dos restos mortais de um homem envolvido em plantas aromáticas identificadas pelos restos de grãos de pólen (Cunha, 2007). Conforme este autor, as plantas aromáticas desempenhavam no Egito importante papel na vida de seu povo, cremando-as em altares dedicados a seus deuses; aquelas de odor agradável eram para pedir proteção, e as de odor desagradável, empregavam-nas para afugentar animais ou deuses maléficos. As espécies aromáticas apontadas pelo autor são:

- **Alcaravia** – *Carum Carvi* L. Apiaceae.
  - ▷ Origem: Europa boreal (IPNI).
- **Angélica** – *Angelica archangelica* L. Apiaceae.
  - ▷ Origem: norte da Europa; Ásia setentrional (Paris. 1980; Quer, 1978).
- **Anis** – *Pimpinella anisum* L. Apiaceae.
  - ▷ Origem: Origem: região mediterrânea; Egito (IPN).
- **Artemísia** – Artemisia vulgaris L. Asteraceae.
  - ▷ Origem: Europa (Quer, 1978; Schauenberg & Paris, 1980).
- **Benjoim** – *Styrax benzoin* Driand Styracaceae.
  - ▷ Origem: Malai (IPNI); Eurásia (Joly, 1976).
- **Cálamo** – *Acorus calamus* L. Acoraceae.
  - ▷ Origem: região boreal temperada (IPNI); sudeste da Ásia (Schauenberg & Paris, 1980: 275).
- **Cebola** – *Allium cepa* L. Liliaceae.
  - ▷ Origem: Ásia temperada (IPNI).
- **Cedro-do-líbano** – *Cedrus libani* A. Rich. Pinaceae.
- **Incenso** – *Pittosporum undulatum* Vent. Pittosporaceae.
  - ▷ Origem: Canárias (IPNI).
- **Mirra** – *Commiphora myrrha* Engl. Lauraceae.
  - ▷ Origem: Arábia (IPNI); Síria ocidental; Turquia centro-meridional (Semaan & Haber, 2003); Eurásia (Joly, 1976).

Schultes & Hofmann & Rätsch (2001: 72, 86 e 88) referem-se às plantas psicoativas conhecidas dos egípcios desde 4000 a.C., sacralizadas diante de seus deuses, lembrando a *Cannabis sativa* L., originária da Índia (Ásia tropical) (IPNI), empregada em bebidas de efeitos semelhantes ao ópio. Os autores também mencionam plantas do gênero *Hyoscyamus spp.* Solanaceae, já usadas pelos sumérios, como vimos anteriormente.

As plantas europeias e asiáticas insinuam-se também entre os egípcios, visto suas terras abrangerem áreas limítrofes. O próprio deslocamento espacial entre os povos da vizinhança favoreceu as trocas culturais, permitindo também o trânsito das espécies medicinais europeias e asiáticas por aquelas regiões. Tal fato é demonstrado pelos exemplos das plantas citadas na página anterior.

O incenso (*Aquilaria agallocha* Roxb. Thymelaeaceae), segundo Hoehne (1939: 205), era empregado nos cultos religiosos dos judeus, considerando ainda que foi o mesmo adotado pelo cristianismo. Conforme Beckhäuser (1976: 62), na Liturgia renovada pelo Vaticano II, o incenso mantém-se como símbolo de adoração e sacrifício, adotado para incensar o altar, a cruz, o livro dos evangélicos, o celebrante, a assembleia e o próprio Cristo presente na hora da Consagração. Em Hoehne (1936), Anchieta, não encontrando no Brasil essa espécie botânica, a substituiu por *Myroxilon toluifera* Kunth., Fabaceae, conhecida por cabreúva ou bálsamo, visto esta espécie apresentar as características odoríficas requeridas pelos rituais. Este autor faz referência à *Aquilaria agallocha*, Thymelaeaceae, do sul da China, da qual os chineses preparavam o incenso. Por sua vez, Camargo (1989: 69), em estudo sobre a espécie usada como incenso em ritual afro-brasileiro, em São Paulo, encontrou a espécie *Aloysia virgata* Ruiz & Pav., Verbenaceae, consagrada a Oxalá, como sucedâneo da espécie asiática.

No Egito, dentre as plantas empregadas em fórmulas medicinais, as espécies psicoativas continuavam com seu prestígio. Conheciam receitas de unguentos que levavam substâncias de atividade sedativa, como descrito nos textos hieróglifos em *A tumba de Sennedjem em Deir El-medina* (2000: 350), com descrições e interpretações algumas vezes hipotéticas das pinturas presentes na tumba. Estudiosos que tratam do assunto assim se referem:

> (...) *cone de unguento composto de gorduras aromáticas nos quais os pontos pretos seriam inclusões de substâncias sedativas, elemento intangível simbólico indicando que o morto é "justo de" ou prometendo a sobrevida.*

No Egito faraônico, a mitologia estava presente nas relações ser humano/doença/tratamento, e Ísis era a deusa protetora das plantas medicinais e aromáticas. Dentre estas, segundo Cunha (2007), estavam:

- **Angélica** – *Angelica archangelica* L. Apiaceae.
  - ▷ Origem: norte da Europa; Ásia setentrional (Schauenberg & Paris, 1980; Quer, 1978).
- **Anis** – *Pimpinella anisum* L. Apiaceae.
  - ▷ Origem: região mediterrânea; Egito (IPNI; Schauenberg & Paris, 1980); Oriente (Quer, 1978).
- **Artemísia** – *Artemisia vulgaris* L. Asteraceae.
  - ▷ Origem: Europa (Quer, 1978; Schauenberg & Paris, 1980).
- **Beladona** – *Atropa belladonna* L. Solanaceae.
  - ▷ Origem: Europa; região mediterrânea (Schauenberg & Paris, 1980).

- ◆ **Camomila** – *Matricaria chamomilla* L. Asteraceae.
  - ▷ Origem: região mediterrânea (IPNI); Europa (Quer, 1978:815; Schauenberg & Paris, 1980).
- ◆ **Cominho** – *Cuminum cyminum* L. Apiaceae.
  - ▷ Origem: região mediterrânea (IPNI); Turquistão (Quer, 1978).
- ◆ **Funcho** – *Foenicullum vulgare* Mill. Apiaceae.
- ◆ **Lotus** – *Nymphaea alba* Patrin ex Bunge Nymphaeaceae.
  - ▷ Origem: Europa meridional; Ásia (Schauenberg & Paris, 1980).
- ◆ **Verbena** – *Verbena officinalis* L. Verbenaceae.
  - ▷ Origem: Europa mediterrânea ruderal (IPNI); Europa com predominância nas Ilhas Baleares (Quer, 1978).
- ◆ **Zimbro** – *Juniperus communis* L. Cupressaceae.
  - ▷ Origem: Europa e Ásia (Schauenberg & Paris, 1980); desde os Perineus até a Serra Nevada (Quer, 1978).

Admitimos que as crenças dos sumérios, atribuindo a espíritos perversos o aparecimento de doenças, chegaram até os egípcios e, para extirpá-los, bastava que um sacerdote, conhecendo frases impregnadas de poder mágico, pudesse chamar espíritos benfazejos, aqueles capazes de eliminar os maus do corpo do doente para curar resfriados, por exemplo:

> *Vai-te embora, resfriado, que tornas doente os sete buracos da cabeça: narinas, ouvidos, olhos, boca! Vê, trago teu remédio: grãos de incenso e leite de uma mulher que acaba de dar à luz um menino. Ó tu, resfriado, perece no espirro do teu nariz! Será afugentado! Sai e cai por terra, fedor, fedor, fedor, fedor!* (Vilela, 1977: 118)

Nos domínios do amor, os egípcios sabiam separar as plantas afrodisíacas das anafrodisíacas. Cita-se nenúfar ou lotus, uma espécie do gênero *Nymphaea* da família Nymphaeaceae, que tinha no Antigo Egito lugar de destaque, como se observa em pinturas conservadas em museus.

Em *A arte egípcia no tempo dos faraós* (2001: 356), está representada uma pintura onde se vê uma figura feminina segurando um ramo de nenúfar. Segundo o texto que acompanha a obra, trata-se do retrato de uma dama reproduzido em um tecido, o qual fora feito para ser colocado sobre a múmia. Segundo Antônio Brancaglioni Jr. (1999), do Museu Nacional da UFRJ, a flor de lótus é tema iconográfico recorrente em cenas de banquete funerário, como se vê na Estela egípcia do Acervo MAE-USP. Conferimos, também, em Brancaglioni Jr. (1999: 197-205), os dados sobre as várias espécies utilizadas e sua simbologia em ocasiões diversas.

Nenúfar ou flor de lotus (*Nymphaea alba* L.) foi considerada na Antiguidade Clássica uma planta de propriedade anafrodisíaca, podendo-se imaginar que os antigos egípcios ofertavam a flor de lotus ao morto, também a fim de aplacar-lhe o apetite sexual.

> *[...] se han servido del nenúfar para calmar los ardores de la concupiscencia; los piadosos cenobitas del desierto hacían uso frecuente de él; se consumía mucho en los claustros, conventos y seminarios, y sus propriedades atemperantes se creyeron de tanta eficacia, que se le acusó no sólo de enfriar, sino de esterilizar... Se dijo que tal planta era destructor de placeres y veneno del amor.*[13] (Quer, 1978: 238)

Em Teixeira & Okada (2010: 29), o ópio[14] obtido da papoula (*Papaver somniferum* L.) era de pleno uso no Egito contra a dor de certas doenças. Para cefaleia usavam uma mistura de trigo, cerveja e junipero ou zimbro (*Juniperus communis* L.). Usavam a mandrágora (*Mandragora officinalis* L.) misturada com meimendro (*Hyoscyamus albus* L.) como anestésico, acrescentando acônito (*Aconitum napellus* L.) para torná-lo mais potente.

Abaixo as espécies psicoativas mais representativas da família Solanaceae, naquele período histórico:

- ◆ **Mandrágora** – *Mandragora officinarum* L. Solanaceae.
  - ▷ Origem: Espanha; Itália; Creta (IPNI); região mediterrânea oriental (Lewis & Elvin-Lewis, 1977: 408; Hoehne, 1939; Quer, 1978).
- ◆ **Meimendro** – *Hyoscyamus niger* L. – Solanaceae.
  - ▷ Origem: Europa, exceto sul da Espanha (Schauenberg & Paris, 1980: 47); dos Perineus até Galícia (Quer, 1978).
- ◆ **Beladona** – *Atropa belladonna* L. Solanaceae.
  - ▷ Origem: região dos Pirineus (Quer, 1978; Schauenberg & Paris, 1980).

Lembramos, ainda, as espécies do gênero *Datura*, também da família Solanaceae, muito usadas em toda a Antiguidade. São espécies que pertencem ao grupo das plantas que contêm os alcaloides: *atropina, escopolamina* e *hiosciamina* de ação no sistema nervoso central. Dentre as Solanaceae pertencentes ao grupo que encerram os referidos alcaloides, a mandrágora (*Mandragora officinalis* L.) foi a que mais suscitou a imaginação daqueles que atribuíam a ela poderes afrodisíacos. Dioscórides, ao estudar a mandrágora, constatou que, em pequenas doses, combatia a angústia e a depressão e, em doses elevadas, provocava impressões sensoriais próximas à alucinação, diz Brosse (1993: 207).

---

13. usava-se o lírio para acalmar o ardor da concupiscência, os reclusos piedosos do deserto fizeram uso frequente dele, consumiam nos claustros, conventos e seminários, e acreditavam que suas propriedades anafrodisíacas eram tão eficazes que não somente esfriavam, mas esterilizaram... Dizia-se que esta planta era destruidora de prazeres e veneno do amor.

14. Obtido do látex exudado da cápsula imatura da flor de *Papaver somniferum* L. (Lewis & Elvin-Lewis, 1977).

Expandiram-se os poderes mágicos da mandrágora, devido principalmente à conformação de suas raízes, que se assemelhavam ao corpo humano, chegando mesmo a ser chamada por Pitágoras de *anthropomorphon* (Quer, 1978: 594-5).

Quanto às plantas aromáticas, estas tinham grande importância entre os egípcios devido a encerrarem óleos essenciais, usados com fins curativos, em cosméticos e para usos religiosos. Elas eram queimadas nos templos. Cada perfume desprendido delas era dedicado a um deus, segundo Cunha (2007). Este autor acrescenta que esses óleos eram também queimados quando os faraós buscavam alcançar favores ou agradecer por eles. Alguns exemplos de plantas europeias empregadas em tais rituais:

◆ **Artemísia** – *Artemisia spp* Asteraceae.
◆ **Marroio** – *Marrubium spp* Lamiaceae.
◆ **Manjerona** – *Origanum spp* Lamiaceae.

Cunha (2007) menciona também aquelas empregadas para aromatizar alimentos, a exemplo de espécies europeias e do Médio Oriente, sendo o alho e a cebola os melhores representantes.

Referente ao alho, diz o autor acima, este era dado aos escravos na construção civil a fim de dar-lhes força e evitar doenças, assim como eram empregados no processo de mumificação, visando a preservar os corpos para a eternidade.

Os egípcios acreditavam que muitas doenças advinham da autointoxicação proveniente do princípio tóxico contido nas fezes, "o qual, quando absorvido, coagula o sangue, produzindo abcessos ou corrupção sistêmica do organismo" (Rezende, 2003: 32). Conforme este autor, citando Saint-Hebe (s/d), no Papiro de Ebers há receitas de purgativos indicados para liberar o ventre e expelir todas as coisas más que estão no corpo do doente, lembrando a lenda de que *íbis*, ave sagrada dos egípcios, praticava a limpeza de sua própria cloaca, introduzindo no ânus o bico cheio de água, nos fazendo lembrar que o deus egípcio Thoth era representado com cabeça de *íbis*.

1.4. Plantas na medicina nos períodos históricos gregos

Na medicina pré-técnica de 3000 ao século VI a.C., abrangeu os períodos Creto-micênico, Homérico e Arcaico (Aranda, 2007: 46) – este era um mundo mítico que interpretava as doenças como resultado de ações divinas ou sobrenaturais. Gerava uma medicina que se resolvia sob a ação de curandeiros, baseada na observação dos sintomas, tais como: vômitos, febres, tosse, dores etc. Admitiam que toda alteração no corpo ou no comportamento eram consequências de forças sobrenaturais advindas de deuses ou de feiticeiros (Ivanovic-Zuvic, 2004). Tais maneiras de interpretar as doenças não diferiam muito dos sumérios e egípcios, conforme relatamos anteriormente.

Os gregos já haviam recebido dos persas muitos produtos aromáticos, e Teofrasto, no século VI, deixou o *Tratado dos odores*, atribuindo valor medicinal aos perfumes (Cunha, 2007).

As plantas medicinais na Grécia desempenhavam importante papel na vida de seu povo, conhecedor das espécies de poderes mágicos, as quais ganhavam *status* de poderosas quando nas mãos de experientes manipuladores. Eram eles capazes de transformá-las em agentes causadores dos mais diferentes estados de alteração comportamental, não só no domínio do amor com as poções e pós de poderes afrodisíacos e anafrodisíacos como no domínio das crenças religiosas, com os êxtases místicos que permitiam contatos com o sagrado. Tais plantas já eram conhecidas por todo o período pré-técnico grego (Aranda, 2007:46).

1.4.1. Período Creto-micênico

Segundo Aranda (2007:46), neste período, a higiene, medicina e magia encontravam-se estreitamente ligadas, conforme é demonstrado no relato da enfermidade infecciosa venérea do rei Minos e sua consequente impotência sexual. Lembra o autor que Procris o curou com o concurso da magia e o uso da raiz de uma planta chamada Moly – ou raiz de Circe[15], planta mágica e curativa que aparece mais tarde na *Odisseia* de Homero (Souza, 2009) ao que tudo indica como a mandrágora, já que esta vinha se impondo desde as civilizações anteriores.

Schultes *et al.* (2001) mencionam a mandrágora entre as plantas dos deuses capaz de agir sobre o corpo e a mente das pessoas. Citam também Theophrastus no século III d.C., mencionando os ritos mágicos empregados para a coleta da raiz dessa planta, envolvendo danças, enquanto se recitavam fórmulas específicas para aquele ritual, deixando entrever que o prestígio desta planta permanecia vivo.

Os antigos cretenses, com fama de purificadores místicos, usavam a água nos banhos lustrais, costume que teve continuidade na tradição dos banhos dos templos dos deuses curadores do período hipocrático e pós-hipocrático, como veremos adiante.

1.4.2. Período Homérico

Este foi um período bastante influenciado, em assuntos de medicina, pelo Creto-micênico, como ficou evidenciado nos poemas épicos *Ilíada* e *Odisseia* de Homero, que viveu na Grécia por volta do ano 850 a.C. Em *Ilíada*, Homero narra o cerco de Troia, desde a briga de Aquiles com

---

15. Provavelmente se trate de *Mandrágora autumnalis* Bertoloni Solanaceae (Faure, 1984:251). Em Quer (1978: 591,593), *Doscórides renovado*, há referência ao nome "circea" como raiz usada pelos feiticeiros, sem indicar a identificação botânica. Circe – figura mitológica, feiticeira filha da ninfa Perseia e de Hélios (o sol), irmã de Pasífa, mulher do rei Mimos, e de Eteo, rei da Cólquida, guardiã do velocino (carneiro com pele de ouro). Residia na ilha de Ea, identificada como o promontório Monte Circeo, onde Ulisses, depois de suas aventuras no país dos Lestrigões, veio aportar com os companheiros, transformados por Circe em porcos, leões e cães. Ajudado por Hermes, que lhe deu a planta mágica referida por Homero, Ullisses a obrigou a devolver seus guerreiros à forma humana e depois permaneceu, supõe-se um mês ou um ano, em um tórrido romance com a feiticeira, que lhe deu um filho, Telégono, que viria a ser seu involuntário assassino. Depois, Circe ensinou a Ulisses o caminho de volta e o deixou partir com os companheiros (Mesquita, 2004: 10).

Agamenon até a morte de Heitor; na *Odisseia*, Homero narra as aventuras de Ulisses, inclusive sua passagem pela terra dos lotófagos – os comedores de lótus (*Nymphaea alba* L.) – quando seus habitantes a oferecem a seus marinheiros. Nesse poema, segundo Covolan (2003: 3), em determinado momento, lê-se:

> (...) *ora, quem quer que provava o fruto doce como mel já não queria levar notícias, nem voltar, mas ficar no meio dos lotófagos, a saciar-se de lódão, no esquecimento do regresso. E eu fui obrigado a trazê-los à força e debulhados em lágrimas, para suas naus.* (Homero)

Ainda em Covolan (2003: 3),

> (...) *lotus desafia a autonomia dos sujeitos, pois onde o impulso ou o instinto governa a ação, o sujeito que se está afirmando é ameaçado de destruição. O lótus é perigoso porque faz perder a memória. Os marinheiros que comem o lótus não querem continuar a viagem, metafórica, da subjetividade.*

Na *Odisseia* (4.219.232) há uma referência às drogas psicotrópicas:

> *Tais drogas engenhosas e salutares que a filha de Zeus recebera em*
> *Dádiva de Polidamna, mulher de Ton*
> *Nascida no Egito, país onde a terra fértil em trigo, produz*
> *Também remédios em abundância, com os quais se preparam misturas,*
> *Umas benéficas, outras nocivas.*
> *Todos ali são médicos, os mais hábeis*
> *Do mundo, porque todos descendem do sangue de Peon.* (Dufor, 1978)

Os dois poemas de Homero são repletos de detalhes sobre a medicina primitiva e religião gregas, mostrando deuses onipresentes fazendo incursões pelo mundo dos seres humanos, assim como citando lendários deuses, heróis e heroínas como cultivadores de medicina, tais como: Melampo, Quirón, Asclépio, Machaón, Polidário, conforme Aranda (2007: 47) citando Romo (1971: 171-172). Este autor comenta que a medicina pré-técnica homérica era essencialmente popular, evidenciando a presença dos mesmos heróis que, nas guerras, exerciam a medicina e também praticavam cirurgia, assim como aplicavam ventosas e sabiam preparar bebidas revigorantes, citando Diepgen (1932: 31), pois era uma medicina essencialmente prognóstica e profilática, conforme Garrison (1966: 51).

Os médicos e cirurgiões laicos eram independentes daqueles sacerdotes que serviam às divindades do Olimpo e os asclepíades – seguidores de Asclépio –, os quais não são mencionados nos poemas homéricos. Os denominados "médicos das doenças" eram aqueles que serviam ao povo, como os ambulantes trovadores e advinhos de tradições ancestrais. Suas práticas consistiam de beberragens tonificantes e unguentos. Sobre eles, o poeta Píndaro (Ode III, 47-53) manifesta sua estima por serem os médicos da etapa do classicismo do século V a.C. os servos da natureza, como eram os médicos primitivos (Aranda, 2007: 47). Diz este autor que a medicina pre-técnica grega dominada pelo empirismo e magia supersticiosa alcançou um nível bastante alto, com destaque para a cirurgia, incentivada por uma sociedade guerreira como a dos Áqueos (*Ilíada*, canto V, verso 65; XVI, 481; XX, 481.485; XXII, 328). Na Grécia áquea também está refletida a dualidade da terapia simultânea e flutuante empírico-racional e mágico--religiosa, conservando também raiz mágica dos conceitos de "remédio" e "veneno". Estes, mantendo sua relação com *phármakon*, discriminando sua associação quando acompanhado dos adjetivos: calmantes, excelentes, nocivo, pernicioso, funesto, mortais, como referido por Guillén *et al.* (1987: 43).

Conforme Aranda (2007), na *Ilíada* II, Asclépio era um simples mortal e hábil médico, enquanto Apolo, o deus da medicina (*Ilíada* 1,43), costumava aplicar castigos, enviando doenças e epidemias mortais. Citando Garrison (1966: 51), existia um culto no qual havia a magia médica associada à invocação das chamadas divindades da Terra e de outro mundo, heróis deificados (Hércules) e médicos convertidos em heróis, além dos espíritos de mortos, adiantando que os deuses infernais também podiam enfermar os homens, fato que nos faz lembrar os sumérios e as mesmas plantas psicoativas por estes usadas, como abaixo indicadas.

Em Teixeira & Okada (2010: 30), o poema *Ilíada* indica, para eliminar a dor e para cicatrização, tratamentos tópicos à base de:

- **Erva-moura** – *Solanum nigrum* L. Solanaceae.
  - ▷ Origem: Europa (Schauenberg & Paris, 1980).
- **Mandrágora** – *Mandragora officinalis* L. Solanaceae.
  - ▷ Origem: Espanha; Itália; Cret (IPNI); Europa (Quer, 1978).
- **Meimendro** – *Hyoscymus niiger* L. Solanaceae.
  - ▷ Origem: Europa ruderal (IPNI); Europa, exceto sul da Espanha (Schauenberg & Paris, 1980; Quer: 573).
- **Papoula** – *Papaver somniferum* L. Papaveraceae.
  - ▷ Origem: Europa austral (IPNI).

Na *Odisseia*, está evidente a presença sempre em primeiro plano de uma medicina teúrgica e demoníaca, enquanto na *Ilíada* há preponderância do empirismo, visto que a medicina não é mágica nem sacerdotal no procedimento terapêutico, conforme Aranda (2007: 47). Comenta este autor que, posteriormente, na etapa hipocrática, já havia o início de uma evolução da mística e teurgia para um cunho mais laico e pragmático, como veremos mais adiante. Vale lembrar que a raiz de Circe (*Mandragora officinalis L.*) já mencionada, usada no período Creto-micênico, está fortemente representada na *Odisseia*[16].

Gil (1972: 276) comenta sobre a diferença entre povos da Antiguidade, os quais tinham seus *ashipu* (exorcistas da Babilônia) e os médicos do Egito, enquanto, nos tempos mais antigos da Grécia, havia os *iatros* (curador e médico), sabendo diferenciar o *mantis* (o adivinho) do *hiereus* (sacerdote), possivelmente uma herança da mentalidade cretense. Em Aranda (2007), os sacerdotes de Asclépio elaboravam um ritual especial para a terapêutica, o qual se manteve entre o povo grego até a etapa racional, como comenta também Albarracín (1993: 43), ao dizer que, apesar da racionalidade e técnica na mente dos hipocráticos, ainda operavam inconscientemente os prestígios[17] míticos vigentes em sua sociedade.

Albarracín (1993: 45) discute se o termo *phármakon* é exclusivamente mágico nos poemas homéricos ou se é somente veneno "medicamento" ou remédio médico. Para Aranda (2007), parece que, em *Los trabajos y a los dias*, de Hesíodo, *phármakon* perde seu caráter mágico para converter-se em "remédio", com significado médico. Porém, continua como mágico em Eurípides e Aristófanes, em pleno classicismo grego, não perdendo tal conotação em Hipócrates e sua tradição posterior. Citando Grnek (1995-1999: 202), o conceito de *phármakon*, entendido como uma substância que, introduzida no organismo modifica seu estado, designava nos poemas homéricos tanto produtos benéficos como funestos, guardando uma significação mágica, um conteúdo lírico e trágico, conforme este autor.

O fator mais importante, conforme Aranda (2007: 48), na eficácia das curas no templo era a fé no deus curador, reforçada pelo ambiente místico e ricamente sugestivo, citando (Pergola *et al.*, 1986: 107):

> *Hay que tener sumo cuidado de hacer afirmaciones rotundas en lo que a la medicina racional helénica se refiere en el sentido de sula racionalidad especulativa y crítica con carácter excluyente. En efecto, las reminiscencias de la medicina pre-técnica y mágica griega perduro durante el clasicismo griego del siglo V a.C. y muchos siglos después. La fascinación de la magia y de la curación en el templo ha perdurado hasta hoy, y se pone de manifiesto en las peregrinaciones a los grandes santuarios marianos en diversas latitudes del mundo.*[18]

---

16. Trata-se do episódio em que Odisseu, o mesmo Ulisses, representando o rei de Ítaca, ilha grega, casado com Penélope, por sua vez, apaixonado por Helena, esposa de Menelau, o idealizador do "Cavalo de Troia", por meio do qual gregos e troianos entraram em guerra visando ao rapto da princesa Helena de Troia, por Páris (filho do rei Príamo de Troia) (Souza, 2009). Isto ocorreu quando o príncipe troiano foi a Esparta em missão diplomática e acabou se apaixonando por Helena. O rapto deixou Menelau enfurecido, fazendo com que este organizasse um poderoso exército sob o comando do general Agamenon, para o ataque aos troianos. Utilizando o mar Egeu como rota, mais de mil navios foram enviados a Troia.

17. Ilusão atribuída a causas sobrenaturais ou a sortilégios; magia e encanto.

18. Devemos ser muito cuidadosos ao fazer afirmações fortes no que a medicina racional helênica faz referência no sentido de sua racionalidade especulativa e crítica com caráter de exclusão. Na verdade, as reminiscências da medicina pré-técnica e mágica grega perdurou durante o classicismo grego do século V a.C., e muitos séculos depois. O fascínio da magia e da cura no templo perdura até hoje, e se manifestam pelas grandes peregrinações a santuários marianos em diversas partes do mundo.

No período pré-técnico, a Grécia lidava com a cura divina, e os procedimentos indicados para sua realização eram passados por meio de sonhos, após a ingestão de bebidas que induziam ao sono, tal como já faziam os egpícios. Segundo acreditavam, eram os deuses do Olimpo que curavam. O templo de Epidauro atraía doentes de todas as partes. Para entrarem no santuário, eram submetidos a banhos de purificação na fonte sagrada e a se manterem em jejum; depois, submetidos a dietas, ao mesmo tempo em que faziam oferendas propiciatórias para Asclépio – o deus da medicina – que os romanos chamavam de Esculápio. Em seguida, recebiam uma bebida misteriosa de propriedades soporíferas, para quando, em sonho, o deus os visitassem, examinassem e tratassem. Se o doente acreditava profundamente em Asclépio e nas virtudes terapêuticas do santuário de Epidauro, saía no dia seguinte curado. Porém, após a cura, era preciso um sacrifício em ação de graças. Ao não cumprimento deste dever, o deus devolvia a doença (Jornal da Medicina, 1969), tal como ocorria na Mesopotâmia, como vimos anteriormente.

1.4.3. **Período arcaico**

Saindo do período pré-técnico dos séculos V-IV a.C., a vida intelectual e artística grega entra no apogeu e a medicina toma novos rumos.

Foi no século VI a.C. que os filósofos pré-socráticos transformaram a cosmogonia religiosa e mítica em cosmologia filosófica, criando o conceito de *physis* ou natureza,

> (…) *entendida esta como fundo universal, de onde nasce tudo que existe, princípio e fundamento da realidade do mundo e das coisas, logo iria ser distinguida por seu caráter ao mesmo tempo unitário e diverso (a natureza universal e a própria natureza de cada coisa), por sua fecundidade, por sua harmonia e bela ordenação do (Kosmos), por sua racionalidade (em sua própria estrutura traz inscrito um logos inalcançável e insondável) e por seu caráter divino (a physis era tò theion, "o divino".* (Albarracín, 1993: 33)

A preocupação com a explicação da saúde e da doença sem ser em bases sobrenaturais nascia com a filosofia grega, na busca de uma explicação da constituição da natureza. Foram os gregos os primeiros a alcançar uma visão racional do mundo.

Houve grandes nomes que precederam a Hipócrates, o grande idealizador de novos rumos para a arte médica, aqueles que o influenciaram em suas teorias baseadas nas novas ideias sobre a constituição da natureza. Pita (1998), citando os precursores das ideias sobre a natureza e sua constituição, menciona: Tales de Mileto (VII-VI a.C.), da Escola Jónica, matemático e filósofo, admitindo a água como o elemento fundamental; Anaxïmene (550-480 a.C.), também da Escola Jônica, afirmando que o ar era o elemento de todas as coisas; Herêclito (540-480 a.C.), ainda da Escola Jônica, atribuindo ao fogo o princípio de todas as coisas; Xenôfanes (560-478 a.C.), da Escola de Ecléa, afirmando que a terra era o elemento da vida e da natureza; Empédocles (483-430 a.C.)

foi quem integrou todos os elementos: terra, ar, fogo, água, criando a teoria dos quatro elementos. Todos os seres vivos estariam submetidos a um equilíbrio entre os elementos, podendo variar na sua proporção. Esta, então, passou a ser a base da teoria hipocrática dos quatro humores, continuada pelas ideias médicas de Galeno, admitindo a saúde significar um equilíbrio entre os humores e a doença, um desequilíbrio.

1.4.3.1. Hipócrates

Hipócrates (460-377 a.C.), da Escola de Cós, sob a influência daqueles filósofos que o antecederam, contestava a antiga medicina grega eivada de práticas mágico-religiosas. A observação dos doentes e a reflexão sobre os sintomas eram fundamentais, remetendo para segundo plano as posições dogmáticas (Pitta, 1998). Segundo Pitta, a Escola de Cós desenvolveu uma teoria segundo a qual o organismo humano possui quatro humores: *sangue, fleuma, bílis amarela* e *bílis negra* articulados com os elementos da natureza: *terra, ar, fogo, água* e as suas qualidades: *seco-úmido, frio-quente*. Os humores ocasionavam temperamentos em resultado da sua combinação: *sanguíneo, fleumático, bilioso, melancólico*, e a saúde residia no equilíbrio dos humores (*eucrasia*) e a doença no desequilíbrio (*discrasia*).

Com Hipócrates, as doenças deixaram de ser encaradas como um mal dos deuses, para ser entendidas como um produto da cólera divina, dando importância à sintomatologia da doença e à observação clínica, privilegiando a observação do doente e o curso da doença (Carvalho, 2004: 58). Acrescenta Carvalho que a doença era vista como desequilíbrio dos humores corporais e a terapêutica visava ao restabelecimento do equilíbrio, ao admitir que o verdadeiro agente de cura era a natureza e não o médico, sendo a função deste auxiliar a natureza. Valia para a terapêutica hipocrática a purga, a sangria, o clister e o uso de eméticos como meios de devolver ao doente o equilíbrio dos humores e, em consequência, a sua saúde.

Tais ideias representavam herança dos egípcios ao admitirem estar no princípio tóxico das fezes a origem das doenças, razão de admitirem os efeitos benéficos da lavagem intestinal (Rezende: 2003: 33). Como diuréticos, os gregos usavam a cebola e o aipo. Das plantas narcóticas, davam preferência ao mecônio, sumo obtido da papoula (*Papaver somniferum* L. Papaveaceae), como diz Albarracín (1987: 41):

- ◆ **Aipo** – *Anethum graveolens* L. Apiaceae.
  - ▷ Origem: Ásia.
- ◆ **Cebola** – *Allium cepa* L. Liliaceae.
  - ▷ Origem: Ásia (Oriente médio) (Joly & Leitão Filho, 1979).
- ◆ **Heléboro** – *Helleborus spp* Ranunculaceae.
  - ▷ Origem: Áustria; Apeninos (IPNI); ladeiras rochosas dos Alpes (Quer, 1978).
- ◆ **Papoula** – *Papaver somniferum* L. Papaveraceae.
  - ▷ Origem: Europa austral ruderal (IPNI); Ásia ocidental, Europa (Schauenberg & Paris. 1980).

Observa-se nestas referências a presença do alho e da cebola, especiarias que já eram usadas muitos séculos antes no Oriente Próximo, conforme Quer (1978:890). Tal fato nos faz crer que espécies orientais já circulavam em direção ao Ocidente, visto que ao lado da cebola e do alho, outras espécies, mais tarde, denominadas especiarias orientais, já estavam no *Corpus Hyppocraticum* (Dias 2007), tais como:

- **Anis** – *Pimpinella anisum* L. Apiaceae.
  ▷ Origem: Grécia, Egito (IPNI); região mediterrânea, Egito (Schauenberg & Paris, 1980); Oriente (Quer, 1978).
- **Cardamomo** – *Elettaria cardamomum* Maton Zimgiberacee.
  ▷ Origem: Índia (IPNI); Malabar; Ceilão (Rizzini e Mors, 1976).
- **Coentro** – *Coriandrum sativum* L. Apiaceae.
  ▷ Origem: Europa austral (IPNI); região mediterrânea (Schauenberg & Paris, 1980).
- **Cominho** – *Cuminum cyminum* L. Apiaceae.
  ▷ Origem: região mediterrânea (IPNI); Turquistão (Quer, 1978).
- **Incenso** – *Aquilaria agallocha* Roxb. Thymelaeaceae.
  ▷ Origem: sul da China; norte da Índia (Hoehne, 1939).
  _____ – *Pittosporum undulantum* Vent. Pittosporaceae.
  ▷ Origem: Canárias (IPNI).
- **Mirra** – *Commiphora myrrha* Engl. Lauraceae.
  ▷ Origem: Arábia (IPNI); Síria ocidental; Turquia centro meridional (Semaan & Haber, 2003); Eurásia (Joly, 1976:292).
- **Pimenta** – *Piper nigrum* Beyr. Ex Kunth. Piperaceae.
  ▷ Origem: Ásia tropical (Índia) (Joly & Leitão Filho, 1979).
- **Tomilho** – *Satureja hortensis* L. Lamiaceae.
  ▷ Origem: região mediterrânea; oriente (IPNI); região mediterrânea (Rizzini & Mors, 1976).

Segundo o *Jornal da Medicina* (1969), Hipócrates deixou uma obra vasta sobre as drogas, cuja preservação após sua morte foi preocupação de seus seguidores, fazendo com que Ptolomeu III mandasse pesquisadores percorrerem o mundo à procura das obras esparsas do mestre de Cós. Assim, a coleção de 60 livros chamada A *coleção de Hipócrates*, o célebre *Corpus Hyppocraticum*, foi doado à Biblioteca de Alexandria, às margens do Mediterrâneo, por volta do século III.

O *Corpus Hyppocraticum* compreendia vários tratados, embora nem todos tenham sido de autoria de Hipócrates. Nele, o remédio perdia seu significado mágico, passando a ser usado como substância exterior ao corpo capaz de produzir uma reação favorável, capaz de modificar o estado presente. Eram comuns as tisanas – bebida mucilaginosa decorrente da cocção da cevada triturada – hidromel (água com mel), oximel (mistura de vinagre, água e mel), leite, vinho etc. (Albarracín, 1993).

No tratado *Da Natureza do Homem*, entende-se que o corpo é constituído de sangue, fleuma, bílis amarela e bílis negra, compreendidos como responsáveis pela doença ou saúde, cuja terapêutica fundamenta-se na natureza do corpo humano. Na doença, eles estão desproporcionados (em déficit) e proporcionados na saúde, devendo o médico tratar a doença e manter o equilíbrio dos humores. As doenças tinham causas internas e externas. Externas: inanimadas (temperatura, clima), animadas (parasitas), psíquicas (emoções). Internas: dependem da raça, sexo, idade, meio, doenças congênitas etc. Sendo o excesso de humores o responsável pelas doenças, a terapêutica consistia na expulsão daquele em excesso, que podia ser por meio de purgantes: ação purificadora, segundo Pitta (2007).

Conforme Albarracín (1993), em *Corpus Hyppocraticum*, no texto sobre as afecções, os *phármakon* são classificados como purgantes e não purgantes, onde purgação (*katharsis*) significa ação evacuante agindo de forma purificadora da matéria alterada, origem da doença. A ação de purificação se daria "mediante expulsão violenta, evacuação suave ou a paulatina digestão da matéria pecante, uma parte do corpo ou a totalidade deste". Segundo este autor, algo mais cabe dizer sobre estes fármacos catárticos: a conexão semântica entre seu significado e o da *kathársis* no sentido de "purificação ritual", admitindo que tal relação tenha existido.

Os médicos hipocráticos admitiam a importância da psicoterapia, visando a melhorar o ânimo e a confiança do doente, ao admitirem a influência da vida psíquica sobre o corpo, embora confiassem pouco no efeito da sugestão, apesar de que, na Grécia daquele período, o "falar bem" era ao mesmo tempo "saber" e "poder", admitindo-se que os que falavam bem tinham poderes mágicos (Carvalho, 2004: 59). Esta autora menciona o episódio do poder sugestivo presente na literatura de Homero, a exemplo de *epódé*[19], na cura de uma ferida de Ulisses, na *Odisseia*.

Cerca de 250 plantas medicinais eram usadas pelos hipocráticos, como informa Diniz (2006: 53-4) e, citando Entralgo (1970: 314), ao comentar que em várias páginas do *Corpus Hyppocraticum* há uma concepção homeopática do tratamento, o *similia similibus curantur*, lembrando a Enfermidade Sagrada, lê-se: "A maior parte das enfermidades são curáveis pelo mesmo que as produziu".

> *Predominavam entre as plantas de Hipócrates as usadas como medicamento purgante, de ação evacuante, purificadora da matéria alterada que deu origem à doença, como o heléboro (Helleborus spp Ranunculaceae). Como diuréticos usavam (Allium cepa L.) e aipo (Anethum graveolens L.). Das plantas narcóticas, davam preferência ao mecônio, sumo obtido da papoula (Papaver somniferum).* (Albarracín 1987: 41)

---

19. Esconjuro, exorcismo, ensalmo (benzedura), encantamento, feitiço, entendendo a predominância no rito de uma intenção coercitiva, suplicante, prevalecendo.

Conforme observa Jones (1997), a prática médica grega, no período que vai de 430 a 415 a.C., estava centrada no prognóstico e na observação dos rumos que a doença podia tomar, tendo como suporte, para entendermos, os dados sobre a peste de Atenas está na *Guerra do Peloponeso* de Tucídedes (1999) e dados do *Corpus Hyppocraticum*. A autora aponta uma semelhança entre o relato de Tucídedes e o de Hipócrates (1995):

> *Nas doenças agudas, o físico deve conduzir um inquérito. Primeiro, ele deve examinar a face do doente, e depois, comparar com a face de uma pessoa saudável (Prognóstico II, 1-4)*

Compreendia o ato de ver e analisar os fatos tal como se apresentavam a partir de um testemunho direto, para depois estabelecer o processo de cura, considerando que todos esses procedimentos indicavam um incentivo ao holismo.

1.4.3.2. Das epidemias

Conforme Oliveira (2001), a relação ser humano/universo vai definir, segundo os médicos hipocráticos, a existência de dois tipos de doenças: uma endêmica, ocasionada por hábitos alimentares inadequados, causando disfunções do corpo, e outra epidêmica, que surge com mudanças de clima ou de lugares. Assim, em Hipócrates:

> *Quando se instaura uma epidemia, é evidente que as dietas não são sua causa, mas o que respiramos, este sim, é a causa, é óbvio que este paira contendo alguma secreção insalubre. (Da natureza do homem, 9,37 – Hipócrates, 1995)*

Citando Dettiene (1988), em Oliveira (2001), as epidemias eram como sacrifícios oferecidos aos deuses fazendo com que se aproximassem dos seres humanos, tornando-os presentes nos santuários. Deuses que, transitando pela Terra, tinham suas epifanias, capazes de disseminar epidemias, a exemplo de Dionísio, o deus mais epidêmico, simbolizando a libertação e a supressão das proibições, o estar na natureza, sem ordem e sem lei. Citando Vegetti (1994), havia dois tipos de epidemia, tanto no plano mítico como no plano racional:

a) Epidemia no plano mítico, ocorrendo quando se infringiam juramentos feitos em nome dos deuses ou quando não se respeitavam as regras dos ritos, situação que podia ser apaziguada se fossem seguidos os preceitos ritualísticos.

b) Epidemia do tipo racional, admitindo surgir com a mudança das estações, não se espalhando no corpo social, cujas doenças, se conhecidas dos médicos, estes já logo sabiam como curar. Não era o caso da peste de Atenas narrada por Tucídedes:

Nem os médicos eram capazes de enfrentar a doença, já que de início tinham de tratá-la sem lhe conhecer a natureza e a mortalidade entre eles era maior, por estarem mais expostos a ela, nem qualquer outro recurso humano era de menor valia. As preces feitas nos santuários ou os apelos aos oráculos e atitudes semelhantes foram inúteis, e afinal a população desistiu delas, vencida pelo flagelo. (Tucídedes II, 47,9-14)

A peste de Atenas foi uma epidemia racional e os resultados avassaladores deveram-se ao desconhecimento de sua natureza, visto ter sido adquirida de outros lugares e por estrangeiros, como diz Tucídedes:

Dizem que a doença começou na Etiópia, além do Egito e depois para o Egiro e para a Lídia, alastrando-se pelos outros territórios do Rei. Subitamente ela caiu sobre a cidade de Atenas. (Tucídedes II, 48.1-3)

O episódio da peste em Atenas fez com que parte da população buscasse socorro nas práticas mágicas e encantamentos, enquanto a parte da intelectualidade médica buscasse uma relação entre o saber mítico e o racional. Conforme Oliveira (2001), tal evidência pôde ser observada por meio do mais racional dos seres humanos, Péricles, que, no século V, vai estabelecer uma relação complementar entre as duas formas de pensamento. Esta relação de complementaridade está exatamente no relato de Plutarco, a respeito da vida de Péricles:

Conta que Péricles, visitado por um amigo, durante uma doença, mostrou-lhe um amuleto que uma das mulheres lhe haviam pendurado ao pescoço; dava a entender que ele devia estar bastante doente para se prestar a semelhantes fraquezas. (Plutargo – Vidas paralelas, 58)

Os relatos apresentados mostram o quanto situações de crises sociais ou individuais propiciam a aproximação das crenças míticas com o pensamento racional, em condições de complementaridade.

1.5. As plantas na medicina do período greco-romano

Período que vai do final do século III a.C. ao século VI d.C.

Iniciou-se o estabelecimento do Império Romano em 27 a.C., quando a Macedônia e os territórios da Grécia continental tornaram-se províncias romanas, embora Atenas continuasse a cidade universitária, onde os romanos iam completar sua educação (Ribeiro Filho, 2008).

A cultura grega foi adotada pelos romanos e Roma tornou-se o mais novo centro de cultura helênica, visto que a medicina, a filosofia e a retórica estavam nas mãos dos gregos e que, por sua vez, os romanos letrados as prezavam muito.

Eram poucas as diferenças entre a medicina grega e a romana. Em Roma, Asclépio, deus grego da medicina, tomou o nome de Esculápio, o deus greco-romano. Muitos médicos que praticavam medicina em Roma eram gregos. A antiga Roma não tinha farmacêuticos no sentido atual, como diz Aichelburg (1972), visto que era o médico que preparava o remédio, assim como também o próprio povo conhecia esta arte. Ao mesmo tempo, não faltavam os mercadores de unguentos e charlatães que vendiam remédios milagrosos.

Gregos e romanos conheciam plantas com poderes mágicos, as quais ganhavam *status* de poderosas quando nas mãos de indivíduos capazes de transformá-las em poções poderosas, propiciando aos usuários os mais diferentes estados alterados de consciência. Não era só no domínio do amor, por meio das poções e pós afrodisíacos e anafrodisíacos, como também no domínio das crenças religiosas com os êxtases místicos, podendo ser entendidos também como estados de transe, permitindo contatos com o sagrado (Brusse, 1993: 209).

Plutargo (45-120?), pensador grego do período greco-romano, escreveu sobre o perfume *Kyphu*, uma mistura de dezesseis óleos essenciais:

> *O cheiro deste perfume penetra no corpo pelo nariz. Faz-nos sentir bem e relaxados, a mente divaga e sentimo-nos em um estado sonhador de felicidade como se estivéssemos a escutar uma música deliciosa.* (Cunha, 2012: 4)

Conforme Cunha, este perfume, ao contrário das drogas depressoras, provoca uma ação estimulante e consciente, razão de os sacerdotes e de os faraós o usarem, inalando na meditação, além de outros tipos de perfumes para diferentes situações ritualísticas. Havia também perfumes para situações de guerra capazes de estimular sentimentos agressivos, diferentes daqueles próprios para momentos de meditação que exigiam tranquilidade e introspecção.

Alguns aspectos da mitologia mesopotâmica e egípcia relacionados à saúde surgem, igualmente, na mitologia greco-romana. Nenúfar ou flor de lótus (*Nymphaea alba* L.) teve também papel de destaque, segundo o grego Dioscórides, no primeiro século da Era cristã (Quer, 1978: 238).

A flor de lótus, como já vimos anteriormente, foi bastante cultuada no Egito, cuja tradição seguiu-se no mundo greco-romano com os mesmos propósitos egípcios.

Os romanos criticavam os médicos gregos por cobrarem de seus clientes. Eram os médicos conhecidos por asclepíades, aqueles que se seguiram a Asclépio, o deus grego da medicina, chamando-os de charlatães por usarem em suas publicidades o *slogan*: "rapidez, êxito seguro e modo agradável". Comentavam que o próprio "Asclépio possuía uma propriedade luxuosa adquirida graças a seus elevados honorários" e que ele havia se dedicado à medicina por amor à glória e ao dinheiro. Mas, endeusaram-no quando de sua ida a Roma para debelar um surto de peste. Na ocasião, ao passar pelo cortejo fúnebre de Sextus Rubio e percebendo-o com algum traço de vida, adotando alguns procedimentos o "ressuscitou" (*Jornal da Medicina*, 1993: VII).

"Fora de Roma os médicos gregos – As couves substitui-los-ão", bradava no Senado Catão (170 a.C.) o censor, o jurisconsulto, o orador e o general, contra os médicos gregos que começavam a chegar em Roma.

> (…) *Eis o grego, o ignóbil grego, fruto maldito de uma raça perversa e rebelde. Acreditai-me: quando o digo, fala em mim um oráculo. Toda vez que a esta nação nos traz seus conhecimentos, corrompe tudo. Se nos mandar seus médicos, será muito pior; de fato os gregos juraram matar todos os bárbaros, com o auxílio da medicina. Também nós somos bárbaros, segundo seu conceito. E bárbaros ignorantes. Cobrando inescrupulosamente, esses médicos gregos conquistaram vossa confiança. Roma deve ter ficado cega.* (Jornal da Medicina, 1969: V)

Até a introdução da medicina grega, existia em Roma uma prática caseira à base da couve, como remédio universal que se amplia com a introdução de remédios exóticos procedentes de Chipre, Capadócia, Síria, Egito, Ponto, África e Espanha. Em *De rustica*, Catão procura ensinar economia agrícola, na qual prega as propriedades medicinais da couve (*Brassica spp*):

> (…) *Eis para tratá-los, a couve, nada mais que a couve. Uma infecção das vias urinárias: caldo de couve; a gota: caldo de couve; uma cólica: folhas de couve maceradas; insônia: couve tostada; para as feridas: couve amassada; para as úlceras e cânceres: couve triturada; para as luxações: cataplasma de couve.* (Jornal da Medicina, 1969: IV)

Na Roma antiga, as doenças eram classificadas segundo os remédios que as curavam. Segundo Catão, a couve servia para:

- ◆ **Cólica:** folhas de couve maceradas;
- ◆ **Insônia:** couve tostada;
- ◆ **Ferida**: couve amassada;
- ◆ **Úlcera e câncer**: couve triturada;
- ◆ **Luxação**: cataplasma de couve.

Foi a época em que escritores passaram a produzir matérias médicas, a exemplo de Aulo Cornélio Celso (93 a.C.), classificando as doenças segundo os remédios que as podiam curar: doenças que se tratavam com dieta, doenças que se curavam com medicamentos e aquelas que eram tratadas com intervenção manual (*Jornal da Medicina*, 1969: VI). Gaius Plinius Secundus – Plínio Segundo, o Velho (23/24 a.C. – 79 d.C.), considerado o "maior naturalista romano, tendo devotado especial atenção às plantas medicinais", como demonstrado em sua obra enciclopédica

Historia Natural, em vários volumes, onde registrou grande número de vegetais, além de outras drogas medicinais (Cunha, 2007). Cita-se, ainda, a importante obra de Dioscórides, *Matéria Médica*, escrita, provavelmente, entre 77 e 78 de nossa Era (1993: 50).

1.5.1. As plantas em Pedanius Dioscórides (40-90)

Seis séculos depois de Hipócrates, no século I de nossa Era, surge o grego Dioscórides (77-78 d.C.) que, acompanhando o exército romano em suas campanhas pela Ásia, teve a oportunidade de ampliar seus conhecimentos botânicos e farmacológicos. Conheceu as plantas que produziam visões, as afrodisíacas e anafrodisíacas, assim como venenos e contravenenos, quando dizia que todo veneno podia servir de antídoto contra outro veneno ou uma doença. A obra de Dioscórides, ao lado da obra de Plínio, serviu de base para os escritos de Galeno de Pérgamo (131-200 d.C.), aquele que sistematizou todos os conhecimentos médicos da época, deixando uma obra compreendida de catorze livros, na qual enaltece o valor terapêutico dos vegetais sobre os produtos de outra origem. Seu arsenal terapêutico consistia de purgantes, evacuantes, vomitivos, adstringentes, diuréticos, emenagogos etc. (*História do Medicamento*, 1993; Dias, 2007; *Jornal da Medicina*, 1969; Carneiro, 2002).

Dioscórides deixou escrita *Matéria Médica* em seis livros, compreendida de remédios dos três reinos da natureza, onde relacionou 600 espécies, sendo 35 de origem animal, 90 de origem mineral e 500 de origem vegetal, com a indicação de suas virtudes e de como administrá-las. O esquema descritivo adotado em sua obra é sempre idêntico para todas as espécies tratadas, compreendendo: "o caráter da substância – a sinonímia – as falsificações – as comprovações – as ações – o uso médico" (Quer, 1978: XII). Comenta Quer que, durante toda a Idade Média, a *Matéria Médica* de Dioscórides foi copiada e, sobretudo, muito apreciada pelos árabes. Foi uma obra tão lida que, ao se desenvolver a arte de imprimir, foi dos primeiros manuscritos impressos, admitindo-se que a mais antiga versão, em latim, ocorreu em 1478, e a edição no grego, em 1499. Conforme Quer, somente após o surgimento da *Philosophia botanica linneana*, de Carl von Linné, em 1751, dúvidas foram esclarecidas quanto à identificação das espécies constantes da *Matéria Médica*. Acrescente-se ainda a versão italiana, de Andréa Mathioli, editada em 1543, com comentários seus, e a primeira versão em espanhol, em 1518. Porém, a mais importante neste idioma foi a de Andrés de Laguna, em 1555, seguida de várias reedições. Teria sido atribuído a Dioscórides o novo medicamento da época, preparado com sementes de papoula (*Papaver somniferum* L. Papaveraceae) contra a dor. Teriam dito, em sua época, outro de seus feitos:

> (...) *Hoje, graças a Dioscórides, legionário como nós, usa-se uma planta narcótica, a mandrágora, que alivia um pouco os sofrimentos causados pelo ferro. Os médicos têm interesse em tratar bem os feridos, porque, para cada ferido salvo, o Tesouro imperial lhes dá uma substancial importância em dinheiro.* (Jornal da Medicina, 1969)

É possível admitirmos que a obra desse grego represente os primeiros passos para o desenvolvimento das técnicas de etnografia e de identificação botânica hoje empregadas em Taxonomia vegetal. Dioscórides assinalava os exatos locais onde se encontravam as plantas medicinais registradas em sua *Matéria Médica*, o que permitiu aos estudiosos que o seguiram fazer as comparações dos gêneros e espécies citadas por ele, segundo as diferentes condições climáticas das várias regiões por ele percorridas. Sabe-se que Dioscórides deu destaque às plantas da região mediterrânea oriental, além daquelas que chegavam do Oriente (Dias, 2007). Preocupou-se, sobretudo, em resgatar do povo com o qual teve contato os valores médico-terapêuticos de cada espécie coletada, conforme está registrado em sua obra e discutido por Quer (1978).

Uma das contribuições de Dioscórides se refere ao desenvolvimento das teriagas[20], suposto antídoto universal composto de mais de sessenta substâncias, dentre as quais o ópio, cuja eficiência contra venenos é testada em prisioneiros (Dias, 2007). A teriaga atesta a evolução do conhecimento da matéria médica da Antiguidade:

> (...) *antídoto polifármaco, mencionado pela primeira vez no poema Theriaká de Nicandro de Colofon (século II a.C.) foi objeto de várias formulações, sendo conhecida a do médico de Nero, preparada por Andrômaco (século I). Na sua composição entravam cerca de oito dezenas de ingredientes dos três reinos da natureza, um quarto dos quais eram, necessariamente, objeto de substituição, na década de 1540, por se desconhecerem as verdadeiras drogas referidas na formulação de Andrômaco.*
> (Dias, 2007)

Assim, as plantas venenosas passaram a ser de interesse dos reis que as cultivavam em seus jardins com fins políticos, utilizando-as contra inimigos. Ficaram famosas as teriagas ou panaceias de fórmulas secretas que funcionavam como antídotos em caso de envenenamento, assim como contra picadas de cobras (Dias, 2007).

O material contido na *Matéria Médica* de Dioscórides marcou a última etapa do fármaco no mundo antigo, complementada pela obra sistemática de todos os conhecimentos médicos da época, elaborada por Galeno (131-200) (*Jornal da Medicina*, 1969). Sobre as plantas, em Dioscórides, importante a consulta à grandiosa obra de Quer (1978), *Dioscórides renovado*, onde estão relacionadas 678 espécies, dentre as quais referências às plantas que, posteriormente, ficaram conhecidas por especiarias.

---

20. Polifármacos, entendidas, hoje, na medicina popular, como precursoras das garrafadas. Ver em *Garrafada: uma revisão historiográfica*, de autoria de Maria Thereza L. A. Camargo. Conferência apresentada no XXI Simpósio de Plantas Medicinais do Brasil, em João Pessoa-PB, em 2010. Publicado em *Dominguezia* 27 (1) 2011. Revista da Faculdad de Farmacia y Bioquímica da Universidad de Buenos Aires.

1.5.2. Galeno

No segundo século da Era cristã, surgiu Galeno (131-200 d.C.), de Pérgamo, na Grécia, de onde partiu para viver em Roma. Foi aquele que veio a exercer grande influência no pensamento médico, o qual se estendeu para o mundo por, pelo menos, 1500 anos. Segundo Teixeira e Okada (2011), foi ele quem determinou a localização do encéfalo, local das atividades intelectuais e dos órgãos dos sentidos. Foi quem sistematizou todos os conhecimentos médicos até então conhecidos, avançando no campo da farmacologia, aumentando o número de remédios compilados por Dioscórides e determinando que a doença era um distúrbio da *physis* ou natura, e esta:

> (...) *se constituía no horizonte último diante do qual não era possível outra postura que não a venerática e piedosa; foi a "religiosidade fisiológica" ou "piedade fisiológica" de toda a medicina da Antiguidade. Seria injusto silenciar, como se faz com frequência, este último sentido religioso da terapêutica antiga.* (Guillén, 1987: 67)

Inspirou-se Galeno em Hipócrates e em Dioscórides, vindo a escrever seu grande *Tratado Terapêutico*, revitalizando a doutrina humoral e ressaltando a importância dos quatro temperamentos, conforme o predomínio de um dos quatro humores, transferindo para o comportamento das pessoas a noção de equilíbrio dos humores. Galeno, cognominado o "Divino", influenciou de modo decisivo o pensamento médico durante séculos. Dedicou especial atenção às secreções do corpo, particularmente à urina. Os médicos aconselhavam recolher a urina no primeiro canto do galo e deixá-la repousar durante algumas horas, para ter a certeza de se obter um bom sedimento. "(...) Além da coloração, o médico devia examinar cuidadosamente: densidade, sedimento, cheiro (...) era possível fazer, sem ver nem observar o doente, em que parte do corpo a afecção estava localizada, de que espécie de doença o paciente estava atacado e em que estágio ela se encontrava" (Schouten, 1968).

Foi Galeno quem procurou determinar a diferença entre fármaco e alimento, até então nebulosa:

> – *Fármaco é o que produz no organismo uma alteração, atuando sobre uma ou mais das qualidades (frio, quente, seco e úmido), através de uma ação específica vomitiva, purgante, antídota, hipnótica etc. A ação farmacológica pode ser "em ato" ou em "potência". Enquanto o fogo é quente "em ato", a pimenta é quente em "potência" e alimento é o que atua originando um incremento no corpo. Dedica 2 livros sobre as faculdades dos alimentos e sobre os bons e maus alimentos.* (Guillén, 1987: 57)

A indicação terapêutica baseava-se em quatro princípios básicos:

- **na índole** ou natureza do processo mórbido;
- **na natureza** do órgão onde assenta a doença;
- **na constituição** biológica individual do doente;
- **nos agentes** externos nocivos.

Para a determinação das qualidades, tanto nas doenças como nos medicamentos, a farmacologia e patologia recorriam aos caráteres organolépticos, principalmente odor e sabor. Assim, os quatro gostos principais:

- **amargo** – quente e frio;
- **azedo** – seco e frio;
- **salgado** – frio e úmido;
- **doce** – úmido e quente. (Dias, 2007)

Galeno acreditava que o cérebro era o centro das emoções e a melancolia resultava da inundação do cérebro pela bile negra, cujo excesso era consequência de um espessamento do sangue, a ser tratado pela sangria. Daí as expressões "bom humor", "bem-humorado", "mal-humorado, reminiscências dos conceitos de eucrasia e discrasia.

Na farmácia galênica, uma mesma substância natural pode atuar como alimento, dependendo da dose (conservação da saúde), como fármaco (restituição da saúde) ou como veneno (produção de doença), conforme Rezende (2007). Este acrescenta que a cura de uma doença depende do reequilíbrio do organismo, retirando o humor em excesso ou combatendo sua qualidade com um medicamento que possua qualidade oposta. Exemplo: a febre, por indicar excesso de qualidade quente, deve ser combatida administrando-se seu oposto: o frio.

Galeno preparou a teriaga, uma poção de cerca de cem componentes, incluindo veneno de cobra e ópio, indicada para todos os males.

Os caracteres organolépticos preconizados na farmácia galênica eram os elementos que se destacavam nas especiarias.

Sobre as diferentes vias de administração dos medicamentos à base de plantas medicinais, assim determinou:

- **Uso interno**, "por fora", como os introduzidos pela boca, nariz, ouvidos, ânus;
- **Uso externo**, "por dentro", podendo ser na forma de cataplasma, emplastro e
- Outros parecidos e similares. (Gullien, 1993)

Depois de sua morte, iniciou-se um processo de ordenação e estruturação de seus ensinamentos, trabalho realizado em Alexandria, foco intelectual do Mediterrâneo, durante o período helenístico e início do período Bizantino, até a conquista pelos árabes. Tal trabalho resultou nos dezesseis livros que passaram a ser lidos nas escolas médicas.

Dentre as plantas medicinais empregadas na medicina galênica, destacam-se as especiarias, em sua maioria caracterizadas como aromáticas, visto sua forte percepção gustativa e olfativa, as quais já tinham muita importância nas terapêuticas hipocráticas. O emprego desta categoria de plantas remonta às civilizações antigas, admitindo-se que o registro mais antigo sobre uso de plantas aromáticas foi encontrado em um túmulo do Neolítico (5000-2500 a.C.), nos vestígios de um homem envolvido em plantas aromáticas, identificadas por restos de grãos de pólen (Cunha, 2007).

Galeno comenta que Dioscórides faz muitas referências às virtudes das plantas aromáticas, dentre elas as espécies de ação no sistema nervoso central:

- ◆ **Alecrim** – *Rosmarinus officinalis* L. Lamiaceae.
  - ▷ Origem: Europa (IPNI).
- ◆ **Arruda** – Ruta graveolens L.
  - ▷ Origem: Europa (IPNI).
- ◆ **Camomila** – *Matricaria chamomilla* L. Asteraceae.
  - ▷ Origem: Europa (IPNI).
- ◆ **Capim-limão** – *Cymbopogon citratus* Stapf. Poaceae.
  - ▷ Origem: Ásia (Rizzini, 1976).
- ◆ **Coentro** – *Coriandrum sativum* L. Apiaceae.
  - ▷ Origem: Europa (IPNI).
- ◆ **Losna** – *Artemisia absinthium* L. Asteraceae.
  - ▷ Origem: Europa (IPNI).
- ◆ **Noz-moscada** – *Myristica frgrans* Hout.
  - ▷ Origem: Ilhas Molucas (IPNI).

Essa importância levou os portugueses, no século XVI, a irem buscá-las no Oriente, assunto que abordaremos mais adiante, quando tratarmos do trânsito dessas espécies de plantas, entendidas como aromáticas.

1.6. Idade Média

Recordando, a Idade Média compreende o período que vai da queda do Império Romano do Ocidente (476 d.C.) à tomada de Constantinopla (1453), ou seja, do século V ao XV, dividida historiograficamente em: Primeira Idade Média (séculos V-X); Idade Média Plena (XI-XIII); e Idade Média Tardia (XIV-XV). Porém, Entralgo (1972), em sua *História Universal da Medicina*, efetua uma divisão, compreendendo: 1. As influências de Bizâncio; 2. Influência árabe; 3. Idade Média Europeia, que não corresponde exata e rigorosamente à divisão historiográfica (Pita, 1996). Entretanto, é a divisão que procuramos seguir neste livro, visto estarmos tratando da historiografia das plantas medicinais empregadas na medicina popular no Brasil.

1.6.1. Período medieval de influência bizantina e árabe

As práticas médico-farmacêuticas bizantinas apontavam para uma influência da Escola de Alexandria ao difundir o saber médico adquirido com os gregos e considerando as plantas medicinais usadas na medicina grega (Pita, 1998). Pita comenta que, nesse primeiro período da Idade Média, surgiram nomes como o de Oribase (325-403), originário de Pérgamo, centro intelectual da época, organizando uma enciclopédia médica que ultrapassou o *Corpus Hyppocraticum* e os tratados de Galeno. Cita, ainda, Tribase, o perito nos remédios e interessado pela farmacopeia e as fórmulas que curam as doenças identificadas, além de outras personalidades que se destacaram, dentre os quais Paulo de Egina (625-690), nascido na ilha do mesmo nome, tendo deixado uma obra composta de sete livros, abordando aspectos da medicina prática, com o sétimo deles tratando dos medicamentos compostos e simples de origem vegetal, animal e mineral. Foram poucos os textos originais deste período, prevalecendo a compilação dos tratados médicos da Antiguidade (Pita, 1998).

Os bizantinos, herdeiros da cultura greco-romana do período helenístico, continuaram sua tradição e uso das plantas medicinais, passando seus conhecimentos aos árabes. Estes, tendo recebido influência de persas e indianos, somaram aqueles conhecimentos às suas experiências, vindo a desenvolver uma escola muçulmana de medicina (Nascimento Junior, 2011).

Revendo um pouco de sua história, lembramos que o Islão, política e religiosamente, surge em 622, com a ida de Maomé de Meca para Medina. Após sua morte em 632, todo o território árabe tinha adotado o Islão, expandindo-se, política, religiosa e militarmente para a Palestina, Mesopotâmia, Egito, Pérsia, Norte da África e Península Ibérica (Pita, 1998). Pita comenta que a idade de ouro da medicina árabe se deu entre os séculos VIII e XI-XII. A maioria dos textos árabes foi de médicos da antiga Pérsia e do antigo Império grego, todos eles preservando a teoria dos humores de Hipócrates e da farmácia galênica, à base de plantas medicinas.

Foi significativa a influência árabe na medicina do Ocidente durante esse período em que o saber médico permanecia estagnado, visto terem sido eles que desenvolveram a técnica da destilação das plantas aromáticas (Cunha, 2012). Algumas plantas, como o cravo-da-índia (*Syzygium aromaticum* (L.) & L. M. Perry Myrtaceae), a mirra (*Commiphora myrrha* Engl. Burseraceae) e o sene (*Cassia angustifólia* Vahl), espécie africana, possivelmente conhecida dos árabes em sua passagem pela Ásia, eram usadas pelos médicos árabes, ao lado da mandrágora (*Mandragora officinalis* Moris Solanaceae) e do vinho, componentes empregados para tirar a dor, além do ópio (*Papaver somniferum* L. Papaveraceae) (Teixeira & Okada, 2011).

Florescia no Oriente, entre povos árabes e persas, uma medicina que seguia a tradição greco--romana, combinada às práticas mágico-religiosas dos sumérios e egípcios (Pita, 2007). Centros de estudos médicos traduziram para o árabe as obras de Aristóteles, Hipócrates e Galeno. A personalidade que mais se destacou nesse período foi Avicena (980-1037 d.C.), ao resumir toda ciência médica até então conhecida em sua obra *Canon da medicina*, adotando a doutrina hipocrática da patologia humoral. Depois, traduzida para o latim, tornou-se importante obra ao lado daquelas deixadas por Hipócrates e Galeno. Avicena dedicou um capítulo a O *uso dos eliminantes: purgação, ventosa, flebotomia e sanguessugas* (Rezende, 2003).

Avicena conhecia os poderes das plantas narcóticas:

> *Se for necessário levar uma pessoa à inconsciência, rapidamente, de forma a tornar a dor suportável, no caso dos procedimentos dolorosos em um membro, coloque água de joio em vinho, ou administre fumaria, ópio, hioscimo (doses de meia dracma de cada); noz-moscada, agáloco cru (4 grãos de cada). Adicione isto ao vinho e tome tanto quanto for necessário para a finalidade. Ou ferva hioscimo negro em água, com casca de mandrágora até tornar-se vermelha. Adicione este ao vinho.* (Ragip, 2000)

Dentre os autores árabes, Entralgo (1972) cita Ibn Al Baitar com a 1ª Farmacopeia, em *Corpus simplicium medicamentarium*, descrevendo 14.000 medicamentos, em sua maioria vegetais.

Foram os árabes os introdutores da esponja soporífica encharcada de aromáticos e narcóticos para ser absorvida e, depois, colocada nas narinas como anestésico antes da cirurgia. Em Teixeira & Okada (2011), este recurso usado contra a dor compreendia uma esponja marinha com uma mistura de mandrágora, ópio, hisocina, de efeitos imprevisíveis que, ocasionando o sono, progredia para a morte.

Os árabes desenvolveram os métodos de extração e destilação, cristalização, solução, sublimação, cabendo a Abulcassis (930-1013) importante papel na medicina, quando procurou extrair substâncias ativas da papoula (*Papaver somniferum* L. Papaveraceae), com efeito analgésico, antiespasmódico e sedativo (Ragip, 2000).

Enquanto, na Europa, a doença mental era entendida como possessão demoníaca, a civilização islâmica antecipava o desenvolvimento da saúde mental, iniciada no século XIX, no Ocidente.

Conforme Ragip (2000), a partir do século XVI, início da Renascença europeia, a civilização islâmica entrou em declínio, mas o conhecimento adquirido foi traduzido para os idiomas europeus, tornando-se fonte importante para novas descobertas, que resultaram na medicina contemporânea. Com o desenvolvimento da preparação dos remédios, foram incorporadas ao acervo de plantas medicinais, entre outras, as espécies:

- **Acônito** – *Aconitum napellus* L. Renunculaceae.
  - ▷ Origem: Ásia; Europa (Schauenberg & Paris, 1980).
- **Babosa** – *Aloe vera* (L.) Burm. f. Aloaceae.
  - ▷ Origem: região mediterrânea (IPNI).

- ◆ **Cânfora** *Cinnamomum camphora* T. Nees & Ebermeier Lauraceae.
  - ▷ Origem: China; Japão (Schauenberg & Paris, 1980: 347; Joly, 1976).
- ◆ **Mirra** – *Commiphora myrrha* Engl. Burseraceae.
  - ▷ Origem: Somália (Schauenberg & Paris, 1980).
- ◆ **Noz-vômica** – *Strychnos nux-vomica* L. Loganiaceae.
  - ▷ Origem: Ásia (Schauenberg & Paris, 1980).
- ◆ **Ruibarbo** – *Rheum spp* Polygoncaceae.
  - ▷ Origem: Ásia (Schauenberg & Paris, 1980).
- ◆ **Sândalo** – *Warburgia stuhlmannii* Engl. Cannelaceae.
  - ▷ Origem: África (IPNI).
- ◆ **Sene**[21] – *Cassia obovata* Colladon.
  - ▷ Origem: Ásia; África (Quer, 1978).

1.7. Plantas medicinais na Idade Média Europeia

Na Europa Medieval cristã, tratada por Entralgo (1972) como Idade Média Europeia, que, historiograficamente, vai do século XIV ao XV, a medicina retrocede em relação ao legado greco-romano e árabe, imperando o dogmatismo e a superstição, segundo Pita (1998). A terapêutica resume o ensino escolástico da medicina arábico-galênica. Nesse período, o ensino médico é função eclesiástica, apoiado pelo poder religioso católico, por meio das Ordens dos Franciscanos e dos Dominicanos. Foi o período em que se tentou buscar uma conciliação entre a verdade comprovada pela experiência e prática, o estudo da natureza e a verdade revelada pela Igreja. Nos Estados medievais cristãos, por exemplo, não se permitia dissecar cadáveres para estudos de anatomia, cuja permissão só veio a ocorrer no século XVI.

O cristianismo recuperava a noção de doença-punição dos povos da Mesopotâmia, com a noção de que a doença marca o pecado. Carvalho (2004: 57), como exemplo, cita a lepra, doença que aparece nos Evangelhos como estigma da impureza dos seres humanos, ideia que permaneceu por toda a Idade Média como símbolo do pecado, segregando os portadores desse mal em leprosários. Acrescenta o autor que era exigido dos doentes que ingressavam nos hospitais medievais a confissão e a comunhão para a remissão dos pecados e obtenção da harmonia com Deus, condições para o êxito da ação terapêutica.

Como acontecia em culturas anteriores, a doença continuava a ser entendida como de causa divina. Mas, diferente do que se passava no mundo pagão, já visto, a doença deixava de ser pensada como um mal absoluto provocado por uma entidade sobrenatural, podendo ser anulada por outra entidade.

---

21. O sene relacionado acima, subentendendo-se seu uso pelos árabes da Península Ibérica, segundo Quer (1978), pode se tratar de *Cássia obovata* Colladon, Cesalpiniaceae, com princípios ativos tão complexos quanto os dos chamados sene de Alexandria (*Cassia acutifólia*) e da Índia (*Cassia angustifólia*).

O Deus único do cristianismo visa ao bem, mesmo quando, aparentemente, causa o mal. O sofrimento é usado por Deus para o bem, a fim de corrigir pecados ou fraquezas. Deus exige uma conduta de vida pura, podendo enviar o sofrimento para garantir a vida eterna. Assim, o cristianismo, sem desprezar o papel da dor, do sofrimento e da doença, surge como uma religião curativa. O mesmo Deus que dá a doença, também, pode dar a cura. Após o período de curas (realizadas por Jesus, as mesmas passaram a serem praticadas pelos apóstolos e pelos primeiros cristãos. (Dias, 2007)

Era uma medicina essencialmente monástica, sendo nos mosteiros onde os textos médicos antigos eram preservados. A partir do século XII, surgem Universidades por toda Europa, que, a princípio, eram de clérigos, entre elas a de Bolonha (1088), Oxford (1167), Paris (1200?), Pádua (1222), Montpellier (1289) e Coimbra (1279) (Pita, 1998).

As plantas medicinais, nesse período histórico, eram tratadas nos mosteiros, plantadas em seus jardins. Santa Hildegarda representa esse período, quando os tratados conhecidos por *Physica* resumem os conhecimentos antigos, revelando as virtudes das plantas, classificadas conforme sua utilidade: alimento, remédio, veneno etc., (Damião Filho, 1993). Dentre os grandes mosteiros medievais dedicados à conservação dos documentos fitoterápicos está a Abadia Beneditina de Monte-Cassino, entre Roma e Nápoles, a qual mantinha estreita relação com a Escola de Medicina de Salermo, no século IX. O conhecimento desses jardins de plantas medicinais foi possível graças ao *Capituare de Villis*, capitular carolíngio, datado de 812, sobre a cultura de 76 plantas herbáceas e 16 espécies vegetais de interesse médico e dietético (Sá *et al.*, 2012). Porém, no século XV, foram impressos os primeiros herbários, compreendendo verdadeiros tratados médicos.

As noções de pecado tinham estreita relação com doenças, entendidas como castigo divino. O prognóstico era regulado pela astrologia e o diagnóstico ainda se limitava ao exame da urina. Anatomia e fisiologia do corpo humano eram estudadas em animais, visto naquele período não dissecarem cadáveres por imposição da Inquisição, enquanto a terapêutica se resumia à magia, às orações e em algumas ervas medicinais. Era na medicina greco-romana que os portugueses se espelhavam (Graça, 2000).

A medicina e a farmácia mantinham traços das culturas de eras passadas, tais como os dados históricos alinhavados nos capítulos anteriores. A doença continuava a ser entendida como causada por uma divindade. Acreditava-se que o Deus único do cristianismo visava ao bem, mesmo quando, aparentemente, causava o mal. O sofrimento era usado por Deus para o bem, a fim de corrigir pecados ou fraquezas. Deus exigia uma conduta de vida pura, podendo enviar o sofrimento para garantir a vida eterna. Assim, o cristianismo, sem desprezar o papel da dor, do sofrimento e da doença, surge como uma religião curativa. O mesmo Deus que dá a doença também pode curá-la. Após o período de curas realizadas por Jesus, estas passaram a ser praticadas pelos apóstolos e pelos primeiros cristãos (Dias, 2007).

O culto aos santos e às relíquias em sua capacidade de realizar curas milagrosas atraía adeptos, integrando no seio do cristianismo uma relação com o sobrenatural, própria do panteísmo pagão. Determinou-se uma linha divisória entre o sobrenatural lícito (culto aos santos) e o ilícito (superstição e bruxaria). Cosme e Damião eram os santos que curavam. Martirizados por Diocleciano (284-305), tornaram-se padroeiros das profissões médicas, durante a Idade Média e a Idade Moderna (Dias, 2007). Em Sterpellone (1998), foi o período em que o imperador ordenava não só a perseguição aos cristãos como a destruição dos arquivos das igrejas cristãs. Medida esta que se estendeu pelos períodos que sucederam a este imperador, razão de não ser possível o acesso aos processos a que foram submetidos os mártires, com todos os detalhes sobre aqueles ocorridos. Posteriormente, sob as rédeas de Constantino, o cristianismo veio a se tornar religião de Estado:

> Diante dessa situação, os cristãos dos três primeiros séculos tornaram-se todos heróis e a Igreja antiga foi considerada a Igreja dos Mártires – daí a consciência dada ao culto destes cristãos. (Sterpellone, 1998: 7)

Este autor considera que muitos daqueles considerados santos não tiveram a virtude de curar males incuráveis, e aqueles que operaram neste sentido eram poucos, admitindo que muitos milagres aconteceram tão somente na fantasia popular, classificando-os, assim:

> Santos que se acredita serem ou certamente foram médicos.
> Santos médicos segundo a tradição.
> Santos não médicos, mas ativos na medicina.
> Santos venerados como protetores contra as doenças.

1.8. Demonologia e as doenças

A associação entre o pecador e o doente, por um lado, e a medicina e o cristianismo redentor, por outro, ligava-se às crenças sumérias sobre a saúde e a doença. Nesta ancestralidade, segundo Dias (2007), estava a manutenção da crença na doença por possessão demoníaca.

Basta lembrarmos quando eram denunciados aos padres da Inquisição[22] homens e mulheres que, utilizando ervas do diabo (Santos Filho, 1947), realizavam curas de endemoniados, tal como ocorria na Mesopotâmia em 3000 a.C. Tais curas eram frequentes em Portugal, fazendo-nos lembrar os exorcismos realizados por Jesus, em Mateus: 9:32, conforme Dias (2007).

Embora as tentativas de rechaçar qualquer tentativa de se anularem as ideias sobre possessão demoníaca, o cristianismo representado pelo catolicismo se mantinha na convicção dos poderes do Demônio, causando toda sorte de malefícios, inclusive provocando males ao corpo e ao espírito

---

22. Inquisição ou Tribunal do Santo Ofício, instituído em 1231, em defesa da fé católica, contra os hereges.

daqueles sob seu domínio. A teoria demoníaca da doença, no caso das epidemias que assolavam a Europa, bodes expiatórios eram, geralmente, os judeus, pois a Igreja admitia que as curas obtidas pelos médicos judeus eram obras do demônio, tal como determinava o cristianismo (Graça, 1996). O clero instigava o povo contra os judeus, chegando a determinar a diabolização dos médicos, ato que, ultrapassando as fronteira da Espanha, atingiu Portugal, espalhando a ideia de que as curas realizadas por eles eram resultados de pactos com o demônio. Tal foi esta situação que, em 1525, as cortes eclesiásticas pediram ao rei de Portugal que fosse proibida a profissão de médico e de boticário aos cristãos-novos (Herson, 1996).

Em Frankfurt, na Alemanha, o clero luterano declarava:

> (…) antes ser doente, se esta foi a vontade divina, do que se curar com a ajuda do diabo, por meios proibidos; procurar médios judeus é cobrir seu peito com serpentes; é como convidar lobos para sua casa (…) ou, antes morrer no Cristo do que ser curado por um doutor judeu e Satã (…). (Herson, 1978: 78)

1.8.1. A mulher e o diabolismo

Por volta do século XIV até o século XVIII, generalizou-se na Europa forte repressão ao feminino, caracterizado pelo período da "caça às bruxas", quando milhares delas foram executadas, geralmente, queimadas vivas. Terror este que, a partir de meados do século XVI, espalhou-se por toda a Europa, segundo conta Muraro (1991) em *Breve introdução histórica*, em *O martelo das feiticeiras – Malleus Maleficarum*, publicado em 1486, escrito por dois inquisidores Heinrich Kramer e James Sprenger com autorização do Papa Inocêncio VIII, na época da caça às bruxas na Alemanha e na Áustria. Segundo *Malleus*, aquele que não acreditasse na existência das bruxas, adoradoras do demônio, era declarado herege (Jeffrey, 1993). A mulher era o símbolo do mal. Sob esta epígrafe, por largo tempo a mulher foi alvo das mais duras sentenças impostas pelo Tribunal da Inquisição naqueles países onde *Malleus* funcionou como manual de torturas, nas mãos dos inquisidores. Seus autores relacionavam a bruxaria ao impulso sexual, visto que toda bruxaria advinha do desejo carnal insaciável na mulher. As bruxas eram procuradas para induzir ou destruir o amor, para restaurar ou minar a saúde. Como servas do demônio, preparavam unguentos, poções, filtros, sortilégios, amuletos etc.

Muraro (1991), em uma visão retrospectiva a fim de explicar aquele período tenebroso de caça às bruxas, esclarece que, em períodos muito antigos, as mulheres eram curadoras, detentoras de saber próprio passado de geração a geração. Eram mulheres cultivadoras ancestrais de ervas que devolviam a saúde e que, na Idade Média, com seu saber intensificado, passaram a representar ameaça à classe médica que despontava das universidades do sistema feudal. Outro perigo estava em que elas se organizavam em confrarias, nas quais, em ajuntamentos, trocavam segredos da cura de doenças do corpo e da alma.

Porém, diante da transgressão sexual que grassava entre as massas populares, as mulheres, essencialmente ligada à sexualidade, foram alvo dos inquisidores quando da instituição do Tribunal do Santo Ofício, pois ligavam essa transgressão à transgressão da fé pelo envolvimento com o demônio, fazendo desencadear a caça às bruxas.

Sobre os ajuntamentos, em confissão junto ao inquisidor, uma bruxa revela:

> *Os dias em que se ajuntam e ficam sinaladas são quartas e sextas-feiras, em as quais dando o relógio dez horas da noite, ou antes, as ditas Bruxas se untam com certos unguentos que elas fazem das confecções diabólicas que adiante se dirá, que o Demônio lhes faz crer, que sem ele não podem voar, nem ir a seus ajuntamentos, para fim de tanto mal quanto deles recresce, e untadas, o Demônio as leva pelas janelas corporalmente e em breve espaço e momento, levando-as pelos ares, as põem em certos campos, aos quais elas não sabem o nome e chegam a esta paragem às dez horas da noite. (...) Porque ela estando acordada e em todo o seu juízo e entendimento, e às vezes, despida e outras vestidas e untava com seus unguentos, em partes ocultas de seu corpo e se punha sobre a janela por onde havia de sair, e dali era arrebatada e levada repentinamente e em mui breve espaço pelos ares, ou por onde quer que a levavam aos campos onde se achavam.* (Rego, 1981)

No século XV já se faziam críticas contra a excessiva influência atribuída ao Diabo. No século XVI, o médico Jean Wier, nascido no Brabante, discípulo de Cornélio Agripa, examinou casos de possessão demoníaca e concluiu que se tratava de distúrbios naturais. Admitiu que o Diabo atuava tão somente sobre a imaginação das pessoas, sobretudo no curso das desordens da mente e do corpo, não raro determinadas pelo uso de substâncias tóxicas. Como um prestidigitador, o Diabo povoava a mente humana com alucinações, delírios, pesadelos e outras manifestações, nas quais os indivíduos acreditavam e que, no entanto, não correspondiam à realidade (Ribas[23], 1964: 9). Este autor, em sua obra *As fronteiras da demonologia e da psiquiatria*, faz um estudo comparativo entre os estados de tentação, obsessão e possessão de supostos endemoniados, aos estados de neuroses e psicoses. Comenta, ainda, ao citar Giambattista Della Porta, que este preparou o "unguento das feiticeiras" à base das espécies psicoativas: acônito (*Aconitum napellus* L. Renunculaceae) e beladona (*Atropa belladonna* L. Solanaceae), concluindo que "muitos fenômenos da magia decorriam das modificações neuropsíquicas determinadas pela substância".

Não existem dúvidas quanto às influências dessas personagens da história de Portugal na história da medicina popular brasileira. Mundicarmo Ferretti (2004), citando Luiz Mott (1995), diz que eram classificadas como feitiçaria, comportamentos e rituais heterodoxos, tanto de origem indígena, africana, como europeia. Este autor comenta que, no Maranhão, com o fim da Inquisição

---

23. Titular da cadeira de Psiquiatria da Universidade de São Paulo (USP), terminando sua carreira acadêmica como diretor do Instituto de Psiquiatria da mesma Universidade.

em Portugal (1821) e a Independência do Brasil (1822), o negro, embora pudesse professar sua religião com mais liberdade, continuou a ser visto como feiticeiro. Estes, quando libertos e pegos na prática de curar com feitiço, eram punidos com multa e prisão, enquanto os donos de escravos apanhados em tal prática eram os responsáveis pelas multas.

1.8.2. Unguentos e o voo das bruxas

A feitiçaria europeia foi exímia conhecedora das plantas que levavam os usuários a alterações comportamentais, por meio de poções que eram ingeridas e de unguentos de uso tópico capazes de excitar, sedar, fazer dormir ou, ainda, provocar estados alterados de consciência.

Na Europa medieval, aquela casta de protagonistas urbanos – as bruxas – tinha conhecimento profundo dos poderes das espécies de Solanaceae, quando empregadas em unguento, entre elas: beladona (*Atropa belladonna* L.), meimendro (*Hyosciamus niger* L.) e mandrágora (*Mandragora officinalis* L.), velhas conhecidas de povos da Mesopotâmia e Egito. Essas espécies botânicas apresentam em sua composição química os alcaloides tropânicos: hiosciamina, escopolamina e atropina. Segundo Martinez *et al.* (2009: 2):

> (...) *estas três Solanaceae de composição química parecida eram usadas para a preparação de unguentos com os quais as bruxas se untavam e que, supostamente, as faziam voar. Este unguento, conhecido como "fórmula de voo", era passado em certas partes do corpo, principalmente nas partes peludas e esfregado sobre o cabo de uma vassoura, que era colocada entre as pernas pelas bruxas, como se fosse um instrumento de voo. Em contato com as mucosas vaginal e anal, o unguento era absorvido mais rapidamente pelo organismo.*

Corroborando estes autores quanto à absorção dos alcaloides tropânicos através da pele, ao tratar da *Datura*, outro gênero de Solanaceae com os mesmos princípios ativos, Vieira (1976) relata em trabalho científico um caso de intoxicação em paciente que colocara uma folha de *Datura sp* sobre um ferimento, e a intoxicação ocorreu após três horas da aplicação. Tal ocorrência vem a confirmar a atividade biológica a partir do uso tópico daqueles alcaloides, semelhante àquele obtido nas bruxarias europeias, quando experimentavam "viagens", cavalgando em vassouras. Entre as representantes deste gênero está a figueira do inferno (*Datura stramonium* L.), grassando por regiões do Brasil (Joly, 1976), sucedâneo das espécies europeias de Solanaeae que concentram aqueles mesmo alcaloides tropânicos.

A primeira referência ao voo noturno aparece em um cânon do século X, conhecido por *Canon episcopi*, onde se lê:

Existem mulheres perversas que voltadas para Satã e seduzidas pelas ilusões e fantasmas dos demônios, acreditam e confessam abertamente que, em horas da noite, cavalgam sobre certos animais juntamente com Diana, a deusa dos pagãos, e com uma grande multidão de mulheres; e no silêncio das horas mortas da noite cruzam grandes extensões e obedecem a ordens (de Diana), como se ela fosse a sua patroa e, em certas noites, são convocadas a seus serviços. Grande quantidade de pessoas enganadas por essas falsidades abandonam a verdadeira fé e voltam aos erros dos pagãos, pensando que existe outro poder divino, diferente do de Deus". (Tosi, 1985: 37)

Murray (1978: 331), sobre a fórmula de Della Porta acima referida, comenta que a combinação de beladona com espécies que podem provocar arritmia cardíaca, como o acônito[24], diz permitir a uma pessoa dormindo a sensação de caída no vazio, dando a ideia de voo. Esta autora cita três receitas de unguento usadas pelas bruxas do medievo:

1. *Perejil[25] (Petroselium crispum* (Miller) Turill Apiaceae), *água de acônito (Aconitum vulparia* (Rchb. Ranunculaceae), *hojas de álamo (Populus nigra* L. Salicaceae) *y hollin* (não identificado).

2. *Água de berraza (Sium latifolium* Apiaceae), *cálamo aromático (Acorus calmus* L. Araceae), *cincoenrama (Potentilla reptans* L. Rosaceae), *sangre de murciélago, dulcamara venenosa (Solanum dulcamara* L. Solanaceae) *y aceite.*

3. *Grasa de niño, jugo de agua de berraza (Sium latifolium* Apiaceae), *acónito (Aconitum napellus* L. Renunculaceae), *cincoemrama (Potentilla reptans* L. Rosaceae), *dulcamara (Solanum dulcamara* L. Solanaceae).

Segundo o autor, essas receitas demonstram que a sociedade das bruxas tinha perfeito domínio da arte de criar estados alterados de consciência, visto que acônito, dulcamara e beladona eram, na Europa, as plantas silvestres mais conhecidas pelo teor de psicoatividade. Neste sentido, é importante acrescentarmos que o grau de toxicidade dos componentes químicos de qualquer planta vai depender da dose absorvida pelo organismo humano, seja por ingestão, absorção pela pele sã ou escarificada ou pela fumaça proveniente de cremação, podendo levar a óbito. Os efeitos tóxicos

---

24. Acônito é uma droga muito tóxica, extraída da raiz dessecada da espécie botânica *Aconitum napellus* L. Ranunculaceae, de atividade sedativa cardíaca e respiratória, analgésica, diaforética e diurética (*The American Illustrated Medical Dictionary*, 1945).

25. Perejil (*Petroselium crispum* (Miller) Turill Apiaceae), não corresponde ao perfil do original francês, segundo a tradução do autor. Com base no original, trata-se de uma planta, possivelmente a cicuta (*Cicuta virosa* L. Apiaceae), dada a semelhança entre ambas. As identificações botânicas foram extraídas de fontes da língua espanhola: Schauenberg & Paris, 1980; Quer, 1978; e revisada em IPNI.

dependerão, certamente, da composição química dos princípios ativos presentes nas plantas, tal como os já detalhados na introdução deste livro e que voltaremos a nos referir.

Entendemos por plantas psicoativas aquelas que, por definição, segundo CEBRID – Centro Brasileiro de Informações sobre Drogas Psicotrópicas – da Universidade Federal de São Paulo – Escola Paulista de Medicina (2001), são capazes de agir como:

- ◆ Depressoras da atividade do Sistema Nervoso Central:
  - ▷ Álcool (provoca mudanças no comportamento e desenvolve dependência);
  - ▷ Soníferos ou hipnóticos (promovem o sono);
  - ▷ Ansiolíticos (inibem a ansiedade);
  - ▷ Narcóticos (aliviam a dor e dão sonolência);
- ◆ Estimulantes da atividade do Sistema Nervoso Central:
  - ▷ Anorexígenos (diminuem a fome);
  - ▷ Perturbadores da atividade do Sistema Nervoso Central, também chamados de psicoticomiméticos, psicodélicos, alucinógenos, psicometamórficos etc.

Podemos admitir, portanto, que as plantas entendidas como perturbadoras do Sistema Nervoso Central, em contextos religiosos, desempenham o papel de intermediárias entre o ser humano e o universo sobrenatural, onde se defrontam com representações simbólicas interpretadas conforme as características socioculturais de grupos humanos, em meio aos quais, as plantas desempenham tal papel.

Famosos foram os filtros, cujas fórmulas eram segredos das bruxas que as manipulavam. Eram as iscas dos inquisidores que cumpriam a tarefa de punir quem transgredisse os ditames da fé católica, levando ao cadafalso os sentenciados pelo Tribunal do Santo Ofício. Era por meio das denunciações e confissões que os protagonistas da arte de preparar filtros eram apanhados, julgados e mortos.

Do latim, *filtru*, substância mágica usada para encantamento amoroso, chamado em latim *Poculum amaris* (Carneiro 1994), os filtros eram poções de composição que variavam segundo a finalidade a que se propunham e a quem eram destinados.

Na Alemanha (Aragão, 1894: 19), as consultas junto aos feiticeiros eram em cavernas iluminadas com chamas de paus resinosos, fazendo desprender aromas diversos. Ao som de instrumentos semelhantes ao tambor, o feiticeiro aspirava grande porção de tabaco (*Nicociana tabacum* L. Solanaceae), até cair em letargia, momento em que era considerado inspirado para atender às consultas. No caso de doença, procurava combater o diabo, saindo-se sempre como vencedor.

Os feiticeiros, segundo o autor acima, eram mais raros que as feiticeiras. Citando *Portugal Médico*, de Brás de Abreu, diz que aqueles indivíduos recebem o poder maléfico das mãos de Satanás. Acrescenta que:

Das partes que roubam aos mortos, fabricam pós, com os quais infeccionam as ervas, os frutos, danam a saúde e provocam discórdias. Espalhando os ditos pós pelo ar, nos caminhos, nas escadas, nas casas, nos fatos, nas pias de água-benta, e as pessoas que os tocam não tardam a adoecerem, havendo muitos casos de morte.

Aragão (1894: 19) diz que, em Portugal, foram tomadas severas providências para que não se importasse tais pós, fazendo referência ao Fr. Manuel de Lacerda, doutor e lente de teologia da Universidade de Coimbra, que escreveu *Memória e antídoto contra os pós venenosos que o demônio inventou, e por seus confederados espalhados em ódio da cristandade*, impresso em Lisboa, 1631, 4º de VIII, 178 p.

Continuando em Aragão (1894), as plantas participavam do receituário dos feiticeiros, a exemplo do alecrim (*Rosmarinus officinalis* L. Lamiaceae), sabugueiro (*Sambucus australis* Cham. Et Schl. Caprifoliceae), tabaco (*Nicotiana tabacum* L. Solanaceae).

1.8.3. **As plantas do bem e do mal**

As plantas, efetivamente, desempenhavam na Idade Média o papel de divisor de águas. Cheirar, ingerir ou qualquer outra forma de contato com plantas fazia parte das práticas mágicas, fossem elas para o bem ou para o mal, porém, marcando os limites nos campos de ação.

Ginzburg (1988: 19 – nota 2), citando Fernandez (1954: 19), menciona a narrativa de um pároco que, na qualidade de testemunha perante um inquisidor em 1575, na cidade de Fruil, na Itália, faz referência a um indivíduo com o dom de "curar enfeitiçados", chamado Gasparutto,

> *acostumado nas quintas-feiras de cada um dos Quatro Tempos, a vagabundear com feiticeiros e duendes pelos campos, onde combatiam, brincavam, pulavam e cavalgavam diversos animais e faziam diversas coisas entre si (...) as mulheres batiam com caules de sorgo nos homens que estavam com elas, os quais só carregavam nas mãos ramos de erva-doce.*

Diante da incredulidade do pároco e do inquisidor, Gasparutto propôs levá-los a assistir a tais reuniões. Diante dos fatos observados, os dois concluíram existir duas castas de feiticeiros: uns do bem, os *benandantes*, como Gasparutto, que impedem maldades e os do mal, propriamente dito, provocando malefícios de toda ordem. Em outro momento, ele descreve as saídas noturnas, acrescentando que aqueles que fazem o *mal* portam caules de sorgo (*Sorghum vulgare* Pers. Poaceae), que nasce nas hortas e os *benandantes*, portando caules de erva-doce (*Pimpinella anisum* L. Apiaceae). Naquelas saídas noturnas, feiticeiros e feiticeiras, quando visavam à praticar o mal, eram seguidos pelos feiticeiros do bem, a fim de impedi-los de praticar maldades; porém, ambos os grupos portando suas plantas de valores mágicos, emprestando-lhes poderes assegurados.

Importante considerarmos que, embora não tenha sido registrado o consumo do sorgo ou da erva-doce pelos feiticeiros em suas saídas noturnas, o sorgo também pode ser entendido como planta tóxica, por encerrar em sua composição química um glicosídio cianogenético capaz de liberar ácido hidrociânico CNH, segundo Lewis & Elvin Lewis (1977). Este ácido é extremamente tóxico, pode levar a óbito quando do consumo de plantas que apresentam este glicosídeo, aquele presente, também, na mandioca (*Maniot esculenta* Crantz) que, ingerida crua, pode levar a óbito. O efeito toxicológico do CNH decorre da inibição da oxigenação no coração e no cérebro, provocando dor de cabeça, de estômago, confusão mental, conforme exposto pela *Comisión del Codex Alimentarius* (2009), quando discute a ação do ácido hidrociânico. Não encontrando na literatura consultada indícios da ingestão do sorgo pelos feiticeiros, podemos deduzir que não o faziam pelo conhecimento que deviam ter do grau de toxicidade dessa planta. Quanto aos ramos de erva-doce (*Pimpinella anisum* L.), estes apresentam grande concentração de óleo essencial, constituído principalmente de anetol. O óleo essencial contém 80% a 90% de trans-anetol e este, quando exposto à luz, pode dar origem ao cis-anetol, que é tóxico, e ao dianetol, que apresenta propriedades estrogênicas (Sousa *et al.*, 1991).

As bruxas também eram detentoras dos segredos dos "filtros de amor", que preparavam com finalidades eróticas à base de plantas afrodisíacas, a exemplo das Solanaceae *Scopolia camiolica* Jacques; *Datura metel* L.; *Mandragora officinarum* L.; entre outras, segundo Schultes *et al.* (2001). O amor foi elemento do qual a bruxaria se ocupou por muitos e muitos séculos e que, na Idade Média, tomou corpo. Para a confecção de filtros, as bruxas utilizavam produtos de origem animal, mineral e vegetal. Carneiro (2002: 98-99), além do emprego de plantas, enumera alguns deles:

> (...) *secreção vaginal das mulas ou éguas, de rãs, esperma humano, pedaços de unhas, metais, répteis, intestinos de pássaros e peixes e, blasfêmia suprema, até mesmo de água-benta, óleo crismático, relíquias de santos e ornamentos de igreja.*

O autor acima, citando Aguirre Beltrão (1992: 161), comenta que o efeito dos filtros amorosos possa ser imaginário, admitindo que "(...) a utilização das propriedades farmacológicas, que na maioria das vezes é ignorada ou desconhecida".

Carneiro (1992) diz que a "(...) única diferença entre os filtros das mulheres do povo e os remédios dos sábios estava no fato essencial de que o saber popular não era escrito". No herbário admitido com um dos mais antigos, atribuído a Alberto Magno, do século XIII, estão receitas indicadas para fins amorosos, aquelas que "(...) se carrega consigo, ninguém poderá ter poder de falar contra aquele que a carrega".

1.9. Renascença

1.9.1. As plantas e os grandes vultos desse período histórico

A Renascença foi período em que surgiram grandes figuras, marcando sua presença em um cenário europeu interessado no melhor conhecimento das plantas medicinais em suas potencialidades como agentes de cura. Sem dúvida, destacou-se entre eles Garcia da Orta, nascido em meados de 1400 e falecido em 1568, filho de judeus, obrigado a abandonar Portugal devido às questões inquisitoriais impostas pelo clero, partindo para Goa, Índia portuguesa, a fim de exercer a profissão de médico e a de comerciante das especiarias orientais. Em 1563, publicou *Colóquios dos Simples e drogas da Índia*, obra cantada por Camões:

> *Favorecei a antigua*
> *Sciencia que já Achiles estimou;*
> *Olhai que vos obrigua,*
> *Verdes que em vosso tempo se mostrou*
> *O fruto daquela Orta onde florecem*
> *Prantas novas, que os doutos não conhecem.*
> *Olhai que em vossos anos*
> *Produze huma Orta insigne varias ervas*
> *Nos campos lusitanos,*
> *As quais, aquellas doutas protervas*
> *Medea e Circe nunca conheceram,*
> *Posto que as leis da Magica excederam.*[26]

1.9.2. Outras plantas do Oriente no Ocidente

Cristóvão da Costa, outro nome de destaque, é autor de *Tratado das drogas e medicinais das Índias orientais*, escrito por ocasião de sua ida à Índia, em 1578. Este, segundo Carneiro (2002: 110), que não foi mais que um comentador de *Colóquios* de Garcia da Orta, tem seu

---

26. Trecho do poema de Luís de Camões ao Conde de Redondo (D. Francisco Coutinho, oitavo vice-rei da Índia), publicado em homenagem ao livro de Garcia da Orta *Coloquios dos Simples e Drogas e Cousas da Índia, e assi dalgumas frutas achadas nella, onde se tratam algumas cousas tocantes a medicina prática, e outras cousas boas pera saber*, Goa 1563. (Carvalho, Francisco Moreno. *Garcia (Avraham) da Orta*). (Vide bibliografia).

nome algumas vezes grafado como Costa e outras vezes como Acosta. Quando de sua viagem à Índia, tomou conhecimento de muitas plantas, dentre outras, o cânhamo (*Cannabis sativa* L. Moraceae). Segundo ele,

> (...) *o cânhamo era o mesmo que cannabis dos latinos ou axixe dos árabes e, ainda, banguê dos persas e que (...) a gente indiana come desta semente das folhas para ajudar no ato venéreo, e para acrescentar o apetite de comer. Faz-se deste banguê uma composição a qual é muito ordinária entre aquelas gentes para diversos efeitos, porque uns a tomam para se ouvidarem de seus trabalhos, e dormirem sem pensamentos; outros para se deleitarem dormindo em variedade de sonhos, e ilusões (...); outros para efeito das mulheres (...)* (cf.)

> (...) *O mau uso das enamoradas é dar desta semente até meia dracma moída em vinho, ou no que mais lhes apetece, e o quem a toma fica alucinado por grande espaço de tempo rindo, ou chorando, ou dormindo, com vários efeitos, e muitas vezes falando, e respondendo, o pobre que a tem tomado de maneira que parece às vezes estar em seu juízo, estando na verdade fora dele, e não conhecendo a pessoa com quem fala, nem se recordando, depois de passada a enganação (...).* (Costa, 1964: 58 [1578])

Certamente, é impossível negar a potencialidade expressa na receita mencionada por Cristóvão da Costa transcrita acima, visto que seus componentes, além do ópio, apresentam acentuada psicoatividade, a exemplo do cravo (*Syzigium sp*), possivelmente aquele que conhecemos por cravo-da-índia, a espécie *aromaticum*, o qual apresenta um óleo essencial contendo eugenol, com propriedade analgésica e anestésica local (Sousa *et al.*1991: 243) e a noz-moscada (*Myristica fragrans* Houtt. Myristicaceae), apresentando miristicina, um alcaloide psicoativo, alucinógeno em alta dose (Lewis & Elvin-Lewis, 1977).

Quanto ao ópio obtido da papoula ou dormideira (*Papaver somniferum* L. Papaveraceae), presente na receita, deriva do grego *opion*, significando suco de papoula (amapola) e quanto à espécie *somniferum*, palavra latina, significando sonho. O conhecimento das qualidades medicinais do ópio remonta à Antiguidade. Teofrasto (século III a.C.) já o mencionava e Dioscórides (77 d.C.) efetuou a distinção entre o suco da papoula e o extrato da planta toda (Quer, 1978).

É da espécie *Papaver somniferum* L., Papaveraceae, originária da Ásia Menor, do qual se extrai o ópio, mediante um corte horizontal no fruto verde, de onde exsuda um látex que endurece em contato com o ar. Este ópio bruto pode ser comido, aspirado na forma de pó, fumado e mesmo injetado. São práticas que levam à dependência física e psíquica. Em 1806, foi isolada pela primeira vez a morfina a partir do ópio, que possui um conjunto de mais de vinte e cinco alcaloides ativos, sendo que o principal é a morfina, com cerca de 10%, que se desenvolve somente depois da dessecação do látex do fruto verde, seguida da codeína com 0,5% a 1%, havendo, também, um alcaloide não narcótico que é a papaverina, de 0,5% a 2,5% (Zanini & Oga, 1985: 307-8).

A heroína (diacetil) é um derivado semissintético da morfina, acima citada, porém muito mais potente, embora se buscasse com este processo obter um produto analgésico que não fosse narcótico, o que não ocorreu, vindo a diminuir o número de morfinômanos, para surgirem os heroinômanos (Mingoia, 1967: 18, 101).

Segundo Costa (1964: 277-280):

> na Índia chamam o ópio de lágrima de dormideiras. Faz-se o ópio da lágrima que se destila pelas incisões feitas nas cabeças das dormideiras (...) é tão estupefactivo que usando mal dele, mata. (...) porque é tão grande sua frialdade que tira o sentido às partes, e assim adormece e obscurece a dor, embora aumente a causa que a produziu, e deixa os membros doentes, mais fracos, por onde não se deve administrar, senão quando são as dores tão inclementes, que a nenhum outro benefício obedecem.

Porém, em 1676, Moises Charas, citado em Carneiro (2002), manifesta-se contrário à ideia da qualidade de frio atribuída ao ópio por Cristóvão da Costa (1964: 277) [1578], refutando também a ideia de que fosse sonífero, após fazer ele próprio experiência na frente de testemunha, ao permanecer o dia todo sem sono. De qualquer forma, no passado, e apesar de a experiência de Moises Charas negar o efeito efetivo do ópio, mesmo que ele fosse admitido por outros como sonífero, analgésico e anestésico, não se atribuía ao ópio efeito de natureza diferente da embriaguez alcoólica. Neste sentido, segundo Carneiro (2002: 166-7), até a metade do século XVIII, não se fazia distinção entre os efeitos do ópio e dos álcoois, visto que Nicolas Lemery (1759: 911) assim dizia:

> (...) a embriaguez é causada pelas partes espirituosas do vinho, que subindo em muito grande abundância para o cérebro, aí circulam com tanta velocidade que eles perturbam toda a economia (...) Todas estas circunstâncias têm muita relação com aquelas que se passam quando toma-se ópio.

Em Zanini e Oga (1985: 1985: 307-8), tem-se que,

> desde os primórdios da humanidade, o homem procurou meios de combater a dor física, tendo encontrado na papoula uma forma eficaz para produzir o sono e eliminar a dor. Os sumérios, antigos habitantes da Babilônia, deixaram registrado em suas pinturas, a eficácia da papoula, para produzir o sono a acabar com a dor. Foram, entretanto, os gregos que mais difundiram as propriedades deste vegetal, dedicando-o a vários deuses, como Hipnos (deus do sono), Morpheu (deus dos sonhos) e Thanatos (deus da morte). Hipócrates indicava o vinho de papoula, como eficaz medicamento. Após a queda de Roma o uso dos opiáceos se espalhou pelo Irã, Pérsia, Malásia e Índia. Avicena, médico árabe, teria morrido intoxicado pelo ópio, na Pérsia, em 1037.

Menciona, ainda, o autor:

> (...) *a datura, também já tratada anteriormente neste ensaio, a qual se chama no Malabar unmata caya; os árabes a chamavam de nux methel; os portugueses datura; os persas, datula.*

Porém, o autor acima, sobre as espécies de *Datura* que, naquela época, eram bastante usadas, comenta sobre as semelhanças que havia entre elas, diferenciando na cor das flores semelhantes às do meimendro que se sabe, trata-se de *Hyoscyamus niger* L. Solanaceae, segundo Schauenberg & Paris (1980:47).

Amato Lusitano (1980) [1551], cujo verdadeiro nome era João Rodrigues de Castelo Branco, foi outra insigne figura a despontar em Portugal naquele período histórico. Médico judeu como Garcia da Orta, obrigados a se abrigar em outros países e herdeiros da medicina hipocrático-galênica, dedicaram-se à medicina com a preocupação constante de melhorar os tratamentos. Deixou Amato Lusitano a importante obra: *Sete centúrias de curas medicinais* que, em 1980, foi traduzida do latim, da edição de 1620 por Firmino Crespo.

Maximiano Lemos (1899), em Lopes (2004), faz menção ao interesse de Amato Lusitano pelas plantas nativas, levando-o a viajar, a fim de conhecê-las. Comenta sua ida a Ferrara em 1541, quando diz do ensejo de aprofundar os estudos botânicos, onde existia, naquela altura, um jardim com plantas de raridade extrema. Lopes, analisando a *Primeira Centúria*, observou que, das plantas empregadas por Amato, 76 eram de fora da Europa, já descritas por Garcia da Orta, seu contemporâneo. Segundo este autor, nas outras Centúrias, as plantas eram mais ou menos as mesmas, totalizando 281 espécies.

As formas medicinais mais frequentes empregadas eram os xaropes, as purgas, os clisteres, os unguentos, sendo as mais comuns os decóctos, algumas vezes reunindo muitas plantas, a exemplo da Cura XXI, na 1ª Centúria, à página 109, indicada para uma febre que se seguiu a uma "pleurite", cujo decócto era composto de 31 espécies vegetais. As "teriagas", fórmulas com muitos componentes, por sua vez, eram indicadas contra envenenamentos por substâncias não corrosivas ou por acidentes com cobras venenosas, fórmula medicinal muito difundida na medicina grego-romana.

Lopes (2004) menciona uma série de plantas com os nomes populares locais, que aquele médico seiscentista empregava em suas terapias. Porém, nem todas eram nativas. Entre as plantas com as respectivas identificações botânicas até a espécie, estão:

- **Sene** – *Cassia angustifolia* Vahl. Cesalpiniaceae.
  - ▷ Origem: África tropical (IPNI).
- **Canela** – *Cinnamomum zeylanicum* BL. Lauraceae.
  - ▷ Origem: Ásia (IPNI).

- **Carqueija** – *Chamaespartium tridentatum* (l.) P. Gibbs Cesalpiniaceae.
- **Castanha** – *Castanea sativa* Miller Fagaceae.
  - ▷ Origem: Europa; Japão; América boreal (IPNI).
- **Centinódia** – *Polygonum aviculare* Lour. Polygonaceae.
  - ▷ Origem: Europa (IPNI).
- **Cerejeira** – *Prunus avium* L. Rosaceae.
  - ▷ Origem: Europa.
- **Cubeba** – *Piper cubeba* Bojer Piperaceae.
- **Genciana** – *Gentiana lutea* L. Gentianaceae (IPNI).
  - ▷ Origem: Europa (Schauenberg & Paris, 1980).
- **Milho** – *Zea mays* L. Gramineae.
  - ▷ Origem: América.
- **Oliveira** – *Olea europaea* L. Oleaceae.
  - ▷ Origem: Europa; Oriente (IPNI).
- **Poejo** – *Mentha pulegium* L. Lamiaceae.
  - ▷ Origem: Europa.
- **Ruiva dos castanheiros** – *Rubia tinctorium* L. Rubiaceae.
  - ▷ Origem: Europa; Oriente.

As plantas identificadas até o gênero são:

- **Alfazema** – *Lavandula sp.*
- **Eucalípto** – *Eucaliptus sp.*
- **Fumaria** – *Fumaria sp.*
- **Hipericão** – *Hypericum spp.*
- **Pimpinela maior** – *Sanguisorba sp.*
- **Plantago** – *Plantago sp.*
- **Soagem** – *Echium sp.*
- **Salgueiro** – *Salix sp.*
- **Tilia** – *Tilia sp.*
- **Verbasco** – *Verbascum sp.*

A obra de Amato foi muito importante, visto discutir, após cada terapêutica aplicada em seus pacientes, os porquês da indicação dessa ou daquela medicação e seus resultados. Discutia os procedimentos, comparando-os aos ensinamentos de Hipócrates, Galeno e Avicena, criadores das escolas médicas que vinham, até então, sendo seguidas pela medicina ibérica.

Oportuno lembrar que Amato Lusitano (1980 V. I: 152) [1551] determinava a diferença entre mania e melancolia, dizendo:

> *É de notar que a mania ou loucura, designa-se, propriamente, melancolia porque tira a origem da bile. A mania porém, provém da bile amarela tostada. A mania e a melancolia não diferem só nas causas, mas também nos sintomas. Com efeito, os loucos de mania provenientes da combustão da bile amarela são arrebatados, barulhentos, atrevidos e agressivos; os melancólicos, provenientes da bile negra, visto que o humor é negro e frígido, são tímidos, receosos de tudo, tristes, gostando antes da solidão e evitando a conversação dos homens, como diz Homero e nosso Galeno confirma.*

Na Renascença, surge o reconhecimento da psicoatividade de certas plantas, ao distinguir aquelas de propriedades afrodisíacas das anafrodisíacas. Já entre sumérios e egípcios, por volta de 2000 anos a.C., a mandrágora (*Mandragora officinalis* L. Solanaceae) ganhava reputação pelos seus poderes afrodisíacos, aqueles que admitiam já estarem impressos na conformação de suas raízes, lembrando o corpo humano.

O consumo de seu fruto, também conhecido por "maçã do amor", produz amnésia devido à presença dos alcaloides tropânicos: atropina, hiosciamina e hioscina (Martinez *et al.* (2009). A fama da mandrágora atravessou os tempos, para ganhar prestígio na Idade Média, referida nos herbários medievais, conforme Carneiro (2002: 105). Este autor, comentando sobre a teoria humoral aplicada às especiarias aromáticas asiáticas, diz terem sido elas consideradas quentes e secas e, portanto, afrodisíacas, tais como:

- ◆ **Açafrão** – *Crocus sativus* Biv. Ex Stend. Iridaceae.
  - ▷ Origem: sudeste da Europa; Ásia ocidental (Schauenberg & Paris, 1980; IPNI).
- ◆ **Cardamomo** – *Elettaria cardamomum* Mat. Zingiberacea.
  - ▷ Origem: Molucas; Ceilão (Schauenberg & Paris, 1980).
- ◆ **Noz-moscada** – *Myristica fragrans* Houtt. Myristicaceae.
  - ▷ Origem: Molucas (Schauenberg & Paris, 1980; IPNI).
- ◆ **Gengibre** – *Zingiber officinale* Rosc. Zingiberaceae.
  - ▷ Origem: Índia; China tropical; Jamaica (Schauenberg & Paris, 1980).
- ◆ **Pimenta negra** – *Piper nigrum* Lam. Ex Link Piperaceae.
  - ▷ Origem: Índia oriental; Malaia (IPNI).

Mattioli, em Quer (1978), referindo-se a Dioscórides, do século I, diz que este herborista grego já relacionava em sua *Matéria Médica* grande número de plantas empregadas para "excitar o jogo do amor", aquelas que Plínio relaciona em sua *História natural*, como "estimulantes venéreos". Porém, Carneiro (2002: 116) aponta nessa relação algumas incongruências, visto que algumas delas consideradas afrodisíacas desde tempos remotos, Plínio as relaciona como anafrodisíacas, capazes de "impedir os sonhos eróticos". Tais plantas são:

- **Agrião** – *Nasturtium officinale* R. Br. Brassicaceae.
  - ▷ Origem: Europa (Schauenberg & Paris, 1980).
- **Alho** – *Allium sativum* L. Liliaceae.
  - ▷ Origem: Oriente (Schauenberg & Paris, 1980).
- **Alho-poró** – *Allium porrum* L. Liliaceae.
- **Anis** – *Pimpinella anisum* L. Apiaceae.
  - ▷ Origem: Grécia; Egito (IPNI); região mediterrânea; Egito (Schauenberg & Paris, 1980); Oriente (Quer, 1978).
- **Aspargo** – *Asparagus officinalis* L. Asparagaceae.
  - ▷ Origem: Europa (IPNI).
- **Cenoura** – *Daucus carota* L. Apiaceae.
  - ▷ Origem: Europa (IPNI).
- **Freixo** – *Fraxinus Excelsior* L. Oleaceae.
  - ▷ Origem: Europa (Schauenberg & Paris, 1980).
- **Funcho** – *Foenicullum vulgare* Mill. Apiaceae.
  - ▷ Origem: Europa; Ásia (IPNI).
- **Manjericão** – *Origanum majorana* L. Lamiaceae.
  - ▷ Origem: Oriente Médio; região mediterrânea (Schauenberg & Paris, 1980).
- **Rábano** – *Raphanus sativus* L. Brassicaceae.
  - ▷ Origem: Europa (IPNI; Carneiro, 2002).

Sobre os afrodisíacos, Carneiro (2002), reportando a *Colóquios* de Garcia da Orta [1563], considerando esta a maior contribuição de Portugal ao Renascimento científico, diz se surpreender pelas suas referências entusiásticas aos afrodisíacos e seus efeitos. Orta dá destaque ao cânhamo (*Cannabis sativa* L. Moraceae) e ao ópio, extraído da papoula (*Papaver somniferum* L. Papaveraceae), empregados como excitantes sexuais, embora, entendida em seu tempo como planta fria, oposta aos calores eróticos. Nos herbários renascentistas estavam, também, as referências às plantas anafrodisíacas.

Importante é considerar que a *performance* sexual (ereção e orgasmo) no ser humano é governada, comumente, por fatores psíquicos e influencias hormonais, principalmente o estrógeno, o qual afeta a libido no homem e na mulher. Geralmente, as plantas afrodisíacas são aquelas de valor nutritivo, apresentando óleo essencial que, em muitas plantas, tem a propriedade de estimular a respiração, causando um aumento da pressão sanguínea, proporcionando bem-estar. Este efeito é, geralmente, associado à aplicação de extratos de óleo essencial na genitália: substâncias irritantes e ligeiramente anestésicas, propiciando condições para se obter uma ereção prazerosa (Lewis & Elvin-Lewis, 1977).

Cronista natural da Nova Espanha, Francisco Hernández, publica em 1615 *Os quatro livros da natureza*, onde relaciona plantas afrodisíacas. Dentre elas está o abacate (*Persea americana* Mill. Lauraceae), em Carneiro (2002: 112), citando Ferrão (1992: 46):

> (...) *desperta grandemente o apetite venéreo,* (...) *além de atrair o sono à cabeça* (...) *dizem que causa amor entre duas pessoas* (...).

O abacate, entre os índios da América Central, era quase sagrado, além de lhes dar virilidade, curava várias doenças. "O significado de abacate, em uma das línguas no Peru, é "testículo", fazendo lembrar a forma de sua semente" (Ferrão, 1992: 46). Tal analogia nos remete ao médico renascentista suíço Paracelso (1493-1541), adepto da teoria das assinaturas, quando diz: "Tudo que a natureza cria, recebe a imagem da virtude de que ela pretende esconder ali".

Sobre os efeitos possíveis das drogas[27], as quais se admitem afrodisíacas, Carneiro (2002) cita Inaba & Cohen (1993) quando estes autores diferenciam três aspectos de seus efeitos: sobre o desejo, a excitação e o orgasmo, admitindo que todas as drogas psicoativas podem exercer algum desses efeitos. Porém, em se tratando de plantas, as diferenças em termos de efeitos no organismo humano vão depender da composição química de cada uma em suas especificidades.

Lembramos as plantas de propriedades anafrodisíacas que, desde tempos pretéritos, eram empregadas para conter a volúpia sexual, a exemplo de "nenúfar" ou "flor de lótus" (*Nymphaea alba* L. Numphaeceae), muito conhecida dos egípcios, conforme vimos anteriormente.

A crença nas propriedades anafrodisíacas de certas plantas continua a perdurar através dos tempos, a exemplo de agno-castus (*Vitex agnus-castus* L. Lamiaceae), planta originária da região mediterrânea e do Oriente Próximo. Linné a identificou como espécie *agnus-castus*, certamente em virtude de sua fama de permitir a preservação da castidade. Cantada por Homero na antiga Grécia, suas sementes eram empregadas para diminuir o apetite venéreo, como já dizia Dioscórides no século I, em Quer (1978: 637).

O ópio teve seu efeito afrodisíaco desmentido pelo médico espanhol Juan Fragoso (1572), em sua obra *Discurso das coisas aromáticas, árvores e frutos e de outras muitas medicinas simples que se trazem da Índia Oriental.* "(...) não para despertar os apetites venéreos e fazer os homens desonestos, como alguns pensam, antes com a sua frialdade os refreia e os amansa".

A presença das plantas tidas anafrodisíacas nos herbários renascentistas não denotam condenação à atividade sexual, tal como veio a ocorrer a partir do século XVIII, quando em Portugal a medicina teológica surgia como uma instituição modeladora dos costumes. Como diz Carneiro (2002: 125), citando Francisco de Melo Franco com sua obra *Medicina teológica*, publicada em 1794, naquela época a opinião médica transformava o "pecado do prazer" em doença.

---

27. Considera-se droga em botânica médica a parte da planta que contém o princípio ativo responsável pela atividade biológica, não necessariamente no sistema nervoso central, visto o presente livro tratar de plantas e não de produtos purificados ou sintetizados, como cocaína, heroína etc.

Em Cristovão da Costa (1964: 278) [1578], que, na realidade, reproduz a obra de Orta, sobre o ópio diz:

> *Tomavam-no em tempos antigos o ópio pela sua qualidade estupefaciente e narcótica para seus deleites carnais e que, feito por hábito, não podem deixar, sem grande risco de vida. É tão estupefactivo que usando mal dele mata.*

1.9.3. **Bruxaria na Renascença**

Neste período histórico, a Europa herdava os conceitos e as imagens demoníacas desenvolvidas na Idade Média. Tosi (1985: 37) descreve o estereótipo da bruxa ou bruxo na Europa do século XVI, ao apresentar as seguintes características:

> ➤ *praticava malefício;*
> ➤ *fizera pacto com o demônio;*
> ➤ *era capaz de voar a grande velocidade durante a noite;*
> ➤ *pertencia a uma sociedade ou seita que fazia reuniões secretas, os Sabás, onde se cultuava Satã, parodiava-se a religião cristã, praticava-se canibalismo e copulava-se com íncubos e súcubos (demônios masculinos e femininos), em meio a orgias.*

A atmosfera de medo do diabo e da demonização da mulher transformada em bruxa que, grassava na Europa, punha em alerta os inquisidores que buscavam penalizar duramente até a morte aquelas que eram pegas por suas práticas de bruxaria. Porém, em meados do século XVI surgem os primeiros a contestar a existência dos voos noturnos, admitindo não ter sido possíveis. O primeiro foi Johan Weir (1515-1588), médico, discípulo do famoso mago Cornellius Agripa, autor de *De praestigüis daemonium*, em que afirma serem as bruxas velhas inofensivas, portadoras de doenças físicas e mentais. Na segunda metade do século XVII, os próprios juízes que desempenhavam o papel de julgar as bruxas, já duvidavam dos voos noturnos, dos sabás e dos malefícios, até que em 1682 um édipo real pôs fim à caça às bruxas na França e na Inglaterra em 1736, e a última execução na Europa deu-se na Suíça em 1782 (Tosi, 1985). No dia 31 de março de 1821, foi expedido um decreto das Cortes Constituintes de Portugal abolindo em todo o Reino e seus domínios o Tribunal do Santo Ofício da Inquisição.

Os portugueses, bem antes dos descobrimentos, já sabiam da existência de plantas de poderes mágicos e de seus usos por influência da cultura greco-romana que, remontando a um passado muito distante, como já vimos anteriormente, apontam seus poderes de provocar sonhos. Os oráculos gregos do Templo de Esculápio usavam bebidas que faziam dormir, a fim de ouvir o que ditavam os deuses.

Esses conhecimentos se espalharam pela Europa, onde eram usadas, principalmente, em práticas de feitiçaria. Exímia conhecedora das plantas que levavam os usuários a alterações comportamentais por meio de poções que eram ingeridas e de unguentos de uso tópico capazes de excitar, sedar, fazer dormir ou, ainda, provocar estados alterados de consciência, permitindo os famosos voos das feiticeiras.

1.9.3.1. Negros feiticeiros

Com a instituição do Santo Ofício em Portugal em 1536, no reinado de D. João III, negros vivenciavam sua religiosidade dedicando cultos que a Igreja católica admitia ser de feitiçaria e demonizados. Praticavam: curandeirismo, sortilégio, benzedura, porte de amuletos, o que bastava para os inquisidores irem atrás, por admitirem fazerem eles pacto com o demônio. Os negros em Portugal já lá estavam desde 1441, quando chegou a Lisboa o primeiro carregamento de escravos da costa africana. Desenvolvendo na condição de escravos as mais diversas atividades urbanas, integraram o movimento de cristianização imposta a eles e, nesse processo, como diz Calainho (2001), ali constituíram um conjunto de crenças e práticas em que ritos africanos amalgamaram-se ao cristianismo.

Era aquele período histórico dominado pela ideia de que a doença decorria não só de uma punição divina, como de forças sobrenaturais, como: feitiços, sortilégios, espíritos malignos, objeto das atenções de curandeiros também chamados "saludadores", "benzedores" e "mezinheiros" (Calainho, 2001).

Calainho (2001) menciona o caso do escravo forro, Estevão Luiz, na cidade de Beja, em 1680, onde corria fama de seus poderes de curar. Cita o exemplo de um unguento que servia para todos os males, composto de "azeite fervido com baga de louro, alecrim, arruda, artemísia e sebo de porco", com as indicações para quais doenças era indicado e as formas de preparação e uso:

- ◆ Dores nas pernas: suadouros.
- ◆ Dores de estômago: agriões, erva-montana, outrego, tudo picado, posto em um tacho com farinha de centeio e fervido no vinagre branco.
- ◆ Espinhela: esfregaços de vinagre, hortelã e mostarda picada nos braços e pernas.
- ◆ Doença do miolo: um bolo de nozes coberto de coentro seco e borrifado de vinho, tudo posto na cabeça e untando as pálpebras com azeite quente.
- ◆ Quebranto e mau-olhado: benzer de joelhos nove vezes e fazendo o mesmo com o enfermo, proferindo depois uma oração.

A doença do miolo, referida acima, faz-nos recordar a *Teoria das assinaturas* de Paracelso, da qual trataremos abaixo. Assim, a noz mencionada na receita acima é indicada para problemas do cérebro, dado ao seu aspecto semelhante ao "miolo".

1.9.4. Teoria das assinaturas

Paracelso escreveu: "Tudo que a natureza cria recebe a imagem da virtude que ela pretende esconder ali" (Pelt, 1979: 9).

Esta foi uma teoria já desenvolvida pelos médicos árabes e alquimistas medievais, depois, preconizada pelo suíço Paracelso (1493-1541). Com essa teoria, cada planta medicinal leva um sinal que indica suas propriedades. Paracelso escreveu:

> *Tudo que a natureza cria recebe a imagem da virtude que ela pretende esconder ali". Assim, plantas que segregam substância leitosa – látex – serve para preparar remédio indicado para lactação. Se o látex é amarelado, serve para tratar icterícia. Se a aparência é de uma noz, servirá para problemas do cérebro, e aquelas no formato de um feijão são indicadas para problemas renais.*

Tratava-se da teoria dos semelhantes: *Similia, similabus, curantur*, posteriormente desenvolvida por Hahnemann, pai da Homeopatia. Essa teoria que se opunha à dos contrários de Hipócrates e Galeno: *Contraria, contraiis curantur*, baseada na filosofia de Aristóteles, que, segundo Paracelso, por ser pagã era incompatível com o cristianismo. Sendo ele, cristão admitia que o verdadeiro conhecimento só pode ser encontrado na *Bíblia Sagrada* e na observação da natureza. A Terra, como palco destinado por Deus para a caminhada do ser humano para a sua salvação, estaria cheia de animais, minerais e vegetais, colocados pelo Criador para usufruto das pessoas e, que teriam sido marcados, assinados através de sua forma, cor, textura, para que se pudesse reconhecer a sua utilidade e a grandeza divina. (Pelt, 1979)[28].

1.10. Trânsito das plantas medicinais entre Oriente e Ocidente e vice-versa

Claus & Tyler (1968: 169), ao se referirem à pimenta-do-reino (*Piper nigrum* L. Piperaceae), dizem: "La pimienta negra (*Piper nigrum* L.) ya era conocida por Teofrasto y otros escritores antiguos. Fue introducida en Europa hacia el año 1000, y constituyó la especia mas importante que se conocía"[29].

---

28. (on line) www.farmaconline.ufg.br//modules.php? [3/08/2007].

29. A pimenta-negra (*Piper nigrum* L.) já era conhecida de Teofrasto e de outros escritores antigos. Foi introduzida na Europa no ano 1000 e constituiu a espécie mais importante que se conhecia.

Fontes textuais do mundo antigo nos levaram a reflexões sobre quando, realmente, as espécies asiáticas começaram a ser introduzidas no Ocidente e quando o Oriente passou a conhecer plantas europeias, aquelas que vieram para o Brasil no início da colonização portuguesa.

Já nos havia chamado atenção a presença de plantas europeias entre os sumérios, na Mesopotâmia, registrado em tabuinhas de argila, em escrita cuneiforme, datadas de períodos que iam de 3000 a 1900 a.C. (Dias, 2007), assim como presentes no Código Hamurabi, do rei babilônico que reinou até 1686 a.C. (Cunha, 2011). Nelas, entre outras, acham-se inscritas as espécies psicoativas:

- **Heléboro**[30] – *Helleborus spp* Ranunculaceae;
- **Mandrágora** – *Mandragora officinarum* L. Solanaceae;
- **Meimendro** – *Hyoscyamus niger* L. Solanaceae;
- **Papoula** – *Papaver Somniferum* L. Papaveraceae.

Daí perguntarmos como se deu esse trânsito de plantas medicinais, particularmente as psicoativas[31], entre Ocidente e Oriente, entendendo este dividido em: Próximo Oriente, Oriente Médio e Extremo Oriente, segundo Guérnon (1964), ao entender o Próximo Oriente começando nos confins da Europa, e se estendendo tanto pela parte da Ásia próxima da Europa, sem apontar onde está esse limite, quanto por toda a África do Norte.

A presença de plantas psicoativas europeias entre os primeiros povos que vieram a se estabelecer na Mesopotâmia, a exemplo dos sumérios, os primeiros a ali chegar no final do Neolítico (Dias, 2007), levou-nos a procurar entender como e quando aquelas plantas alcançaram aquela região e como teria ocorrido o trânsito destas. Consideramos, todavia, que as datações apresentadas pelos autores, muitas vezes nos confundiram. René Treuil (1983) em *Le Néolithique et le Bronze Ancien Egéens. Les problèmes stratigraphiques et chronologiques, les tecniques, les hommes*, apresentando, assim, o estudo de estratigrafia e das datações do Neolítico europeu e do Bronze Antigo egeano:

> *Neolítico recente, entre 5200 e 4700 a.C.*
> *Bronze Antigo I, entre 4000 e 3800 a.C.*
> *Bronze Antigo II, entre 3200 e 2800, terminando em 2400 a.C., mais ou menos.*

Seguindo o raciocínio de Ferrão *et al.* (2011), quanto à Europa por volta do Bronze antigo, seguindo a divisão de Treuil, antes da chegada do ser humano ao extremo europeu, havia uma

---

30. Dioscórides, em sua *Matéria Médica*, no século I d.C., menciona outras espécies de heléboro (*Helleborus foetidus* L. e *H. viridis* L.), originárias da Espanha. Quanto ao *Helleborus niger* L., os comentaristas de Dioscórides: Pier Andrea Matthioli e Andres de Laguna, cujas datas das primeiras edições de suas obras datam de 1554 e 1555, respectivamente, já levantavam questões sobre a espécie *Helleborus niger*, espécie que, segundo Quer (1978), são próprias das ladeiras rochosas dos Alpes.

31. As especificações das plantas psicoativas baseadas nas definições de CEBRID – UNIFESP (Escola Paulista de Medicina) encontram-se na Introdução deste livro.

vegetação característica de recursos alimentares. Dominando o sul de Portugal estavam plantas alimentícias, como as pertencentes à família das Poaceae herbáceas, produtoras de farináceos, a exemplo de *Avena fátua* L. e, entre a vegetação arbórea e arbustiva, estava a azinheira (*Quercus suber* Kotschy e *Quercus rotundifolia* Lam. Fagaceae). Os povos caçadores que lá viviam naquele período emigraram pressionados por questões ambientais ou simplesmente desapareceram, deixando espaços vazios, depois preenchidos por outros povos nômades mais evoluídos, conhecedores do machado e do arco e flecha, acompanhados de animais já domesticados. Estes povos, vindos do oriente e do sul, trouxeram para Europa, cerca de 10000 a 12000 a.C., nova forma de alimentação, caracterizada pela introdução de novas plantas, propiciando a sedentarização dos grupos, trabalhando a terra no cultivo de plantas e desenvolvendo a pecuária. Procedentes do sul, vindos pelo norte da África, eram os iberos atravessando o Estreito de Gibraltar, que se supõe terem sido os primeiros a se estabelecer na Península, trazendo as várias plantas, a exemplo dos milhos[32]:

- **Painço** – *Setaria itálica* (L.) P. Beauv. Poaceae.
  _____ – *Panicum arietinum* L. Poaceae.
  ▷ Origem: Índia (IPNI).
- **Grão-de-bico** – *Cicer arietimum* L. Cezalpinaceae.
  ▷ Origem: Índia (IPNI).

Segundo Ferrão (2011), essas espécies não eram autóctones das regiões desses povos, pois estas tinham chegado ao Norte da África por peregrinações anteriores, passando pelo Egito. Também os celtas, vindos do norte e do leste, chegaram à Península, para, mais tarde, por volta de 1000 a.C., chegarem os fenícios vindos pelo Mediterrâneo, seguidos dos romanos em 218 a.C., povos que exerceram grande influência nas populações que já viviam na Península.

Os dados acima apresentados, com respeito à ocupação da Europa a partir de 10000 a.C., demonstram que o nomadismo corria no sentido do Ocidente, como confirma Sarian (1988), referindo-se a René Treuil (1983). Na obra deste autor, já mencionada anteriormente, fica claro não ter havido migração da Europa para o Próximo Oriente naquele período. Este autor situa no Próximo Oriente os inícios da propagação em direção à Europa, apontando a Anatólia como origem de correntes migratórias, ficando para as regiões egeanas o papel de intermediárias. Assim, privilegiou-se o Próximo Oriente em detrimento das áreas do Egeu e europeias, lembrando o autor a distribuição espacial de técnicas, inclusive à domesticação de plantas, obedecendo a direção mencionada – do Oriente para o Ocidente.

---

32. O significado do vocábulo "milho", em períodos que antecederam as grandes navegações portuguesa e espanhola, era designativo de farináceos provenientes de espécies vegetais usadas para preparar pães, tais como os "milhos" do Oriente introduzidos na África e Europa. Essas plantas pertencem às espécies botânicas *Pannisetum typhoideum* St, Hil. & Hubb, que em Angola são conhecidas por milho-de-bissau, assim como as que pertencem ao *Sorghum vulgare* L. e ao *Pannicetum ehnurus* St. Hil. Ex Hubb e *P. robustum* St. Hil. & Hubgb, conhecidos por milho painço (Camargo, 2008: 19).

Supomos a princípio que o nomadismo, desde períodos anteriores, fosse responsável pela dispersão das plantas consumidas pelos grupos que se deslocavam de uma área para outra, em diferentes direções. Dentre as plantas, estariam as espécies psicoativas, possivelmente por despertarem neles um interesse particular, qual seria de alcançar estados alterados de consciência. Este é o fator que certamente levou aqueles povos a desenvolver o xamanismo que, por meio de ritos mágicos, alcançavam um mundo sobrenatural. Talvez estes tivessem sido os primeiros passos para o desenvolvimento de ritos de cunho teúrgico e religioso, envolvendo plantas psicoativas, imprimindo nelas um caráter sacral[33]. Rapidamente associaram às plantas psicoativas as espécies aromáticas, muitas de ação no sistema nervoso central, principalmente quando inalado o aroma desprendido de sua cremação em rituais propiciatórios. Eram estas as plantas também empregadas em banhos e massagens, como indicam as fórmulas que há cerca de 3.000 mil anos já estavam no Rig-Veda (Cunha, 2007), livro dos hinos da religião ariana hindu (Lima, 1975) dedicados ao seu deus Soma, nome também dado ao cogumelo psicoativo (*Amanita muscaria* (L. ex Fr.) Pers. Amanitaceae), admitido como o mais antigo alucinógeno de uso ritual (Schultes, 2001; Wasson, 1968).

Dias (2007) afirma que as primeiras sociedades com escrita surgiram no Crescente Fértil e no Vale do Indo, a partir do 4º milênio a.C., compreendendo o Egito, Mesopotâmia e o corredor sírio-palestino, para onde se dirigiram fenícios e hebreus, área dominada pelo vale do Nilo, pela planície entre os rios Eufrates e Tigre e pela faixa mediterrânea, ligando-os entre si. Baseados nesta demarcação do Crescente Fértil, indagamos se não haveria possibilidade do trânsito das espécies europeias até a Mesopotâmia por meio das viagens dos fenícios, quando das trocas de bens comerciáveis, já que eles exerciam esse papel desde há muitos séculos. Há, também, a hipótese de as plantas europeias terem chegado ao oriente, via Egito e dali seguido em direção à Mesopotâmia. Citando Orta (1892: v. II: 20): "(...) as plantas introduzidas na África estavam divididas em dois grupos: grupo das espécies da Ásia ou em geral do Velho Mundo e o grupo das espécies da América. Sobre o primeiro grupo, sabe-se que é muito antiga a cultura no Egito nos ricos aluviões do seu celebrado rio Nilo".

Neste sentido, a partir do 2º milênio a.C., há referência no Antigo Testamento, de uma aliança entre os primeiros reis de Israel e Hirão, de Tiro, permitindo o acesso das cidades fenícias às rotas comerciais terrestres e às rotas marítimas para leste, permitindo que os fenícios se ligassem à distribuição de produtos egípcios, dentre eles o incenso, especiarias e sementes (Dias, 1997), presumindo que essa mercadoria procedesse de diferentes regiões do Oriente. Tiro, a mais famosa cidade da Fenícia e o maior porto do Mediterrâneo no tempo de Salomão, situado ao norte da costa da Palestina, foi o local por onde traficavam os fenícios de Cartago ao norte da África, hoje, Líbia e Tunísia, assim como gregos, povos de Judá e da terra de Israel, os quais para lá levavam o bálsamo, o mel, o azeite, a resina etc. (Dias, 1997). Dias comenta que as cidades fenícias nos séculos VIII-VII a.C. desenvolveram rotas pelo Oriente Médio, comercializando os produtos que compravam no Egito na costa mediterrânea e na Península Ibérica. Os fenícios, antes de 1000 a.C.,

---

33. Termo emprestado de Cândido Procópio Ferreira de Camargo (1961) em *Kardecismo e Umbanda*.

já negociavam com os povos da Península Ibérica, principalmente, estanho e prata. Suas cidades, Chipre e Rodes tornaram-se portos obrigatórios para os navios que iam pelo mar Egeu e região mesopotâmica, ganhando posição hegemônica nas relações comerciais com o Mediterrâneo oriental, com destaque para Cartago. O comércio baseava-se na exportação de produtos diversificados, dentre eles as especiarias, tornando-se intermediários com colônias fenícias na Península Ibérica, sendo a mais antiga fundada em 1100 a.C. (Dias, 1997).

1.10.1. Fenícios, judeus e árabes

Diante do exposto, presumimos a possibilidade da dispersão de plantas europeias pelo Oriente Médio por meio do comércio desenvolvido pelos fenícios, supondo que as especiarias orientais já estivessem no Ocidente, passando pela Mesopotâmia, aí chegadas por meio das caravanas que vinham da China para a Ásia Central e, mesmo, até o Egito, como sugere o Antigo Testamento, em Gênesis 37:26, sobre o comércio de egípcios com os ismaelitas:

> (...) Depois, sentaram-se para comer. Erguendo, porém, os olhos, viram uma caravana de ismaelitas que vinha de Galaad, carregando aroma de bálsamo e láudano que levavam para o Egito. (Pinto, 2008)

Segundo Lourido (2006), eram rotas terrestres que partiam da China, percorrendo 7.000 km até Constantinopla (Istambul). Além disso, havia duas rotas da seda para o transporte de seda e outras mercadorias entre a China e o Ocidente.

As rotas na China provavelmente foram estabelecidas em 8000 a.C. (Mota, 2011). Segundo este autor, eram duas rotas: uma dirigida ao Norte e outra ao Sul. A rota Norte atravessava o Leste europeu, admitindo que os mercadores tenham criado cidades na Bulgária. Seguiam pela península da Crimeia, mar Negro, mar Mediterrâneo, chegando aos Bálcãs e, por fim, a Veneza. A rota Sul percorria o Turcomenistão, a Mesopotâmia e a Anatólia, onde se dividia em rotas que levavam à Antióquia (Anatólia meridional), banhada pelo Mediterrâneo, ou ao Egito e ao Norte da África.

Aquelas rotas deviam ser muito antigas, uma vez que a maconha (*Cannabis sativa* L. var. *índica* Lam. Cannabaceae) já estava há 4.000 anos, no Egito, particularmente em Tebas (Schultes *et al.*, 2001: 72) "In ancient Thebes, this plant was made into a drink with opium-like effects". Esses autores admitem que a espécie da *Cannabis* mencionada tenha sua origem na China e não na Ásia central. Lewis & Elvin-Lewis (1978) afirmam ser a mesma originária das terras que circundam os mares Cáspio e Negro, passando para a Pérsia e Índia.

Segundo McEvedy (1979: 32), dentre as mercadorias que circulavam pelas rotas comerciais já citadas, tinham destaque as especiarias orientais que, sobre elas, diz:

> *(...) o termo especiaria não esclarece, mas confunde-nos quanto aos produtos de comércio indiano. Inclui uma vasta gama de bens negociados em pequenas quantidades; não só pimenta, cravinho, noz-moscada, e assim por diante, mas também corantes, mordentes (substâncias empregadas para modificar a cor dos corantes e torná-los duradouras), perfumes, pigmentos, goma, incenso e uma coleção heterogênea de substâncias que se pensava confiantemente terem valor medicamentoso.*

Neste sentido, Afrânio Peixoto (2008), em sua *História do Brasil*, assim se refere às especiarias:

> *Com as essências e os perfumes o suntuário que agrada a vista, tapetes, sedas, cetins, telas, damascos, joias, porcelanas, cetins, mil objetos fexóticos invadiram a Europa e tudo era "especiaria". (...) pimenta, cravo, canela, gengibre, noz-moscada foram bênçãos do céu... festa do apetite (...).*

Ao tratarmos da migração das plantas entre o Ocidente e o Oriente e vice-versa, não podemos deixar de mencionar o papel dos judeus que, ao lado dos fenícios, desempenharam, também, importante papel.

1.10.2. Judeus[34]

Um achado arqueológico, uma lápide funerária datada de 482 com representação do Menorah – típico candelabro de sete braços do Templo de Salomão – conservada no Museu da Basílica Paleocristã de Mértola, no Alto Alentejo em Portugal, é considerada a mais antiga marca da presença dos judeus em Portugal (Pinto, 2008). O autor sugere que este povo poderia já estar na Península Ibérica desde antes do domínio romano, quando da grande expansão comercial dos fenícios com seu domínio dos mares, cujas datações poderiam ser remetidas para meados do 2º milênio a.C.

---

34. É importante lembrarmos que, nos primeiros séculos de nossa era, duas grandes compilações reuniam documentos de tradições judaicas: o Talmud de Jerusalém e a versão Babilônica (século V). O Talmud representa o conjunto da Bíblia, a lei de Moisés e todos os ensinamentos dos rabinos, feitos através dos séculos. Nele está refletida a visão de mundo do povo judaico, por meio da religião, da filosofia de vida, da história e da moral, crendo em um Deus único, senhor da vida sobre a Terra, cuja lei o ser humano não pode infringir. Determina, ainda, que qualquer doença individual ou coletiva decorre da vontade divina, seja para pôr as pessoas à prova ou para castigá-las por terem pecado ou transgredido a lei de Deus, pois todos estavam nas mãos da divina Providência. O Talmud, contrariando a medicina hipocrática, assentando-se na ideia da doença-punição, fez com que tal pensamento influenciasse, em parte, o pensamento médico medieval europeu, embora tivesse aqueles que recorriam aos médicos, curandeiros e cirurgiões. Porém, existiram médicos judeus, influenciados por Galeno, a exemplo de Maimônides (século XII), estabelecido em Fez, que escreveu sobre dietética e venenos, com comentários sobre Hipócrates e Galeno (Pita, 2007).

Nesse período, os judeus poderiam tê-los acompanhado no estabelecimento de linhas comerciais com a bacia do Mediterrâneo e chegado ao território português.

Em *Arqueologia judaica do concelho de Trancoso (Novos elementos)*, um achado importante aponta a presença de judeus em Portugal, remontando ao século V até ao XV (482-1496), sendo esta última data correspondente ao Édipo de expulsão de Portugal das minorias religiosas – judeus e mouros (Santos & Bellatora 2001: 10).

Aqueles judeus poderiam ter sido os descendentes dos contemporâneos da destruição do Templo de Jerusalém pelo imperador Tito (70 a.C.) que migraram para Marrocos, cuja chegada àquela região africana pode remontar ao século V a.C, segundo Kenbb (2008). A partir desses dados deduzimos que os judeus já estivessem no norte da África antes dos árabes, já tendo possivelmente introduzido por lá as plantas da Ásia ocidental e mesmo oriental, possivelmente já suas conhecidas. Assim, a partir do norte da África tanto árabes como judeus poderiam ser aqueles que teriam levado para a Península Ibérica as espécies asiáticas. Isto podemos deduzir do fato de os judeus do norte da África terem migrado para Portugal, onde se estabeleceram até sua volta para Marrocos após 1492, fugindo da Inquisição, embora muitos se escondessem atrás de uma fachada falsa de conversão ao catolicismo. Eram os chamados Marranos, vindos da Espanha e de Portugal, de volta a Marrocos, como demonstra a *Arqueologia judaica do concelho de Trancoso*, acima referido.

Com relação aos judeus em Portugal, conforme Herson (1996), aqueles que exerciam a medicina se dispersaram por todo o país, percorrendo cidades, onde ofereciam seus serviços. O autor, citando Carvalho (1929).

> *(...) os judeus, tendo em seu favor as suas qualidades étnicas mais notáveis, ambiciosos, inteligentes, eruditos, porque muitos, além de conhecerem bem o latim, liam textos hebraicos, gregos e árabes, tenazes no esforço e desejando pelo seu mérito próprio elevarem-se na situação social, e evadirem-se da condição que os tinha a legislação de exceção que deviam à sua religião, com a extraordinária facilidade de se expatriarem e ir fora aprender na prática com os clínicos afamados, não podiam deixar de sobressair na concorrência de todos os dias, afirmando-se como bons clínicos.*

Maximinano Lemos (1899), em Herson (1996: 70), comenta que o crédito adquirido pelos judeus era tal, que era feliz aquele que tinha ao seu lado um médico judeu, comentando que:

> *Desde a laicização da medicina os médicos judeus tornaram-se concorrentes de médicos monges e clérigos, os quais, até lá, consideravam-se os guardiões da saúde e não podiam facilmente desistir do monopólio de domínio da alma e do corpo das pessoas.*

A diferença entre os médicos judeus e a Igreja estava no quanto a pessoa tinha direito de intervir na doença. Os clérigos admitiam a doença como castigo de Deus pelos pecados cometidos, enquanto os médicos judeus consideravam sua vocação uma dádiva de Deus, investidos para curar o doente de qualquer credo, como um sagrado dever religioso, segundo ditava o *Talmud*. Para a Igreja, a intervenção para a cura do doente dependia de uma consulta a um padre, pois, se o doente não se confessasse até o terceiro dia, o médico deveria interromper o tratamento. O clero instigava o povo contra os médicos judeus, fazendo intensificar ideias da diabolização deles e de sua medicina, admitida como resultado de pacto com o demônio. Em 1671, El-rei D. Pedro II baixou o alvará estabelecendo que um médico, após a reconciliação com o Santo Ofício, "ficava proibido de exercer a profissão, sob pena de morte e, geralmente, o infrator era desterrado para o Brasil". Aqueles que foram para o Brasil no século XVI não responderam processo em Lisboa, por não apresentarem interesse para o fisco, visto serem eles muito pobres (Herson, 1996: 76-8).

Logo que Portugal ficou sob domínio espanhol em 1580, o Santo Ofício se estendeu até a colônia, punindo severamente os judeus, os cristãos-novos, entre outros perseguidos acusados de heresia e apostasia. Assim, os cirurgiões barbeiros que não "eram limpos de sangue" também foram denunciados junto ao tribunal, sofrendo severas punições, e os médicos, proibidos de exercerem a profissão.

1.10.3. Árabes

Os árabes, portanto, já conheciam a costa oriental africana muito antes da expansão do século XVI. Segundo documentos levantados por Devisse & Labib (1981), no século XII, até Moçambique, já existia intensa atividade comercial com a Índia, envolvendo ferro, ouro e marfim, enquanto do oriente chegavam plantas que iam se aclimatando em solo africano. Comentam os autores que os árabes não seguiram mais para adiante em sua exploração pela costa, por acreditarem estar lá o "fim do mundo", do qual pouco sabiam.

Conde de Ficalho (1947: 17, 19, 20, 25), em sua importante obra *Plantas úteis da África Portuguesa*, diz que as navegações entre Ásia e África se faziam, principalmente, entre a Arábia e a África do nordeste, é fato histórico. Eram fáceis as comunicações entre a costa de Oman e a do Malabar. Certamente os povos da península abriram cedo este caminho marítimo e por certo conservaram uma espécie de monopólio com a Índia, pois, na época dos Lágidas, os produtos indianos encontravam-se somente nos mercados da Arábia. Quanto à África oriental do sul, sabemos que os antigos navegadores circunscreviam nos apertados limites do mar Vermelho. Saíam pelo estreito, dobravam o cabo Aromas e alongavam as suas viagens pela costa oriental, até talvez as proximidades do atual Zanzibar. Aí se julgava estar a antiga cidade de Rapta de que falava Ptolomeu, empório comercial daquelas regiões, sujeita ao domínio de influência dos habitantes da Arábia.

Estava, pois, aberto o caminho para a costa oriental africana das plantas úteis:

- **Cânfora** – *Cinnamomum camphora* (L.) T. Nees & C. H. Eberm. Lauraceae.
  - ▷ Origem: China; Japão (Schauenberg & Paris, 1980: 347; Joly, 1976).
- **Cravo** – *Syzygium aromaticum* Merr. & L. M. Perry Myrtaceae.
  - ▷ Origem: Ilhas Molucas (Rizzini & Mors, 1976).

- **Gengibre** – *Zingiber officinale* Roscoe Zingiberaceae.
  - ▷ Origem: Índia; Indochina (Rizzini & Mors, 1976); costa ocidental indostânica (Ferrão, 1992).
- **Noz-moscada** – *Myristica fragrans* Houtt. Myristicaceae.
  - ▷ Origem: Ilhas Molucas (Schauenberg & Paris, 1980).
- **Ruibarbo** – *Rheum palmatum* L. Polygonaceae.
  - ▷ Origem: Ásia central e oriental (Schauenberg & Paris, 1980).
- **Sândalo** – *Warburgia stuhlmannii* Engl. Cannelaceae.
  - ▷ Origem: África (IPNI).
- **Tamarindo** – *Tamarindus indica* L. Fabaceae.
  - ▷ Origem: África (Joly, 1976); Ásia e África (IPNI).

Lembramos que a presença árabe no norte da África começou com a islamização de Marrocos a partir do século VII, quando os árabes contaram com a participação dos marroquinos na conquista da Península Ibérica. No entanto, a população árabe significativa naquela região africana só começou a se estabelecer por volta de 1187 (Kenbb, 2008).

As plantas medicinais, particularmente as especiarias, tiveram lugar importante nas trocas culturais entre o Oriente árabe e o Ocidente cristão, nas regiões de ocupação árabe no sul da Itália, Espanha e Portugal.

Corroborando os autores acima, em Silva (1992: 307), nos primeiros séculos da Era Cristã, na costa africana do Índico "já existiam pequenos entrepostos comerciais, para onde se dirigiam navios romanos, árabes, persas, a fim de buscar incenso, marfim, carapaças de tartarugas, chifres de rinocerontes e peles de pantera." Levavam em troca, dentre objetos e tecidos de algodão, o "mel extraído de uma cana, o açúcar que já figurava nas listas de mercadorias do Périplo do mar Egeu". Este era um guia de viagem da Antiguidade, onde apontava os empórios e portos africanos ao sul do cabo Guardafui e chegavam as embarcações do Egito, da Arábia do Sul e do golfo Pérsico.

1.11. As plantas aromáticas

Na Europa, por influência greco-romana e, em especial, pela farmácia galênica, as especiarias eram usadas como drogas medicinais por sua forte percepção gustativa e olfativa (Ferrão, 1992: 34). Além de seu uso medicinal, eram tidas como afrodisíacas e imprescindíveis como conservantes de alimentos, além do uso no preparo de perfumes e como ingredientes mágicos (Nepomuceno, 2005: 24). Conforme Cunha *et al.* (2007), o nome "perfume" deriva da palavra latina *per fumum* ou *pro-fumum*, que significa "pelo fumo", indicando, certamente, a forma mais antiga do uso das plantas aromáticas feito pela combustão dessas plantas, usada talvez em momentos ritualísticos com finalidades específicas, tal como foram empregadas em cremações nos altares de templos da Antiguidade, reverenciando deuses, como faziam no Egito. Eram cascas, resinas, folhas, raízes, entre outras partes das plantas:

- **Benjoim** (resina) – *Styrax benzoin* Driand Styracaceae.
  - ▷ Origem: Malai (IPNI); Eurásia (Joly, 1976).
- **Cálamo** (raiz) – *Acorus calamus* L. Araceae.
  - ▷ Origem: região boreal temperada (IPNI); sudeste da Ásia (Schauenberg & Paris, 1980: 275).
- **Canela** (casca) – *Cinnamomum zeilanicum* Breyne Lauraceae.
  - ▷ Origem: Ceilão (IPNI; Rizzini & Mors, 1976).
  - _____ *Cinnamomum cassia* Nees – Lauraceae.
  - ▷ Origem: China (IPNI; Rizzini & Mors, 1976: 63); toda Europa, menos o sul (Schauenberg & Paris, 1980).
- **Cedro-do-líbano** – *Cedrus libani* Barrel, ex Loudon. Pinaceae (IPNI).
- **Incenso** (resina) – *Pittosporum undulatum* Vent. Pittosporaceae.
  - ▷ Origem: Canárias (IPNI).
- **Mirra** (resina) – *Commiphora myrrha* Engl. Lauraceae.
  - ▷ Origem: Arábia (IPNI); Síria ocidental; Turquia centro meridional (Semaan & Haber, 2003); Eurásia (Joly, 1976).
- **Sândalo** (casca) – *Santalum album* L. Santalaceae.
  - ▷ Origem: Índia (IPNI).

Sobre as plantas aromáticas entre civilizações do Oriente, Cunha (2007) não se refere só à China, mas também à Índia. Esta, rica em espécies desta categoria, empregadas em fórmulas para banhos e massagens, desde há três mil anos, como está no *Rig-Veda* e *Suçrutasamnhitã*, tornando-se este País famoso pelo seu sândalo, usado na entrada dos edifícios, a fim do que o vento possa espalhar seu perfume.

1.11.1. Pimentas

As pimentas são referidas nos trabalhos de forma genérica, sem as devidas especificações, tanto nos estudos de pesquisadores como nas receitas indicadas nas obras consultadas. Porém, sabe-se que o comércio de pimenta, tão buscada pelos portugueses no século XV e XVI, referia-se à espécie *Piper nigrum*, L. Piperaceae. Sobre esta espécie de pimenta – assim se refere Bordeau & Fesneau (1976: 257):

> *Le poivre est une épice trés anciennement connue dont il est fait mention dans les textes sanscrits, hindous et chinois, plusieurs dizaines de siècles avant notre ère. Au IV siècle avant J. C., Théophraste parle du poivre et vante ses qualités chaudes comme reméde et comme aromate. (…) Il en fut pendant tout le Moyen Age où l'expression "Cher comme poivre" était proverbiale. C'était la plus estimée et la plus coûteuse des*

épices, utilissé comme monnaie d'échange dans le commerce et comme présent fastueux pour les souverains et les notables. Ce n'est que vers la fin du XV siècle que le prix du poivre devint un peu moins élevé, lorsque Vasco de Gama réussit à trouver la route des Indes par le cap de Bonne-Espérance. Le premier navire qui apporta une pleine cargaison de poivre entra dans le port d'Amisterdan en 1522. Le commerce du poivre, comme de la plupart des épices, fut le monopole des Portugais jusqu'au XVIII siècle, après avoir été longtemps entre les mains des Vénitiens.[35]

Ainda, sobre esta espécie botânica, dizem Claus & Tyler (1968: 169): "La pimienta negra (*Piper nigrum* L.) ya era conocida por Teofrasto y otros escritores antiguos. Fue introducida en Europa hacia el año 1.000 y constituyó la especia mas importante que se conocía"[36].

Conforme registros da época das primeiras navegações portuguesas, a pimenta-da-índia *Piper nigrum* L. foi a especiaria que mais se comercializou, segundo Ferrão (1992: 35).

Cristóvão da Costa (1964: 14) [1578], célebre médico português do século XVI, que ressaltou em seu *Tractado* a obra de Garcia de Orta, traduzindo o *Colóquio* 46° que trata das pimentas: negra, branca e longa, diz:

> (...) *é toda uma: que o mais perto que nasce a pimenta longa, do Malabar (onde se acha a negra, e a branca) são quinhentas léguas, que é em Bengala, e em Java. De pimenta-branca há no Malabar poucas plantas: e é entre eles muito estimada, assim para comer, como para os usos de medicina: da qual se aproveitam contra todo o veneno.*
>
> *Estas duas plantas da pimenta-negra, e da branca, são tão semelhantes, que pela muita semelhança que têm, debuxei aqui só a negra: e não tem mais diferença, que a folha da branca ser mais delgada, e mais branda algum tanto: mas a pimenta branca é mais aromática, e de melhor gosto do que a negra: e destas folhas não usam os daquela terra, no uso da medicina, senão das folhas da negra, em dores de cólica e em todas as dores de ventre de causa fria, untando-as com azeite de coco (que é fruto de uma árvore, que dá todo o necessário à vida humana). Esta árvore*

---

35. A pimenta é uma especiaria conhecida desde a Antiguidade e vem mencionada em textos sânscritos, hindus e chineses muitas dezenas de séculos antes de nossa Era. No IV século a.C., Teofrasto fala da pimenta e louva suas qualidades como remédio e como fragrância. O mesmo ocorreu durante a Idade Média, quando a expressão "cara como pimenta" era proverbial. Era a mais estimada e dispensiosa de todas as especiarias, utilizada como moeda de troca no comércio e como um faustoso presente para soberanos e pessoas notáveis. Foi apenas no fim do século XV que o preço da pimenta se tornou um pouco menos elevado, quando Vasco da Gama conseguiu encontrar o caminho das Índias ao contornar o Cabo de Boa Esperança. A primeira embarcação que trouxe uma grande carga de pimenta entrou no porto de Amsterdã em 1522. O comércio da pimenta, como o da maior parte das especiarias, foi monopólio dos portugueses até o século XVIII, depois de permanecer durante muito tempo nas mãos dos venezianos.

36. A pimenta-negra (*Piper nigrum* L.) já era conhecida por Teofrasto e outros escritores antigos. Foi introduzida na Europa por volta do ano 1.000, tornando-se o tempero mais importante que se conhecia.

é aquela em que está arrimado o elefante (do qual se dirá em seu lugar) e assim quentes sobre o borralho, as aplicam sobre o ventre com bom efeito.

Segundo Orta, acima citado, conforme está em *Colóquio 46°*, sobre as pimentas:

Finalmente em 1498 as naus portuguesas já traziam de Calicute os primeiros sacos de pimenta. (...) A partir dos primeiros anos que se seguiram ao descobrimento do novo caminho para a Índia, o comércio das especiarias foi dado a particulares. Mas, em 1518, D. Manuel proibiu toda transação de pimenta.

Ferrão (1992: 210), sobre outras espécies de pimentas orientais que ficaram conhecidas:

> - Piper longum L., *nativa do Nepal, Assam e Norte da Índia, levada para a Europa pelos árabes.*
> - Piper betle L., *originária da Ásia tropical, onde são consumidas as folhas como mastigatório, misturadas com sal e noz de areca, tão importante no Oriente como o tabaco é para os ocidentais.*
> - Piper cubeba L., *espécie espontânea em Java, Bornéu e Sumatra, conhecida por pimenta-de-rabo, embora não tenha nada a ver com a pimenta-de-rabo da costa ocidental africana* Piper guineense Schum. & Thorn.
> - Piper sylvaticum Roxb., *de origem indiana que é usada pelas populações nativas como droga.*
> - Piper minialum L., *usada como mastigatório nas áreas de produção.*

Em 1469, o rei Afonso V, antecessor de D. Manuel, com mais interesses no norte da África do que na África negra, firmou contrato com Fernão Gomes, comerciante de Lisboa, concedendo-lhe o monopólio do comércio de pimenta-malagueta, com a possibilidade de traficar escravos da Guiné, desde que passasse ao rei 200 mil réis, anualmente (Bueno, 1998: 67).

Ferrão (1992: 35-6), citando Sawageot (1961), menciona que no século XV capitães portugueses navegavam pela costa da África pagando as expedições com escravos, ouro e marfim trazidos do Sudão ocidental. Conheceram algumas especiarias africanas diferentes das orientais e de interesse comercial, sendo que algumas delas foram para a Europa, levadas por caravanas que percorriam as terras africanas e atingiam os portos do Mediterrâneo. Na costa da Guiné e do Benin foi encontrada uma "pimenta" (*Afromomum melegueta* Roscoe, Zingiberaceae), comum entre a Serra Leoa e o Daomé. Dessa espécie já se fazia comércio nos séculos XVI e XVII e a Costa da Nigéria era conhecida nesse tempo por Costa da Melegueta. Havia também a conhecida pimenta-de-rabo citada acima (*Piper guineense* Schum. & Thorn.).

Importante ressaltar que a pimenta-malagueta referida acima não é a mesma espécie hoje conhecida no Brasil com esse nome. A espécie pela qual Portugal se interessou em fazer comércio com a África é a *Afromomum melegueta* (Roscoe) Zingiberaceae, da Costa da Melegueta, atual Libéria e parte da Serra Leoa. Essa espécie teria sido plantada na Bahia sem, contudo, ser muito aceita, pois os negros que vieram para o Brasil encontraram a espécie *Capsicum frutescens* L. Solanaceae, que eles facilmente adotaram, dando-lhe o nome de pimenta-malagueta; esta espécie já era conhecida deles, pois fora levada para a África pelos portugueses, antes da vinda dos escravos daquela região. Essa pimenta brasileira facilmente substituiu pela preferência a espécie africana *Afromomum melegueta* (Roscoe) (Camargo, 1990:90).

O Cabo foi circum-navegado em 1488, sendo que, dez anos mais tarde, Vasco da Gama o ultrapassou, chegando ao rico mercado da Índia. O comércio da pimenta, mantido pelo império português, teve seu início exatamente com o carregamento trazido por ele de sua primeira viagem ao Oriente. Mesmo com os altos lucros verificados pelos investidores, aquele lote não chegou a alterar os preços na época praticados no mercado europeu, pois os preços das especiarias oscilavam (Ramos 2004:177). Com a viagem de Cabral em 1500, segundo Ramos, o lucro superou a anterior, dada a quantidade de especiarias trazidas, dentre elas:

- **Pimenta** – *Piper nigrum* L. Piperaceae.
    - ▷ Origem: Ásia tropical (Índia) (Joly & Leitão Filho, 1979:79).
- **Cravo** – *Syzygium anomaticum* Merr. & Per. Mirtaceae.
    - ▷ Origem: Ilhas Molucas (Rizzini & Mors, 1976:65).
- **Gengibre** – *Zingiber officinale* Rose Zingiberaceae.
    - ▷ Origem: China tropical; Índia; Jamaica (Quer, 1978:486).
- **Noz moscada** – *Myristica fragrans* Houtt. Myristicaceae.
    - ▷ Origem: Ilhas Molucas (Schauenberg & Paris, 1980:354).

Tal feito permitiu prejuízo aos mercados italianos, visto os portugueses trazerem-nas diretamente das fontes produtoras, sem a presença de atravessadores. Embora o monopólio da pimenta estivesse com os portugueses, o comércio das outras especiarias por outros canais nunca cessou completamente, continuando a Itália nessa atividade. O prenúncio do declínio do monopólio da pimenta por parte dos portugueses foi sentido quando, em 1523, uma quantidade de pimenta transportada para o reino foi muito menor, cabendo a responsabilidade da baixa ao naufrágio de uma das naus, a maior delas, em Moçambique. Segundo Ramos (2004), pode ser atribuída ao gigantismo das naus e aos frequentes naufrágios a ruína daquele império.

1.12. **Jardins botânicos de Portugal**

A relação entre o ser humano e as plantas sempre se manteve inalterada em todas as eras da existência humana. A busca de um conhecimento sobre aquelas que curam sempre despertou a vontade de conhecê-las, cada vez melhor. Seu reconhecimento com seus nomes próprios era outra preocupação daqueles que procuravam entendê-las. Das questões que se levantavam desde um passado distante, sobre suas identidades e potencialidades, surgiram ideias de se criar locais onde elas pudessem ser cultivadas, visando ao estudo aprofundado. Tais ideias marcaram os séculos XVIII e XIX na Europa, ao despertar nas pessoas de ciência grande interesse em estudá-las.

O começo do século XVIII foi marcado pelos novos instrumentos de intercâmbio de espécies tropicais por meio do jardim botânico colonial e o herbário, permitindo, assim, o estudo comparativo na Europa de espécimes secos enviados de cada canto do mundo tropical, diz Dean (1991). Segundo este autor, no Cabo da Boa Esperança, em 1694, os holandeses já tinham criado um jardim botânico, e os franceses, fazendo o mesmo em 1735, criaram um na Ilha de Mauritius, na Guiana Francesa.

Também os reis de Portugal se interessaram em criar jardins botânicos e, para tanto, mandavam seus navegadores procurar as plantas em terras de seu reino, visando a cultivá-las em Portugal e colônias. Posteriormente, essa tarefa coube aos naturalistas, cumprindo viagens de exploração dos recursos naturais, em particular da flora em geral, incluindo as medicinais.

Em Portugal, a Universidade de Coimbra contratou o botânico Domênico Vandelli, de Pádua, na Itália, para formar uma geração de naturalistas compreendida de brasileiros natos, e passando ele próprio a dirigir o Real Jardim e o Gabinete de História Natural d'Ajuda. Em 1779, criou a Real Academia das Ciências de Lisboa (Dean, 1991).

Evidentemente, o reconhecimento das espécies medicinais dependia de pesquisas junto às populações das áreas por onde passavam os enviados para o cumprimento dessa tarefa, o que nos permite lembrar ter sido assim que cumpriu Dioscórides, em suas viagens no início da Era cristã, permitindo-lhe elaborar sua importante obra: a *Matéria Médica*.

A iniciativa de desenvolver atividades voltadas ao estudo das plantas e a criação dos jardins botânicos em Portugal e colônias deve-se, sem dúvida, a Domingos Vandelli, no século XVIII, que assim se expressou em sua *História natural*:

> *O saber, pois somente o nome das plantas não he ser Botanico, o verdadeiro Botanico deve saber alem disso a parte mais difficultosa, e interessante, que he conhecer as suas propriedades, usos econômicos e medicinais, saber a sua vegetação, modo de multiplicar as mais úteis, os terrenos mais convenientes para isso, e o modo de os fertilizar.* (Vandelli, 1788)

Porém, se faziam necessárias instruções para a coleta de material para os jardins botânicos, visto não haver até então uma sistematização para as observações dos naturalistas durante as expedições. Seria a forma de se conseguir uma padronização que as instruções passariam a exigir, a fim de se dar um caráter homogêneo ao olhar do observador.

Os primeiros jardins botânicos em Portugal foram: Jardim Botânico da Ajuda, cuja construção foi iniciada em 1768; Jardim Botânico de Coimbra, em 1774; Jardim Botânico de Montemor, em 1793; e o Jardim Botânico do Porto, em 1799.

1.13. O novo caminho para as Índias

Ramos (2004) faz uma observação muito oportuna quanto ao termo que comumente usamos ao nos referirmos aos "descobrimentos" portugueses. Este autor chama a atenção para o real significado de "descobrir", que seria "encontrar" o que os antigos já sabiam que existia, mas tal saber perdeu-se no tempo. Seria, então, a busca do reencontro de terras que já se sabiam existir. Eram segredos guardados em mosteiros desde a queda do Império Romano. Sabia-se das potencialidades da Ásia e África, além de alguma informação sobre a existência de um novo continente, por meio do contato dos portugueses com livros árabes, traduções de obras gregas, pilhados aos mouros quando da reconquista de Portugal, em 1212.

A Península Ibérica, temerosa em transgredir os ditames da Igreja, que propagava maldições a respeito do mar, fez com que os portugueses resistissem por décadas a se atirarem às navegações, visto que passar além do cabo do Bojador, extremo ocidental da África, como pregavam os padres, seria perder o corpo e a alma. Acreditava-se que daí para frente não existia vida e que o mar seria tão raso que as embarcações encalhariam. O primeiro que teria atravessado o Bojador, em 1434, foi Gil Eanes, a mando de D. Henrique (Ramos, 2004).

1.13.1. O caminho para as Índias

Antes da saída dos portugueses em busca do caminho marítimo para a Índia, o comércio das especiarias na Europa estava nas mãos dos árabes, segundo Orta (1892: 250) [1563]. O comércio de especiarias foi um dos objetivos das navegações portuguesas.

Quando Constantinopla caiu sob o domínio turco em 1453, os portugueses foram obrigados a intensificar a busca de um caminho para a Índia, passando a importar especiarias trazidas da África. Assim, em busca de lucros maiores, livrando-se dos atravessadores mouros, os navegadores portugueses chegaram ao Senegal em 1456 e à Serra Leoa em 1460, até alcançar a costa do Ouro em 1470. Esse sucesso os entusiasmou, levando-os a continuar na exploração da costa africana até cruzarem a linha do Equador em 1471. Ampliaram seu domínio ao alcançar o hemisfério sul do continente, embora não impedindo que muitos africanos continuassem a transportar mercadorias entre a África e a Índia, mantendo a rota das especiarias. Mesmo assim, Portugal julgava consolidado o domínio sobre a África, quando, em 1481, Dom João II subiu ao trono, acumulando o título de Senhor da Guiné. Após um ano, Diogo Cão chegou à foz do rio Congo, com a esperança de chegar mais rápido ao Oriente, costeando a África. Cruzado o Cabo das Tormentas, rebatizado de Cabo da Boa Esperança, chegaram à Índia (Ramos, 2004: 93).

O primeiro contato dos portugueses com as especiarias do Oriente deu-se durante a viagem de Vasco da Gama em 1497, que, ao passar por Moçambique, encontrou navios que levavam entre outras coisas:

- **Cravo** – *Syzygium aromaticum* Merr. & Per. Myrtaceae.
  - ▷ Origem: Ilhas Molucas (Schauenberg & Paris, 1980: 360).
- **Cominho** – *Cuminum cyminum* L. Apiaceae.
  - ▷ Origem: Turquestão (Quer 1978: 486).
- **Gengibre** – *Zingiber officinale* Roscoe Zingiberaceae.
  - ▷ Origem: China Tropical; Índia; Jamaica (Quer, 1978: 486); costa ocidental indostânica (Ferrão, 1992: 38).
- **Noz-moscada**: – *Myristica fragrans* Houtt. Myristicaceae.
  - ▷ Origem: Ilhas Molucas (Schauenberg & Paris, 1980: 35).

Ferrão (1992: 37) admite que esse relato não permite esclarecer

> (...) *se os produtos que lhes foram oferecidos ou trazidos aos portugueses seriam resultado de produção própria ou se teriam aí chegado através do comércio, nessa altura já existente entre o Industão e a costa oriental africana.*

Segundo Boléo (1955: 18),

> (...) *com o tempo verificou-se que nem todas as especiarias orientais eram produzidas na Costa Ocidental da Indonésia. Muitas chegavam aí de outros locais e já oneradas pelos encargos dos intermediários. Os portugueses foram a esses locais de produção e tentaram comercializá-las na origem, fazendo base em Goa. O interesse dos portugueses pela canela fez com que fizessem uma expedição ao Ceilão em 1506, levando-os a ocupar a ilha e, assim, conseguindo o monopólio do comércio da canela. Em Maluco e Banda (Indonésia), encontraram as zonas de produção de cravo e noz-moscada.*

Em Ferrão (1992: 38),

> (...) *a especiaria mais procurada, a pimenta, era produzida com abundância na costa ocidental indostânica, entre Gates e o mar. O gengibre e o cardamomo e, possivelmente, a curcuma, de área de dispersão mais larga, também aí produziam com facilidade. Outras especiarias, entre as mais valiosas que os portugueses procuravam, não eram de produção local. Eram os casos da canela verdadeira, do cravo e da noz-moscada (ou noz de Malaca), cânfora* (Cinamomum camphora *T. Nees & Ebermeier Lauraceae*) *e benjoim* (Styrax benzoin *Driand. Styracaceae*), *que eram produzidos em Bornéu.*

Conforme o autor, logo após a chegada dos portugueses no Oriente, estes fizeram base em Goa, imaginando comercializar as especiarias na origem, introduzindo-as na África ocidental, na ilha de São Tomé e no Brasil recém-descoberto. Eram elas:

- **Gengibre** – *Zingiber officinale* Roscoe. Zingiberaceae.
    ▷ Origem: China Tropical; Índia; Jamaica (Quer, 1978: 486).
- **Canela** – *Cinnamomum zeylanicum* Blume Lauraceae.
    ▷ Origem: Índia; Malaia (IPNI).
    _____ – *Cinnamomum cassia* Siebold Lauraceae.
    ▷ Origem: China (Rizzini & Mors, 1976: 63; IPNI).

O porto de Lisboa tornou-se o centro das especiarias, atraindo comerciantes estrangeiros, alguns da Itália que, antes, tiveram papel importante nesse comércio por meio do mar Vermelho e Egito. Sabe-se que as especiarias por esses caminhos chegavam à Alexandria, onde esperavam os mercadores de Veneza e Gênova, conforme está narrado em manuscrito anônimo existente na Biblioteca Nacional do Porto (Ferrão, 1992: 34).

Depois de estabelecerem entrepostos na costa ocidental africana, portugueses estimulados pelo comércio da malagueta africana (*Afromomum melegueta* (Roskoe) K. Schum. Zingiberaeae) levaram o infante Dom Henrique a intensificar as explorações terrestres, visando à construção de um império da pimenta indiana (*Piper nigrum* L. Piperaceae), considerada mais lucrativa que a malagueta.

Ferrão (1992) comenta que, conhecido o caminho marítimo para a Índia, os portugueses não puderam guardar por muito tempo esse segredo. Passados poucos anos, os holandeses, seguidos dos ingleses, atingiram aquela região oriental pela Rota do Cabo, e Fernão de Magalhães pela Rota do Pacífico, fazendo com que Portugal perdesse o monopólio das especiarias.

Conforme Pyrard de Laval (1944: 128):

> (…) *os portugueses de Malaca tinham comissários e feitores em todas as ilhas para o tráfico, sendo que o principal era nas Índias orientais, acrescentando que Portugal buscava com a ida à Índia vantagens econômicas.*

Porém, comenta que:

> *Se é certo que isso veio a suceder após a chegada de Vasco da Gama a Calicute, só em parte os objetivos foram atingidos. Em primeiro lugar, porque Portugal só teve o monopólio do comércio das especiarias durante um período relativamente curto, em função dos grandes esforços que fez para conseguir, depois porque talvez não tivesse sabido gerir bem a riqueza que lhe passava pelos barcos e entrepostos.*

De fato, os portugueses já tinham grandes perdas desde o início do século XVI, com suas caravelas que naufragavam nas costas africanas, perdendo com elas os carregamentos, principalmente de pimenta, entre outras especiarias, como também de tecidos, além do número enorme de escravos e portugueses que pereciam nesses naufrágios.

Brito (1998: 6,10,13) faz referência a um naufrágio ocorrido com o galeão São João:

> *comandado pelo capitão Manuel de Sousa Sepúlveda, em 1552, transportando, entre portugueses e escravos, quinhentas pessoas, além das mercadorias, entre elas grande quantidade de pimenta e tecidos, mercadoria esta que se perdeu junto à quase totalidade de escravos que pereceram, muitos durante o naufrágio e outros tantos já em terra, dado o estado precário em que se encontravam. Sabe-se que, como este, muitos outros naufrágios ocorreram, ocasionando grandes prejuízos a Portugal.*

Assim se deu o contato dos portugueses com as espécies orientais em seus locais de origem e, quanto à sua introdução no Brasil, trataremos na Parte II deste livro.

As plantas medicinais e os primeiros habitantes das Américas

Estudos arqueológicos sobre os primeiros habitantes das Américas, particularmente do Brasil, apontaram evidências de atividades humanas, datadas de aproximadamente 50.000 anos, em sítios localizados em São Raimundo Nonato, no Parque Nacional da Serra da Capivara, no Piauí-PI e em Joinville, em Santa Catarina-SC. Tais evidências prendem-se à existência de uma relação próxima do humano das terras brasílicas com as plantas medicinais. Considerando a cultura mais antiga humana, chamada Tradição Nordeste, datada de 12.000 a 7.000-6.000 a.P. – antes do presente – tem sido documentada por meio de sepultamentos, pinturas rupestres e artefatos. Em São Raimundo Nonato, região do semiárido marcada pela caatinga, há vestígios de antigos povos caçadores-coletores de produtos animais e vegetais. Evidências foram detectadas em amostras de coprólitos, com a presença de formas embrionárias de parasitos intestinais e de grãos de pólen de plantas, com ou sem propriedade anti-helmíntica (Teixeira-Santos, 2010).

Teixeira-Santos relaciona os seguintes gêneros botânicos representados pelos grãos de pólen com propriedades anti-helmínticas, presentes nas amostras encontradas em São Raimundo Nonato:

- Malvaceae – *Sida spp.*
- Chenopodiaceae.

O único gênero representando a Família Malvaceae, (*Sida spp*), na realidade, segundo a literatura especializada, não apresenta característica de planta com atividade anti-helmíntica. Poderia, dada sua atividade emoliente, ter sido empregada visando ao abrandamento, nos intestinos, dos sintomas característicos de infestações parasitárias.

Os grãos de pólen sem propriedades anti-helmínticas mencionadas pela autora correspondem às seguintes famílias botânicas:

- Poaceae.
- Malpighiaceae.
- Convolvulaceae – *Ipomoea spp.*
- Cuncurbitaceae.
- Polypodiaceae.

Entretanto, o único gênero identificado mencionado, *Ipomoea spp*, nos permite garantir que, embora não pertencendo à categoria de plantas anti-helmínticas, várias espécies deste gênero caracterizam-se pela ação catártica (Camargo,1999). Esta atividade biológica, no entanto, poderia ter sido, em tempos pré-históricos, a requerida pelos usuários, ao relacionarem a ação evacuante com a eliminação dos sintomas característicos provocados pela a infestação parasitária, reconhecidos por eles. O ato de purgar, preconizado na medicina hipocrática foi, até meados do século XX, uma prática rotineira por parte dos médicos, haja vista a importância que se dava ao corpo limpo de impurezas, antes de se iniciar qualquer terapia.

As plantas medicinais americanas suscitaram grande curiosidade por parte dos portugueses, que se interessavam em conhecê-las. A curiosidade levou pesquisadores a investigarem como o humano primitivo as distinguia das demais, inclusive das venenosas. Neste sentido, Barradas (1957) comenta que, em pleno século XVI, o pensamento de Paracelso, a grande figura da medicina europeia, tinha grande semelhança com o do índio americano, quando este curava uma enfermidade com aquilo que tinha com ela alguma semelhança. Por sua vez, segundo este autor, indígenas espelhavam-se também naquilo que os animais faziam. Enfim, são muitas as teorias sobre o conhecimento das plantas medicinais pelos povos primitivos. Barrradas (1957) dedicou importante trabalho sobre a medicina do antigo México, e Patiño (1984), sobre a medicina de ervas nos países da América equinocial. Todos eles destacam que o conhecimento que temos hoje da medicina dos povos primitivos é muito fragmentada. Os dados mais significativos provinham de cronistas que viajaram pelos países nos primeiros tempos da colonização portuguesa e espanhola, assim como de documentos de natureza arqueológica e por meio da transmissão oral de costumes que se mantém na medicina popular dos países americanos. Ramon Pardal (1937) foi um dos estudiosos que buscou fontes importantes para as pesquisas da flora americana, entre os Tupi-Guarani.

Dos cronistas que passaram pelas Américas, ficaram registros que permitiram aos estudiosos algum conhecimento da flora medicinal e seu uso entre nativos das regiões percorridas. É reconhecida a importância que alcançou a medicina do México pré-hispânico. Cita-se o ocorrido com Hernán Cortes que, sendo curado por médicos nativos de uma ferida na cabeça, dirigiu uma carta a Carlos V, dizendo-lhe que não precisava mandar médicos à Nova Espanha, visto que lá já havia o suficiente entre os indígenas, conforme relata Barradas (1957). Este autor comenta que o interesse pelas plantas era tal que, em vários lugares do México, estavam verdadeiros jardins botânicos criados bem antes dos de Pádua e Pisa, os mais antigos da Europa. Incluía dentre eles o de Tetzcotzinco, fundado pelo rei poeta, Nezahualcóyotl, o qual sobreviveu à conquista. O autor diz que os mexicanos tinham ervas para todas as doenças, com as quais realizavam curas maravilhosas.

Das fontes textuais do século XVI citamos Bernardino de Sahagún (1969), que registrou informações valiosas sobre plantas mágicas e sagradas dos antigos mexicanos. No *Códice Florentino*, sobre plantas que embriagam, Sahagún relaciona uma série delas. Em Diaz (1976), existem valiosas descrições nos arquivos da Inquisição (1536-1787) sobre plantas mágicas usadas em cerimônias de adivinhação e outras mais, de valor para a compreensão da cultura da época, em comparação com as cerimônias modernas. O consumo de plantas psicotrópicas está intimamente ligado à religião, com o propósito de entrar em contato com o sagrado, considerando-as o veículo de comunicação com o mundo espiritual. As plantas adquirem aspecto de divindade. O autor comenta que, das experiências com xamãs, foi possível concluir que o uso da imaginação visual e auditiva é essencial na experiência na prática de adivinhação. A imagem proporciona a resposta à pergunta. É tradicional o uso do peyiotl (*Lophophora spp* Cactaceae), dentre muitos outros alucinógenos.

Com relação à América do Sul, Chifa & Ricciardi (2011: 14) vêm realizando importante tarefa de coletar e estudar as espécies medicinais da Província del Chaco, tarefa que, pelos seus resultados, permitiu melhor conhecimento das plantas medicinais empregadas pelos indígenas naquela região, tarefa que nos inícios da colonização espanhola coube aos missionários jesuítas. Estes autores mencionam os padres Ventura Suarez, Bernardo Nussdorffer e Pedro Lozano, dentre outros, que dedicaram grande parte de seu trabalho ao estudo e coleta de plantas da flora austral, efetuando contribuições para seu conhecimento. Esses autores citam gêneros de plantas, os mesmos conhecidos dos indígenas brasileiros, assim como empregados na medicina popular, a exemplo de gêneros das famílias Passifloraceae, Aristolochiaceae, Phytolaccaceae, sendo que, desta, mencionam a *Petiveria* Alliaceae L., também usada em ritos mágicos, tal como ocorre no Brasil.

Em Camargo (2008), para Frederico Gonzales (2003), em sua importante obra *El simbolismo pré-colombiano – Cosmovisión de las culturas arcaicas –*, o ser humano liga-se a todos os elementos da natureza, inclusive as plantas. Tais elementos representam signos cheios de conteúdo, assim como toda a agricultura em todas as suas etapas, ligados à ideia de vida, morte e ressurreição, conforme estão nos mitos e ritos agrários. Dá exemplo do milho na América indígena, onde ele ocupava posição central no mundo pré-colombiano e era investido de valor sacramental, admitindo-se que o ser humano teria sido feito do milho.

Pela importância na história das Américas, julgamos oportuno tratar da Poaceae em sua origem e diversidade de usos, inclusive na medicina popular, assim como do tabaco (*Nicotiana tabacum* L. Solanaceae), que, no Brasil, junto ao milho, desempenhou importante papel na vida dos primeiros habitantes, conforme foi documentado em estudos arqueológicos.

2.1. Milho: origem e seu papel na medicina popular

O milho (*Zea mays* L. Poaceae) apareceu em registros arqueológicos primeiramente na América Central, por volta de 7.500 anos a.P. e na América do Sul, em torno de 4.500 anos a.P., na costa do Peru, segundo Freitas (2002/2001), citando Goloubinoff *et al.* (1993), Freitas acrescenta que esta espécie é uma das mais enigmáticas das domesticadas e utilizadas na agricultura de hoje, originada a partir de uma ou mais espécies de teosinte (*Zea mays parviglumis* e *Zea mays mexicana*). Diz que a diferença fenotípica entre milho e teosinte implica uma divergência genética entre as duas espécies. Freitas ainda comenta que a diferença no fenótipo pode ser explicada por um efeito fundador na evolução do milho, seguido por uma intensa seleção artificial. E o milho moderno, como sugere Goloubinoff *et al.* (1993), seria o resultado da domesticação de diversos genomas do teosinte.

Sabe-se, segundo Ribeiro (1993: 43), que o milho no vale de Tehuacán, México, é o mais antigo e o mais primitivo que se encontrou até o presente (5.600 a.P.). Este autor, referindo-se às pesquisas de coprólitos humanos, comenta que as investigações no vale de Tehuacán apontaram que, no princípio da etapa agrícola, surgiu uma dieta de sementes alimentícias de *Setaria spp.* Poaceae, de pastos, e que essa dieta continuou até a era Cristã, quase até o momento da conquista espanhola. Era uma dieta dos habitantes das cavernas, visto que a dieta destes consistia de milho, feijão e abóbora. Admite-se, segundo o autor, que sua ausência nas cavernas pode ter várias explicações, tal como a técnica de moagem e cocção, reduzindo os grãos a partículas tão finas que foram digeridas, não deixando vestígios nos coprólitos.

Conforme Freitas (2002), a expansão do milho para a América do Sul teria ocorrido em duas direções. A primeira, a partir da América Central, descendo pelo lado oeste dos Andes até o Peru e Chile, e uma segunda expansão, ocorrida ao longo da costa leste, aparentemente através dos cursos principais de rios que deságuam no oceano Atlântico.

As primeiras evidências de milho na América do Sul aparecem no Peru, segundo amostras arqueológicas, onde esta gramínea teria sido cultivada desde o ano 2.500 a.C., segundo Freitas (2002), comentando que são escassos os estudos de amostras arqueológicas vegetais no Brasil. Porém, salienta que a região do Vale do Peruaçu, no Município de Januária, à margem esquerda do rio São Francisco, ao norte de Minas Gerais, vem revelando evidências da presença humana do passado e restos de vegetais utilizados pelas populações humanas que viviam ali há, pelo menos, 10.000 anos. Este autor, citando Prous (1991), diz que as representações vegetais na arte rupestre dessa região de Minas Gerais incluem o milho. Chama a atenção para as formas de armazenamento dos vegetais nas grutas, acondicionados em folhas de palmeira e em palha de milho, encontrados enterrados nesses sítios.

Prous (1986) diz que alguns achados arqueológicos de milho sugerem que este já fosse cultivado em Minas Gerais desde 4.500 a.P. Prous (1991), citado por Freitas, comenta que, além de Minas Gerais, também Goiás, nos vales do afluente do rio Paranaíba e no Rio Grande do Sul, o milho aparece como oferenda para os mortos. Este autor cita o milho encontrado em cavernas, impresso em cerâmica, no Pará e em Santa Catarina, assim como na Ilha do Marajó.

Conforme Kreumayer (2000: 160), o milho foi uma das primeiras culturas nos Andes centrais. Em Ayacucho foram encontradas amostras de 4.000 anos com representações desta Poaceae em cerâmicas pré-colombianas. Sua presença milenar, como fonte alimentícia, explica o fato de que, no mundo andino, praticamente todos os aspectos da vida social se acham simbolicamente refletidos em contos e lendas. O povo andino encontra sempre no milho símbolos ou ícones que explicam seu mundo e suas crenças, de forma a expressar amor e orgulho de seu passado.

Gonzalez (2003: 210), referindo-se a algumas plantas americanas que permitiram, "non solo por su utilidad material, sino también por sus intrínsecos valores míticos y simbólicos, la creación y conservación de las culturas indoamericanas, muchas de las cuales se encuentran vivas aun físicamente por el culto heredado a estas deidades"[37].

Sem dúvida, diz este autor, o símbolo vegetal mais claro é o representado pelas árvores ou plantas de um modo geral, como representação das energias cósmicas, acrescentando que a copa, o tronco e as raízes constituem seus níveis aéreo, terrestre e subterrâneo, sendo que tais níveis são equiparados ao céu, à terra e ao inframundo. Diz, ainda, que a planta ou árvore é um símbolo axial e vertical capaz de conectar estes diferentes níveis ou mundos entre si e, assim, significar

---

37. Não só pela sua utilidade material, mas também pelos seus valores mítico e simbólico intrínsecos, a criação e a preservação das culturas indígenas americanas, muitas das quais ainda estão fisicamente vivas pelo culto herdado a essas divindades.

um veículo de comunicação entre o céu e a terra. Porém, admite que não só a planta é um signo repleto de conteúdo, como a agricultura também o é. Esta, representada pelas etapas processuais de seu desenvolvimento e frutificação, formando um conjunto de símbolos de sequências ligadas à ideia de vida-morte-ressurreição, presente em todos os mitos e ritos agrários. Assim, neste contexto, o milho ocupa uma posição central:

> *puesto que ensamblada en el meollo de las culturas americanas cumple una función esencial en el complejo mundo precolombiano; ya que es un testigo evidente del reciclaje e interacción constante de las fuerzas cosmogénicas, de las energías descendientes y ascendientes que se concentram en la semilla y se despliegan en la planta y su fruto: la mazorca.*[38]

Referente à América do Sul, antes dos descobrimentos, segundo o *Atlas Histórico Isto É* (*Folha de S. Paulo*, 02/04/2000, *O tabuleiro do Brasil 500*), apresenta o milho como a cultura que abrangia a extensa faixa litorânea do Pacífico, correspondente ao que hoje compreende Bolívia, Peru até o sul do Chile e da região dos agricultores da savana ao norte da América do Sul, descendo pela faixa da costa litorânea do Atlântico, atingindo áreas interioranas até a região sul, hoje identificada como a confluência do Rio da Prata com o oceano.

2.1.1. Propriedades medicinais do milho

Damos destaque ao milho, planta essencialmente indígena que, embora fizesse parte da alimentação dos povos nativos e posteriormente dos colonizadores, passou para a farmácia doméstica, tal como passaremos a relatar.

O uso do milho (*Zea mays* L. Poaceae) na medicina popular concentra-se, principalmente, nos estigmas e estilos, conhecidos popularmente por cabelo de milho e muito raramente em outras partes da planta.

Visto os estudos de plantas de uso na medicina popular abrirem um leque de opções dirigidas a outras áreas acadêmicas, como Medicina, Farmacologia, Fitoquímica, entre outras, julgamos importante uma abordagem de caráter científico relativo às partes da planta empregada, visto que cada uma encerra princípios ativos de atividades farmacológicas diferenciadas. Desta maneira, será possível também compreendermos e explicarmos os porquês do milho na medicina que o povo adota. Embora este estudo se concentre nos estigmas e estilos empregados na medicina popular, devido à sua maior incidência, segundo a literatura consultada, os dados científicos aqui apresentados envolvem todas as partes da planta, que podem interessar aos estudiosos.

---

38. "pois, inserido no coração da cultura americana, desempenha um papel essencial ao mundo pré-colombiano, sendo um testemunho claro de reciclagem e interação constante das forças cosmogênicas, das energias descendentes e ascendentes que concentram na semente e se manifestam na planta e seus frutos: a espiga".

2.1.1.1. Princípios ativos

- Estilos e estigmas contêm saponinas (10%), fitoesterois (sitosterol e estigmasterol), alantoina, betaina, taninos (11%-13%), resinas, goma, fermentos, flavonoides, antocianidinas, abundantes sais minerais (de potássio, cálcio, magnésio, sódio e ferro) e traços de óleo essencial (0,1%-0,2%) destacando-se, entre os componentes, o carvacrol; ácido salicílico (0,3%); mucilagens e vitamina C e K (Alonso, 1998:678; Cáceres, 1999:243; Vaccaro, 1997:150).
- Do extrato de metanol, obtém-se um resíduo amarelado que, por passagens repetidas por uma coluna de Sephadex LH-20, separam-se dois flavonoides no estado de heterósidos identificados como quercetina e patuletrina, através de seus espectros de ultravioleta-visível e espectros de HRMN. Steroli, sitosterolo, vitamina C e K, saponina, criptosantine, antocianine, alcaloide: ordanine[39]. O alcaloide hordenina apresenta-se nos estigmas, segundo Laboratório Hercom Extract (Itália)[40].
- Sementes contêm abundantes ácidos graxos poli-insaturados: ácidos oleico (37%), linoleico (50%), palmítico (10%) e esteárico (3%); aminoácidos, abundante amido, carotenoides, dextrina, substâncias nitrogenadas (zeína, edestina, maicina), vitamina E (uma das principais fontes para sua obtenção) (Alonso, 1998:678; Cáceres, 1999:243; Vaccaro, 1997:150).
- Folhas contêm hordenina (alcaloide), ácidos orgânicos e heterósidos cianogenéticos (Alonso, 1998:678; Cáceres, 1999:243). As formas tropicais contêm alcaloide (Schauenber & Paris 1980; Tramil 4, 1984:150).

2.1.1.2. Atividades biológicas

Em Alonso (1998), uma das principais ações farmacológicas dos estilos é a atividade diurética, a qual é exercida por meio da ação conjunta entre flavonoides, goma e sais de potássio, segundo experiências realizadas em ratas com o extrato hidroalcoólico dos estilos, em dose de 40 ml/k, em administração intragástrica. Segundo Alonso (1998), citando Krivenko *et al.* (1989), os fermentos presentes nos estigmas demonstraram propriedades hipoglicemiantes; os taninos, atividade adstringente; a alantoína, ação demulcente, útil em úlceras gástricas, possivelmente pela ação estimulante sobre a síntese prostaglandínica, via prostaglandina-sintasa. Acrescenta este autor que o óleo do germe do milho apresenta ácidos graxos insaturados (oleico, linoleico e, em menor escala, palmítico e esteárico), úteis em casos de hipercolesterolemia, administrado cru e sem aquecer. A fração insaponificável do óleo do germe do milho possui propriedades anti-inflamatórias e antirradiculares. Citando Chaput *et al.* (1972) e Cáceres *et al.* (1987), esta mesma fração demonstrou propriedade antibacteriana em hamsters, sendo empregada em pastas dentais contra piorreia alveolodental.

---

39. Disponível em: <www.vepro.it/prodotti.php?id_ditta=1&id_linea=48&p=1-9k> [27/12/2005].

40. Disponível em: <www.infoerbe.it/index.php?option=com_infocrbe&task=scheda&fld=CONTITUENTI_tot&IDE=258-31K> [27/12/2005]

A infusão de estigmas e estilos tem propriedade diurética e anti-inflamatória (bexiga e uretra) e o sumo das folhas, em aplicação local, tem ação hemostática (Vaccaro, 1997: 150). Chagas *et al.* (1988) referem-se à ação do extrato aquoso sobre a pressão arterial, diurese, coração e musculatura lisa. Porém, estudos farmacológicos em ratas anestesiadas demonstraram que o decocto dos estigmas não tem atividade hipotensora (Cáceres, 1999: 243). No entanto, experimentos em coelho por via intravenosa com os estigmas demonstraram atividade hipotensora e efeito de estimulação uterina. Em intubação gástrica em ratas, foram observadas atividades hipotensoras e diuréticas. Por via intraperitonal, o extrato aquoso de estigma mostrou uma atividade imunoestimulante. O extrato aquoso/etanólico (50%) dos estigmas demonstrou atividade diurética por via intragástrica em rato, à dose de 40 ml/kg. As propriedades diuréticas dos estigmas são atribuídas à atividade da goma e do potássio (Tramil 4, 1989: 382).

É de uso entre índios peruanos a inalação dos vapores desprendidos dos estigmas fervidos em água, cujos alcaloides presentes provocam excitação psíquica, podendo chegar ao delírio. (Schauenberg & Paris: 1980).

Energético e moderador da tireoide (Valnet, 1974: 291)

2.1.1.3. Indicações terapêuticas

Devido à sua propriedade diurética, antilítica e emoliente do estilo e estigma, é indicado o uso oral para tratar inflamação aguda ou crônica do trato genitourinário (oligúria, uretritis, enurese noturna, nefrite, pielonefrite, litíase renal, prostatite), gota, arterosclerose, diabete, obesidade, hipercolesterolemia e hipertensão, segundo Cáceres (1999: 244), citando outros autores.

2.1.1.4. Usos da medicina popular no Brasil

A primeira referência ao milho usado como remédio no Brasil encontrada na documentação consultada refere-se a uma carta do padre Anchieta, do século XVI: "Usamos, em lugar de vinho, milho cozido em água, a que se junta mel de que há abundância; é assim que sempre bebemos as tisanas ou os remédios. (Quadrimestre de Maio a Setembro de 1554, de Piratininga)". A água de milho, além de usada em lugar do vinho, servia também de veículo para remédios, pois aquele jesuíta os veiculava nesse caldo de milho (Rodrigues, s/d: 139, 253). Todavia, Anchieta não revela se era usado o milho ainda verde ou se era seco ou torrado.

Este fato nos remete à bebida fermentada à base de milho, empregada no combate à febre, uso supostamente de origem mineira, conhecida por "catimpuera". A maneira de prepará-la e de usá-la encontra-se transcrita na parte deste livro, que trata das bebidas fermentadas à base de milho.

Manuel Querino (1988: 20), no início do século XX, dizia que a farinha de milho devia substituir a de mandioca quando se tratava de moléstia do fígado, pois esta era entendida como comprometedora da vitalidade de tão importante víscera.

Por meio dos dados obtidos pela autora deste estudo, com informantes da região do semiárido do Cariri cearense, em Farias Brito, em 2010, foi possível constatar a predominância do cabelo de milho para preparação de remédios indicados para sarampo, catapora, infecção urinária e "dor de urina".

Pacheco (1963: 25), no Espírito Santo, faz referência ao uso do chá de cabelo de milho para problemas renais, assim como misturado com sene para o tratamento de sarampo e catapora (para arrebentar). Em Alagoas, na cidade de Piaçabuçu, na região do vale do rio São Francisco, emprega-se o cabelo de milho (Araújo, 1961: 187). Em São Paulo (Camargo, 1985: 55), o cabelo de milho, na forma de decocto, é empregado em afecções renais. Em pesquisa de campo realizada pela autora em Ibiúna-SP, foi encontrado o uso da infusão do cabelo de milho para tratar sarampo. Na Amazônia (Martins, 1989: 85), os estigmas são usados em decocto como diurético e no tratamento de nefrite, cistite e edemas das pernas. Em Paranaguá-PR, segundo Ribeiro Filho (1975: 117), emprega-se cabelo de milho para problemas do aparelho urinário. No Rio Grande do Norte, segundo Bezerra (1977), o cabelo de milho é empregado em tratamentos de cálculo renal e ácido úrico.

Como se pode observar, não há uma uniformidade na maneira de preparar o remédio, sendo ora na forma de infuso, ora na forma de decocto. Essas alternativas não interferem na qualidade do preparado, visto que a ação farmacológica dos estilos não está no óleo essencial que, por ser volátil, se perderia nos vapores de uma decocção, mas, sim, na ação conjunta entre flavonoides, goma e sais de potássio, os quais favorecem a ação diurética.

Segundo Camargo (2008: 50), países da América do Sul são unânimes em apontar a propriedade diurética dos estiletes e estigmas de *Zea mays* L., obtidos tanto em forma de decocção como de infusão. Certamente, com o mínimo de conhecimento de etiologia e terapêutica, os usuários, por meio do conhecimento popular de cunho tradicional, veem resolvidas suas queixas, as quais podem estar relacionadas à nefrite, cistite, gonorreia e litíase, gota, fazendo eliminar através da urina os uratos, oxalatos e fosfatos, além de exercer uma ação sedativa sobre os fenômenos dolorosos dos órgãos do aparelho urinário, efeitos estes em concordância com a literatura médica e farmacológica consultada.

2.2. Brasil em seu alvorecer

É importante recordarmos as impressões dos primeiros colonos e cronistas portugueses sobre a salubridade da nova terra recém-conquistada. Assim, é possível avaliar o quanto suas ideias sobre as práticas médicas que conheciam de suas regiões de origem puderam influenciar a medicina popular que hoje conhecemos em solo brasileiro.

As primeiras impressões daqueles que chegaram com a frota de Cabral em abril de 1500 e aportaram na Terra de Santa Cruz foram, na medida do possível, retratadas por Pero Vaz de Caminha, escrivão da armada, em sua famosa carta de 1º de maio, dirigida a D. Manuel, quando vai logo dizendo: "(...) A terra em si é de bons ares".

Os jesuítas, também, logo que iam chegando em 1549, iam de imediato apregoando as maravilhas da nova terra, como fez padre Manuel da Nóbrega, em carta de 1553: "a terra é a melhor do mundo". Em 1549, ele mesmo já havia escrito ao mestre Simão Rodrigues de Azevedo: "A terra cá achamo-la boa e sã. Todos estamos de saúde, Deus seja louvado, mais sãos do quando partimos", e ao mestre Martim de Aspicuelta escreve Nóbrega:

> *A terra é muito salubre e de bons ares de sorte que sendo muita a nossa gente e mui grandes as fadigas, e mudando de alimentação que nos nutriam, são poucos os que enfermam e muitos depressa se curam.* (Santos Filho 1947: 27, 28)

Anchieta costumava convidar seus companheiros que em Portugal adoeciam para virem se recuperar na nova terra, pois que "é muito boa e ficareis mui sãos". Porém, de 1560 a 1561, em busca de melhoras para a saúde, o jesuíta belga João Ditio, depois da permanência no Brasil, voltou para Portugal desconsolado, pois o clima de nada lhe adiantara (Rodrigues, s/d).

Jean de Lery (1972: 99) [1555-1557], também no século XVI, em *Viagem à terra do Brasil*, deixa suas impressões, ao dizer: "bom clima da terra, sem geadas nem frios excessivos que perturbam o verdejar permanente dos campos". No entanto, importante considerarmos as diferenças climáticas de uma região para outra do imenso território conquistado.

Gandavo, em 1576, em sua *História da Província de Santa Cruz* (1980: 45), faz a seguinte menção:

> *(...) e esta terra mui salutífera e de bons ares, onde as pessoas se achão bem dispostas e vivem muitos anos, principalmente os velhos têm melhor disposição e parecem que tornão a renovar, e por isso alguns se não querem tornar as suas pátrias, temendo que nellas se lhe offereça a morte mais cedo.*

E, prosseguindo nos elogios, Frei Vicente de Salvador (1954), já no fim do século XVI, em sua *História do Brasil*, comentando sobre o clima tórrido de certas regiões da nova terra conquistada, em algumas partes dela vivem as pessoas com mais saúde do que em toda a zona temperada. Em 1587, Gabriel Soares de Sousa (1974), em *Notícia do Brasil*, escreve que a Baía era de bons ares e delgadas águas.

O tempo foi passando e aquela ideia de um Éden foi se esvanecendo, diz Santos Filho (1947: 28) em sua *História da medicina no Brasil do século XVI ao XIX*:

> *Iniciada a colonização, introduzidos no país os germes de várias doenças, cessando o êxtase da contemplação das belezas naturais, começam a surgir os senões e sobrevêm as desilusões. (...) Correram os tempos e a lua e os astros foram acusados de malefícios para a saúde. O calor provocando insolações, as picadas de insetos e animais venenosos, a natureza agreste, as emanações miasmáticas dos pântanos e beiras de*

rios, as epidemias importadas, tudo passou a ser motivo de depreciação do país. (...)
os alimentos da terra, também, de difícil digestão, foram a causa de doenças, ao lado
das chamadas doenças tropicais.

Calor úmido, alimentação diferente, com pouco sal, muito milho e mandioca, além da falta de trabalho ativo, favoreceram aos primeiros colonos alterações no metabolismo processado em seus organismos, com importantes alterações somáticas e psíquicas que logo imprimiram neles características que, claramente, diferenciavam dos europeus recém-chegados. Muitas crianças, filhas de estrangeiros, sofriam doenças prolongadas e só uma em três sobreviviam de moléstias não atribuídas ao clima, mas à má alimentação (Nieuhof, 1942) [1645].

Apesar do que ocorreu com o jesuíta belga que veio para o Brasil a fim de se tratar, citado anteriormente, dentre aqueles enviados para o trabalho de catequese, muitos alimentavam a esperança de se livrarem de velhos problemas de saúde.

2.3. As plantas medicinais nativas

2.3.1. O naturalista Anchieta

Não podemos deixar de registrar que, possivelmente, teria sido José de Anchieta a apresentar os primeiros dados sobre clima e os recursos naturais das regiões de São Vicente e de Piratininga, conforme narrado em carta ao padre Diogo Laínes, em Roma (*Carta sobre as coisas naturais de São Vicente*, de 31 de maio de 1560):

> *o mais comprido, em que não há nenhuma inclinação das sombras, tem 14 horas, e não passa mais para o Sul, mas torna a voltar para o Norte e na sua volta costumam sobrevir os grandes calores e febres agudas que molestam o corpo com a dor de ilhargas. O dia 11 de junho é o mais pequeno, em que o sol está mais longe de nós e dura (como creio) dez horas desde o nascer ao pôr do sol. (Anchieta, 1984: 26)*

Depois de descrever o que viu com relação aos animais, peixes, aves, abelhas etc., ele trata das ervas, árvores e raízes úteis. Referindo-se ao bálsamo, diz:

> *(...) escorre a princípio como óleo por orifícios abertos pelo caruncho ou também por incisuras feitas por facas e machados, e depois coalha e parece tomar a forma de bálsamo. Exala cheiro não demasiado, mas suavíssimo, e é muitíssimo próprio para curar feridas, de maneira que em pouco tempo nem sinal fica da cicatriz (...)*

Anchieta faz, ainda, um registro importante sobre as áreas repletas de pinheiros. Tal registro é de valor, na medida em que podemos comparar com o que ocorre em pleno século XXI, na mesma área das Araucárias, as mesmas descritas por Anchieta, espécie quase em extinção, visto os poucos exemplares naquela região, comparado com o que foi descrito pelo jesuíta:

> *O fruto admirável é semelhante a uma panela. A tampa, como que trabalhada a torno, com que está pendente da árvore, abre-se por si quando amadurece e apresenta dentro muitos frutos, semelhantes a castanhas separadas por delgadas tiras como seber, onde se encerra, não é de menor dureza que a pedra; e pode-se facilmente calcular o seu tamanho pelas castanhas que contém, que passam de cinquenta.*

E, prosseguindo, vai narrando a exuberância da área percorrida:

> *Úteis à medicina, há muitas árvores e raízes de plantas, mais direi alguma coisa sobretudo das que servem para purgante. Há uma árvore da qual, cortando-se a casca com a faca ou quebrando-se um ramo, sai um líquido branco, parecido ao leite, mas mais espesso, o qual, se se beber pouco, desembaraça os intestinos e limpa o estômago com um vômito de grande violência; mas, se houver demasia na porção, por pouco que seja, mata. Convém tomar só o que cabe numa unha e diluído em muita água. Não se fazendo assim, causa cruéis dores, queima a garganta e mata.*

Quando os primeiros colonizadores chegaram à nova terra no século XVI, tinham por preocupação encontrar sucedâneos das especiarias orientais. Enquanto programavam idas atrás do ouro e das pedras preciosas, descobriram nas cercanias da Baia da Guanabara o cravo-da-terra (*Calyptranthes aromatica* S. Hil. Myrtaceae (IPNI), assim como a espécie *Pseudocaryophyllus seriseus* O. Berg. Myrtaceae, ambas conhecidas dos índios por "anhaibatan" (Hoehne, 1939: 213), espécies botânicas, mais tarde referidas por Bernardino Antônio Gomes (1972). Hoehne comenta que os sabores destas plantas mais lembram canela do que a do cravo-da-índia (*Eugenia caryophyllata* Thumb. Myrtaceae), a originária da Índia, admitindo serem usadas como sucedâneos do cravo indiano, devido a serem ricas em substâncias picantes e aromáticas.

Havia também interesse em um sucedâneo da noz-moscada (*Myristica frangrans* Houtt. Myristicaceae), originária das Ilhas Molucas, o qual encontraram na "iboucouhú", "bicuiba", "ocuúba", (*Myristica officinalis* Mart.) que nasce na cidade de São Paulo. De sabor diferente, lembrando a canela, segundo Hoehne (1920: 206), talvez pelo teor picante das duas plantas, a confusão.

Sobre as caneleiras da flora nativa, segundo Hoehne (1939: 125), estão as espécies de Lauraceae. Estas plantas impressionaram "advinhos", incluindo dentre elas o sassafrazinho (*Ocotea pretiosa* Mez), empregada, em infusão no álcool, como estimulante, antiespasmódico e peitoral, conforme está em *O que vendem os hervanários da cidade de São Paulo*, de Hoehne (1920).

No *Catalogo de extratos fluidos do Laboratório Silva Araujo* de 1930 está *Ocotea pechry major*, cujas favas são empregadas como excitante, digestivo, carminativo".

Podemos observar que as especiarias orientais de interesse dos conquistadores, das quais buscavam em terras brasílicas os sucedâneos, a exemplo das três por nós selecionadas e mencionadas acima – cravo-da-índia, noz-moscada e canela – admitimos apresentarem algum tipo de psicoatividade, visto geralmente serem usadas, entre outras indicações, como estimulantes.

Guilherme Piso (1611-1678), vindo da Holanda para o Brasil para servir como médico do Príncipe Maurício de Nassau, descreve as endemias então reinantes no Brasil e os meios de tratá-las, por meio da várias plantas medicinais nativas, cujos usos foram aprendidos com os indígenas, conforme escreveu Affonso de E. Taunay (1948: 213) em um escorço biográfico junto à edição traduzida e comentada da grandiosa obra de Piso: *História do Brasil Ilustrada*, publicada em 1648, em Amsterdã.

Continuando em Taunay, à página 222, Piso se empenhou por se apropriar dos segredos dos índios no tocante à matéria terapêutica, visto que eles desprezavam os remédios que as boticas dos brancos podiam lhes oferecer. Devemos a Piso o conhecimento dos "olorosos bálsamos de cabureíba (*Myrocarpus fastigiatus* Caesalpinaceae) e de copaíba (*Copaifera langsdorffii* Desf. Caesalpinaceae), hemostáticos e fortificadores dos nervos". Segundo Piso, os indígenas conheciam também as plantas tóxicas, afrodisíacas, contravenenos e de misturas venenosas com as quais contaminavam flechas, águas, ares, vestes. Relativo aos contravenenos, citamos "tangaraca" ou "erva-de-rato" (*Boerhravia hirsuta* Wildd. Nyctaginaceae) que, conforme Piso,

> (...) *sua nocividade é de tal potência, tanto das folhas como sobretudo das flores e das sementes, que comidas matam imediatamente, se não se tomar logo um mui presentâneo antídoto. (...) Não se conhece até agora nenhum alexifármaco mais presente e que mais eficazmente lhe vença a toxicidade, do que a própria raiz da planta que moída e propinada com vinho ou outro líquido conveniente, cura quase inteiramente os envenenados.*

No século XVII, Fernando São Paulo, comentando os dois primeiros livros da mesma obra de Guilherme Piso (1948: 334) sobre as influências do clima em função das estações do ano, diz:

> (...) *o vento sul presente no inverno inferiorizava a resistência somática e doenças graves costumavam surgir: febres pútridas, catarros, fluxos do ventre, espinhela caída, espasmo, estupor, opilação do fígado, úlceras dos pés (...) As estações secas traziam a cegueira noturna ou diurna, disenterias, impentigos, pruridos, inflamação do ânus (...)*

Santos Filho (1947, parte IV: 11), citando também as patologias indígenas, menciona:

> *bócio endêmico (não parasitário), parasitoses e dermatoses, febres inespecíficas, disenterias, sintomas de envenenamento, mordeduras de animais venenosos, ferimentos de guerra ou acidentais (cegueiras, perda de membros).*

Conforme o mesmo autor, a etiologia, segundo os indígenas, era encarada como castigo ou provação, ou como causa ora da vontade de um ser sobrenatural, ora da ação dos astros e de agentes climáticos, ora de feitiços.

Segundo Gabriel Soares de Sousa (1974), no século XVI, os índios eram muito sujeitos às boubas, que se pegava de uns aos outros, principalmente quando crianças, e que tratavam com suco de jenipapo (*Genipa americana* L. Rubiaceae) e folhas de caroba (*Jacaranda spp.* Bignoniaceae).

Karl Friedrich Philipp von Martius (1979), médico e naturalista que viera para o Brasil acompanhando a comitiva que trazia a Arquiduquesa da Áustria, Dona Leopoldina, a fim de casar-se com D. Pedro de Alcântara, mais tarde D. Pedro I, em 1817, ao tratar da medicina indígena, dizia que a mata era sua farmácia, relacionando grande número de plantas, inclusive as doenças endêmicas, conforme está em sua obra *Natureza, doenças, medicina e remédios dos índios brasileiros* (1844).

A grande contribuição do indígena à medicina foi, sem dúvida, com relação com as plantas medicinais nativas, seus usos e onde medravam.

Dentre elas, destacavam-se:

- **Barbatimão** – *Stryphnodendron barbadetiman* (Vell.) Mar. Fabaceae.
- **Batata-de-purga** – *Operculina convolvulus* Manso Convolvulaceae.
- **Cacau** – *Theobroma cacao* L. Sterculiaceae.
- **Calção-de-velha** – *Buddleja brasiliensis* Jacq. Loganiaceae.
- **Cambará** – *Lantana camara* L. Verbenaceae.
- **Capeba** – *Cissampelos pareira* L. Minispermaceae.
- **Copaíba** – *Copaiba langsdorffii* Desf. Caesalpinioideae.
- **Carimã** – *Manihot esculenta* Crantz L. Euphorbiaceae.
- **Catuaba** – *Anemopaegma mirandum* DC. Bignoniaceae.
- **Dorme-dorme** – *Mimosa pudica* Mill. Fabaceae.
- **Fedegoso** – *Cassia occidentalis* L. Caesalpinioideae.
- **Figueira-do-inferno** – *Datura suaveolens* Thunb. Solanaceae.
- **Gervão** – *Stachytarpheta australis* Moldenke Verbenaceae.
- **Goiabeira** – *Psidium guajava* L. Lamiaceae.
- **Guaraná** – *Paullinia cupana* var. *sorbilis* Ducke Sapindaceae.
- **Guassatonga** – *Casearia sylvestris* Swartz Flacourtiaceae.
- **Guiné** – *Petiveria alliaceae* L. Phytolacaceae.
- **Ipecacuanha** – *Cephaelis ipecacuanha* (Brotero) Rich. Rubiaceae.
- **Jaborandi** – *Pilocarpus jaborandi* Holmes Rutaceae.
- **Japecanga** – *Smilax spp.* Liliacee.
- **Jurema** – *Mimosa hostilis* Benth. Fabaceae.
- **Jurubeba** – *Solanum paniculatum* L. Solanaceae.
- **Mamão** – *Carica papaya* L. Caricaceae.
- **Manacá** – *Brunfelsia uniflora* D. Don. Solanaceae.

- **Mastruz** – *Chenopodium ambrosioides* L. Chenopodiaceae.
- **Mentrasto** – *Ageratum conysoides* L. Asteraceae.
- **Mucuna** – *Mucuna urens* DC. Fabaceae.
- **Mulungu** – *Erythrina spp.* Fabaceae.
- **Papo-de-peru** – *Aristolochia cymbifera* Mart. & Zucc. Aristolochiaceae.
- **Paricá** – *Anadenanthera peregrina* Benth. Fabaceae.
- **Pata-de-vaca** – *Bauhinia forficata* Link. Lamiaceae.
- **Pega-pinto** – *Boerhavia hirsuta* L. Phytholaccaceae.
- **Pinhão-roxo** – *Jathropha curcas* L. Euphorbiaceae.
- **Tauari** – *Couratari tauari* O. Berg. Lecythidaceae.
- **Sassafrás** – *Ocotea pretiosa* (Nees.) Mez. Lauraceae.
- **Trombeteira** – *Brugmancia suaveolens* Solanaceae.
- **Vassourinha** – *Scoparia dulcis* L. Scrophulariaceae.

2.4. Política portuguesa e a introdução de plantas exóticas

Portugal, logo depois do descobrimento do Brasil, procurou introduzir na nova terra conquistada espécies, principalmente as alimentícias, não só as originárias da região mediterrânea como de outras procedências, já adaptadas em solo português há muito tempo, a exemplo das espécies asiáticas, tratadas anteriormente. Várias destas espécies são mencionadas por Gabriel Soares de Sousa (1974) em *Notícia do Brasil*, incluindo aquelas que vieram para o Brasil pelas ilhas de São Tomé e de Cabo Verde, para onde foram levadas primeiro. Dentre elas, citamos:

- **Abóbora** – *Cucurbita pepo* L. Cucurbitaceae (África).
- **Agrião** – *Nasturtium spp* Brasicaceae (Europa).
- **Alface** – *Lactuca spp* Asteraceae (Ásia).
- **Alfavaca** – *Ocimum spp* Verbenaceae (Europa).
- **Alho** – *Allium sativum* L. Liliaceae (Ásia).
- **Beldro** – *Amaranthus spp* Amaranthaceae.
- **Berinjela** – *Solanum spp* Solanaceae (África).
- **Cebolinha** – *Allium spp* Liliaceae (Ásia).
- **Chicória** – *Cichorium spp* Asteraceae (Europa).
- **Coentro** – *Coriandrum sativum* L. Apiaceae (Mediterrâneo oriental e Médio Oriente).
- **Couve** – *Brassica spp* Cruciferae (Europa).
- **Espinafre** – *Tetragonia spp* Aizoaceae (África, Austrália).
- **Funcho** – *Foeniculum vulgare* L. Apiaceae (Ásia).

- **Hortelã** – *Mentha spp* Lamiaceae (Europa e Ásia).
- **Manjericão** – *Ocimum spp* Lamiaceae (Europa).
- **Melancia** – *Citrullus spp* Cucurbitaceae (Ásia).
- **Mostarda** – *Brassica spp* Brasicaceae (Ásia).
- **Nabo** – *Brassica spp* Brasicaceae (Europa).
- **Pepino** – *Cucumis spp* Cucurbitaceae (Ásia).
- **Poejo** – *Mentha pullegium* L. Lamiaceae (Europa).
- **Salsa** – *Petroselinum spp* Apiaceae (Europa).
- **Tanchagem** – *Plantago spp* Plantaginaceae (Europa).

Dentre os motivos que levaram os conquistadores a transferir tais espécies para solo brasileiro, conforme Dean (1991), no primeiro momento, estava o preconceito dos invasores que não aceitavam a comida dos indígenas. Essa atitude teve seu lado positivo, visto que as espécies exóticas domesticadas, como diz o autor, diversificaram-se, aumentando as fontes alimentícias disponíveis. Porém, houve um inconveniente, visto que as novas espécies introduzidas propiciaram alterações nos ecossistemas de forma irreversível, enquanto, ao mesmo tempo, produtos brasileiros iam saindo pelas mãos dos portugueses, levados para Goa, como:

- **Caju** – *Anacardium occidentale* L. Anacardiaceae.
- **Mamão** – *Carica papaya* L. Caricaceae.
- **Mandioca** – *Manihot esculenta* Crantz Euphorbiaceae.
- **Milho** – *Zea mays* L. Poaceae.
- **Pitanga** – *Eugenia pitanga* Berg Myrtaceae.

Consideramos que as espécies citadas acima, levadas para Goa, na África, foram também deixadas em Angola, como relata Maestri Filho (1978), ao tratar da agricultura nos séculos XVI e XVII no litoral angolano. Porém, conforme consta de seu levantamento, Maestri Filho enumera plantas nativas brasileiras em Angola no século XVI, conforme relacionadas:

- **Ananás** – *Ananas comosus* (L.) Merr. Bromeliaceae.
- **Acelga** – *Beta vulgaris* L. Chenopodiaceae. [Obs.: Em Joly (1976), no Brasil, acelga é planta cultivada.]
- **Araçazeiro** – *Psidium litorale* Radd. Myrtaceae.
- **Batata-doce** – *Solanum tuberosum* L. Solanaceae.
- **Caju** – *Anacardium occidentale* L. Anacardiaceae.
- **Goiaba** – *Psidium guajava* L. Myrtaceae.
- **Malagueta** – *Capsicum frutescens* L. Solanaceae.
- **Mamoeiro** – *Carica papaya* L. Caricaceae.

- **Mandioca** – *Manihot esculenta* Crantz. Solanaceae.
- **Milho** – *Zea mays* L. Gramineae.
- **Tabaco** – *Nicotiana tabacum* L. Solanaceae.

A relação acima apresentada é importante, na medida em que poderemos localizar, no tempo e no espaço, as plantas com as quais o africano de Angola já convivia, por ocasião da vinda para o Brasil dos primeiros escravos procedentes daquela região, em fins da segunda metade do século XVI (Silva, 1994).

Dean (1991) lembra quando, na Colônia quase despovoada devido à destruição da população indígena com a introdução de doenças exóticas, a subsistência baseava-se no extrativismo, considerando a caça e a coleta como fontes. A extração contínua estendia-se para outras atividades relacionadas à construção e aos combustíveis que provinham das árvores silvestres. Na alimentação, valiam-se da caça e não de animais domesticados. Plantas silvestres como goiaba, caju, mamão e palmito (*Euterpe edulis* Mart. Arecaceae) faziam parte dos produtos comercializados, que eram coletados e não plantados, além do algodão, do cacau e das madeiras de lei, entre outras plantas.

Somente depois de 1670, aquelas espécies simplesmente coletadas e não plantadas passaram a ser cultivadas, a exemplo do cacau (*Theobroma cacao* L. Sterculiaceae), no Maranhão, pelo jesuíta Bettendorff, em 1674, na esperança de se cultivar plantas nativas com as propriedades das orientais. Essa ideia foi bastante difundida. Governadores montaram expedições para localizar e plantar especiarias, corantes e plantas medicinais nativas (Dean, 1991).

Pita (1998) diz que, das hortaliças da Europa, vieram para o Brasil ervas perfumadas, como:

- **Alecrim** – *Rosmarinus officinalis* L. Apiaceae.
- **Arruda** – *Ruta graveolens* L. Rutaceae.
- **Canafístula** – *Cassia fistula* L. Cesalpinaceae.
- **Coentro** – *Coriandrum sativum* L. Apiaceae.
- **Filipódio** – *Polypodium vilgare* L. Polipodiaceae.
- **Funcho** – *Foeniculum vulgare* L. Apiaceae.
- **Hortelã** – *Mentha spp* Lamiaceae.
- **Losna** – *Artemisia absinthium* L. Asteraceae.
- **Malva** – *Sida spp* Malvaceae.
- **Manjericão** – *Ocimum canum* Sims. Apiaceae.
- **Manjerona** – *Origanum majorana* L. Apiaceae.
- **Pau-da-china** – *Smilax china* L. Liliaceae.
- **Poejo** – *Mentha pulegium* L. Lamiaceae.
- **Salsa** – *Petroselinum crispum* (Miller) Turill Apiaceae.
- **Segurelha** – *Satureia hortensis* L. Laminaceae.
- **Tanchagem** – *Plantago major* L. Plantaginaceae.

Embora essas plantas não fossem especificamente psicoativas, mas apenas conhecidas como aromáticas, vale relacioná-las devido ao seu uso muito difundido na medicina popular como estimulantes e tranquilizantes, já que várias delas tiveram seus óleos essenciais e as respectivas atividades terapêuticas devidamente analisadas cientificamente.

Quando Portugal se tornou independente da Espanha, em 1640, depois do período da unificação das duas coroas, iniciada em 1580, determinou-se a cultura de especiarias orientais em territórios sob seu domínio, conforme Ferrão (1992: 36-39), que as especifica como:

- ◆ **Cravo** – *Syzygium aromaticum* Merr. & Per. Myrtaceae.
  - ▷ Origem: Ilhas Molucas (Rizzini & Mors, 1976: 65).
- ◆ **Canela** – *Cinnamomum zeilanicum* Breyne.
  - ▷ Origem: Ceilão (Rizzini & Mors, 1976: 63).
  - _____ – *Cinnamomum cassia* Nees Lauraceae.
  - ▷ Origem: China (Rizzini & Mors, 1976: 63); toda a Europa, menos o sul (Schauenberg & Paris, 1980: 347).
- ◆ **Pimenta** – *Piper nigrum* L. Piperaceae.
  - ▷ Origem: costa ocidental indostânica (Ferrão, 1992: 38); Ásia tropical (Índia) (Joly & Leitão Filho, 1979: 79; Orta, 1892 v. II: 86: 50-3).
- ◆ **Noz-moscada** – *Myristica fragrans* Houtt. Myristicaceae.
  - ▷ Origem: Ilhas Molucas (Schauenberg & Paris, 1980: 354).
- ◆ **Gengibre** – *Zingiber officinale* Rox Zingiberaceae.
  - ▷ Origem: Índia e Indochina (Rizzini & Mors, 1076); costa ocidental indostânica (Ferrão, 1992: 38).

Para sucesso no cultivo da canela e da pimenta, foi pedido ao vice-rei da Índia, D. Pedro de Almeida, que enviasse "dois cabras práticos e experimentados na cultura da canela e da pimenta", devido ao fato do fracasso nas tentativas de cultivo de plantas asiáticas, cujas sementes nem sempre germinavam (Ferrão, 1992: 39).

Orta, em *Colóquios* (1964: 13), diz: "(...) ramo ou sarmento destes ao pé de qualquer grande árvore ou de uma estaca, e deitam-lhe ao pé bosta (...). Nasce a pimenta, transplantando-se como o sarmento: e por esta ordem. Medem um de boi, e cinza com água, e dentro de um ano dá fruto (...)".

Em Dean (1991), as remessas de sementes do oriente a todas as capitanias do Brasil e Angola, Cabo Frio e São Tomé foram facilitadas a partir de 1671, quando ficou estabelecido que as frotas asiáticas fariam escalas em Salvador.

Bernardino Antônio Gomes (1972: LV), médico e botânico, entre outros predicados, que veio na comitiva da princesa Leopoldina, a futura esposa de D. Pedro, já tendo estado no Brasil em 1797, escreveu sobre a canela no Rio de Janeiro em *Memória sobre a canella do Rio de Janeiro – Oferecida ao Príncipe do Brasil – Nosso Senhor – Pelo Senado da Câmara da mesma cidade no anno de 1798.*

Sobre as caneleiras, diz Bernardino Antônio Gomes:

Na Bahia vi algumas Canelleiras, e me assegurarão, que havia mais; no contorno porém do Rio de Janeiro há muitas. Passa seguramente de cem o numero das que havia três legoas em torno desta Cidade antes das novíssimas, e sabia providencias, que o Conde Vice-Rei tem dado para prover a cultura desta inaprecivel arvore. (...) muitas sem duvida datão a sua existência do tempo dos jesuítas, e a opinião popular dá a estes a gloria da introdução desta arvore no Brasil.

A respeito dos usos da caneleira do Rio de Janeiro, este importante cientista assim se expressa:

Neste ditoso país, onde, bem como por toda parte, he a negligencia dos habitantes na razão directa da liberalidade da Natureza, apenas as folhas desta arvora erão d'algum uso: preparavam com ellas huma água aromática, de que se não servião mesmo para jogar o entrudo. Tão pouca era a utilidade que tiravam desta arvore, que independentemente da Canella, porque alias he cultivada, e tão celebre, he muito preciosa ainda por outros títulos.

A raiz he riquíssima em d'alcanfor. No fim de maio colhi libra e meia e treza oitavas de casca da raiz de huma Canelleira idoza. Que vegetava em terreno humoso e humido; depois de lavada da terra e pizada; foi no dia seguinte submetida à a distillação; obtive neste ensaio hum óleo amarello, crasso, que adheria às paredes do recipinte, e que depois de esfriar se separou espontaneamente em 3 oitavas d'alcanfor concreto, e meia oitava e quarenta e oito grãos de hum óleo tenue alcanforoso, que depois se foi tornando mais e mais escuro até a cor de vinho tinto. (Das folhas extrhi por vezes óleo essencial em differentes proporções, sendo a máxima de desasete grãos por libra; (...) Seria porém bem appreciavel, e eu espero, que os Medicos do Brazil começando a introduzir na prática leste indigeno remédio, determinem por observações exactas as vantagens que elle tem sobre o comum das Boticas (...)

Applica-se na India topicamente contra Reumatismo e Paralysias; e internamente, triturado com assucar; como diurético, sudorifico, e carminativo.

Conforme Pita (1998: 28, 55), no século XVIII continuava a cultura no Brasil das especiarias orientais, pois diz ele:

Saem de nossa América portuguesa para todos os portos do reino em cada ano cem navios (...) levam os navios além dos importantíssimos referidos gêneros, outros de muito preço, âmbar, bálsamo, cravo, cacau, baunilha, gengibre, canela, algodão, anil, óleo de copaíba (…). As embarcações que vão de Portugal (…) tomam primeiro o porto do Maranhão (…). Carregam muito cravo, com a diferença que temos mostrado na sua forma, mas com o próprio efeito do das Molucas, produzindo-os estes as duas províncias por ficarem quase entre o mesmo paralelo daquelas ilhas. (…) Quase outro tanto número de embarcações menores navega para a costa da Etiópia a busca de escravos para o serviço dos engenhos, minas e lavouras, levando gêneros da terra (…) açúcar e rolos de tabaco de 2ª e 3ª qualidades.

Paralelamente à preocupação com o cultivo das espécies exóticas, as autoridades pouco ou nada se importavam com as nativas. Aquelas que naturalistas estrangeiros, desde o século XVII, já haviam destacado em suas obras, a exemplo de Guilherme Piso, George Marcgrave, entre outros, até o século XIX, citando Saint-Hilaire e Martius, já mencionado, sobre os quais trataremos mais adiante. São plantas que, ensinadas pelos indígenas em tempos passados, passaram a ser adotadas pelos brasileiros em suas medicinas caseiras. Ilustrando bem esta situação, transcrevemos trecho de uma carta dirigida ao botânico Joaquim Correia de Mello, publicada no *Almanach Literário de São Paulo*, ano III, de 1878, comentando sobre a importância dos estudos das propriedades medicinais das inúmeras plantas nativas usadas no meio popular, citando muitas delas, ao mesmo tempo em que procura desqualificar a figura do curandeiro, dizendo:

Não cremos sinceramente que o descuido com que se tem tratado os vegetaes, cujas propriedades therapeuticas são de inexcedível energia, continue por mais tempo, entregando a flora brasileira a indagações especulativas dos curandeiros, que tanto damno causam como o imoderado emprego das plantas medicinais.

2.5. As plantas medicinais e os contatos interétnicos

Como já referido na Introdução, não é objeto deste trabalho tecer quaisquer considerações sobre sincretismo, aculturação, interação, etnicidade ou outras formas de identificação do fenômeno ocorrido no Brasil com o encontro destas três principais matrizes – portuguesa, indígena, africana – que tanto influenciaram a medicina popular. Ferretti (1991) ocupa-se em trabalhar as definições desses conceitos, por meio dos autores que trataram desse assunto. Claro que outras fontes foram surgindo no decorrer dos séculos, as quais deram, também, importantes contribuições. Visto a medicina popular no Brasil ser entendida como essencialmente mágico-religiosa, torna-se bastante pertinente a referência à tese acima mencionada, em que o autor discute pontos de vista enunciados por Nina Rodrigues (1935), seguido de Arthur Ramos (1943) e outros mais, como Gonçalves Fernandes (1941), Waldemar Valente (1976), Herskovits (1969), entre muitos outros, chegando em Bastide (1971) e seus inúmeros discípulos.

O que importa neste livro é saber como e quando ocorreram esses encontros e como se deram as trocas das ideias médicas exercidas pelos diferentes grupos representados por colonos portugueses, indígenas e negros.

Podemos admitir que, a partir do século XVI, tiveram início os dois caminhos que se abriram no Brasil, a ser trilhados pelos protagonistas da arte médica:

a) Os caminhos projetados foram as determinantes históricas e os paradigmas determinados pelas elites médicas que, acanhadamente foram se formando nas sociedades brasileiras ao longo dos séculos, até a elevação da arte médica à categoria de medicina oficial tal como conhecemos hoje. Esta, orientada por padrões e valores reconhecidos por instituições apoiadas e controladas pelo Estado, tem seus conhecimentos legitimados pelas mesmas instituições, as quais garantem a legalidade da atividade médica no campo profissional.

b) Os vários caminhos abertos e legitimados pelo povo, sob a influência das correntes religiosas, foram com o tempo se organizando no País, regidos pela imbricação de traços culturais das três principais matrizes envolvidas: portuguesa, indígena e africana, gerando a medicina popular, hoje, vigente no Brasil. Herança de uma medicina ancestral, calcada em padrões e valores ditados pelo consciente coletivo, que vai se adequando às diferentes épocas e lugares, cujos conhecimentos são transmitidos por meios predominantemente orais.

Trilhando a segunda opção, percebe-se hoje os diferentes caminhos e desvios que a medicina popular vem seguindo desde os primórdios do Brasil, variando conforme mudam os ambientes socioculturais nos quais se inserem. Assumindo características próprias, a medicina popular vai delineando seu perfil, fazendo evidenciar a predominância da influência desta ou daquela matriz. Chamaria a esse fenômeno de processo imbricativo, com a superposição dos elementos herdados das matrizes influenciadoras, deixando evidente a prevalência de uma sobre a outra. Tal postura interpretativa vai contra o que diz Laplantine (1998: 83):

> Assim é que, na maioria dos casos é inútil tentar identificar atualmente, no Brasil, "africanismos","europeismos" ou "indianismos". Não conseguiríamos, por exemplo, falar de "elementos africanos" que teriam sido "enxertados" numa "estrutura" constituída, pois, fora das etnias pré-colombianas, cujo impacto não é absolutamente dominante na formação da sociedade brasileira contemporânea.

Com a presença de princípios doutrinários ligados a diferentes sistemas de crença que foram se firmando no País, desenvolveu-se uma medicina popular presa a um universo sacralizado, cujos procedimentos adotados são essencialmente mágicos.

Importante destacar que o caminho percorrido pela medicina das elites que, desde outros tempos, procurou destacar sua hegemonia, foi em todo o tempo e lugar atravessado pelos caminhos e desvios que a medicina popular foi traçando, implicando conflitos de toda ordem.

Devemos recordar que, até meados do século XVI, no Brasil, os contatos interétnicos compreendiam apenas o encontro de europeus com os diferentes grupos indígenas espalhados pelo País, dando início a uma reelaboração de conceitos religiosos próprios da cultura autóctone. Com respeito ao encontro desses dois grupos étnicos com os negros, eles teriam ocorrido na chegada das primeiras levas de escravos africanos de cultura banto, oriundos de Angola, Congo e Moçambique e, em meados do século XVII, chegaram os sudaneses, procedentes de localidades africanas situadas acima da linha do Equador.

A partir do início da colonização, já é possível vislumbrar as transformações que, paulatinamente, vão se sucedendo, não só em meio aos costumes tribais dos povos nativos, como ao próprio meio ambiente, com a introdução de plantas de outras paragens, interferindo na biodiversidade das áreas invadidas. Estragos de toda ordem, como bem retrata Darcy Ribeiro (1995: 21,30):

> *Esse conflito se dá em todos os sentidos e níveis, predominantemente no biótico, como uma guerra bacteriológica travada pelas pestes que o branco trazia no corpo e eram mortais para as populações indenes. No ecológico, pela disputa do território, de suas matas e riquezas para outros usos. No econômico e social, pela escravização do índio, pela mercantilização das relações de produção, que articulou os novos mundos ao velho mundo europeu, como provedores de gêneros exóticos, cativos e outros.*

Gilberto Freyre (1993) refere-se à "sifilização" do Brasil, cujo início se deu nos primeiros encontros de portugueses com as índias nas praias da costa brasileira. Porém, no século XIX, continuava a grassar a doença entre os indígenas, "penetrou nas regiões mais remotas, e, semelhante a um verme corrodente, consome a vitalidade dessa desleixada raça humana que, sem orientação, só tem como recurso poucos medicamentos vegetais, contra inimigo tão violento" (Martius, 1979: 91).

Segundo Santos (2004: 45), uma epidemia de varíola introduzida pelos colonizadores, no Espírito Santo, vitimou em poucos meses cerca de 30 mil pessoas, inclusive indígenas.

Quando chegaram os primeiros negros, aqueles indígenas submetidos à catequese já haviam absorvido ideias do catolicismo, que lentamente vieram a interferir em seus costumes tribais.

Um levantamento das doenças endêmicas foi feito pelo médico da Armada, Bernardino Antônio Gomes, e outros profissionais da área médica, em 1798, a mando da Câmara do Rio de Janeiro, com o propósito de elaborar um programa para a erradicação de tais moléstias e combater as epidemias. Tal levantamento permitiu relacionar as seguintes moléstias endêmicas do Rio de Janeiro: sarna, erisipelas, impigens, boubas, morfeia, elefantíase, formigueiro, bicho-de-pé, edemas de pernas, hidrocele, sarcocele, lombrigas, hérnias, leucorreia, dismenorreia, hemorroidas, dispepsia, vários efeitos convulsivos, hepatites e diferentes sortes de febres intermitentes, segundo Gomes (2007: 164), citando Luccock (1942: 35). Continuando em Gomes, diante dos dados nosográficos apresentados pelo citado levantamento baseado no parecer dos médicos, levantou-se a suspeita de que o foco gerador de algumas das doenças epidêmicas, como a sarna, erisipela, bexiga (varíola) e tuberculose, eram os negros recém-chegados da África. A partir dessas observações, sugeriu-se que o mercado de escravo mudasse para mais distante da cidade.

Não havia, porém, no Rio de Janeiro daquele século, como em toda a Colônia, médicos formados em Universidades capazes de combater tais patologias. Por meio de uma forma rudimentar de medicina, eram os barbeiros quem a praticava. Eram tantas as barbearias no Rio de Janeiro, que chamou a atenção de Thomas O'Neill, tenente da marinha britânica que acompanhou Dom João VI ao Brasil, chegando a dizer que "o símbolo dessas lojas é uma bacia e o profissional que aí trabalha acumula três profissões: dentista, cirurgião e barbeiro", conforme comenta Gomes (2007: 165) e como documentou Debret, no Rio de Janeiro.

Dos cruzamentos entre portugueses, indígenas e negros, foram se desenvolvendo diferenciações nos sistemas de crença, assim como nos costumes entre os habitantes das diferentes regiões brasileiras, permitindo, como diz Darcy Ribeiro (1995: 21), distingui-los como: "sertanejos no Nordeste, caboclos na Amazônia, crioulos no litoral, caipiras no Sudeste e Centro, gaúchos no sul do país".

Maués (2008: 12), abordando a pajelança cabocla na região amazônica, diz tratar-se de culto de origem indígena, apresentando-se como um sistema terapêutico de aspecto xamanístico, em que se mesclam concepções de fundo indígena (antigos tupinambás), católico, kardecista e umbandista.

Tais práticas terapêuticas apresentam características próprias que variam de uma região a outra da Amazônia. Villacorta (2008), ao tratar da pajelança em Colares, ao norte do Pará, deixa explícito o discurso ecológico aceito e compartilhado pelos colarenses, influenciando, nas reelaborações que dizem respeito às concepções sobre doenças, que estas podem decorrer do fato de não se preservar a natureza. Nas sessões xamanísticas, há a presença de espíritos de índios que aparecem para praticar as curas.

Ferretti (1997), tratando do Tambor de Mina, em São Luís do Maranhão, sistema de crença afro-ameríndio, comenta que as entidades espirituais indígenas são "acabocladas", podendo ser recebidas no Tambor de Índio, como "selvagens", assim como no Borá ou Canjerê, terreiros que têm linha de cura – pajelanças – cujos rituais há uma associação com santos católicos, invocados para combater "forças negativas". No Tambor de Mina, as entidades africanas cultuadas são conhecidas por vodum.

O nordestino que emigrou para as terras do norte, fugindo da seca, tornou-se mestre do além, respeitado por seus poderes de cura nas reuniões de catimbó e pajelança, sistemas de crença hoje difundidos pelo norte e nordeste do País. Assim, desse entrelaçamento de culturas, os rituais de catimbó e pajelança invocam espíritos dos ancestrais nativos, perpetuando os ensinamentos sobre as plantas medicinais, transmitidos pelos negros "ex-escravos, vidas sem história, tornados soberanos nos reinos de Ajucá e de Juremal" (Cascudo, 1951: 11).

A respeito das plantas empregadas nas práticas de cura nos sistemas de crença de influência indígena, nem todas são nativas e ensinadas pelos indígenas. Pesquisa realizada por esta autora (Camargo, 1999: 154) sobre as plantas no Catimbó nordestino, baseada nos registros de Luís da Câmara Cascudo (1951) em *Meleagro*, das sessenta e duas espécies mencionadas, trinta são nativas. Segundo a autora, à página 194, os dados sobre essas plantas foram obtidos por meio das identificações botânicas, única forma de se desenvolver estudos desta natureza. Porém, certas identificações, tais como se apresentam em *Meleagro*, não foram totalmente esclarecidas devido à falta de maiores informações, já que, em várias situações, a atualização ou a correção da nomenclatura científica se faz extremamente difícil.

Importante destacar que, ao lado dos elementos vegetais empregados na terapêutica dos nativos, empregavam também aqueles de origem animal – saliva, urina, fezes, gorduras –, além de unhas, dentes, ossos usados junto ao corpo como amuletos protetores contra doenças (Diegues Junior, 1976).

Desta maneira, entre os elementos culturais de origem indígena, africana e portuguesa calcados em suas crenças, estão os vegetais envoltos em aura sagrada, emprestando valor mágico à ritualização das práticas de cura, visando a devolver àquele que sofre algum mal o sentir-se curado.

2.5.1. Matriz indígena

Os grupos indígenas encontrados na costa brasileira pelos conquistadores eram tribos do tronco tupi, dando os primeiros passos na revolução agrícola. Já domesticavam plantas, retirando-as da condição de selvagens para lhes servirem de alimento, como diz Darcy Ribeiro (1995: 30), citando a mandioca que, ao aprender a extrair-lhe o veneno – ácido cianídrico – tornou-a comestível. Evidentemente, muitas outras espécies foram sendo gradativamente conhecidas, pois garantiam aos nativos o seu sustento.

Martius (1979: 43), no século XIX, ao avaliar e interpretar as qualidades, tanto psicológicas como físicas do índio brasileiro, pautando suas ideias de cunho médico nos princípios doutrinários de Hipócrates, conclui que eram pessoas de temperamento linfático, assim expressando:

> *Tendo pouco sangue nas veias, pouco calórico e turgor no corpo, limitado em todas as suas atividades intelectuais, que tanto influem para a vivacidade, vivem constantemente mergulhados na monotonia; nutrindo-se de alimentos grosseiros, pesados, mal cozidos e não adubados, além de terem fraco sistema nervoso, devem os brasis superabundar em humores crus.*

Martius (1979: 116) dividiu o Brasil em três zonas tropicais e uma extratropical, a considerar:

a) Bacia amazônica constituída de terreno baixo e úmido, onde predominavam doenças como: *exantemas febris, disenterias, hidropsias, ingurgitamento do fígado, do sistema porta e hepatites crônicas.*

b) *Compreende as províncias nordestinas: Ceará, Rio Grande do Norte, Alagoas, Pernambuco e Bahia.* Considerando esta região, *talvez, a mais sadia de todas,* acrescentando que, *nas proximidades dos rios sujeitos a enchentes, aos eflúvios pútridos que delas emanam, grassam as hepatites crônicas, já mencionadas sob a forma de febres tifoides ou biliosas* que começam depois da vazante, dizimando a população.

c) *Compreende as elevadas províncias de Minas Gerais, São Paulo, parte montanhosa da Bahia e as montanhosas províncias litorâneas de Porto Seguro, Espírito Santo, Rio de Janeiro, São Paulo e Santa Catarina. (...) dadas as características topográficas destas localidades, (...) por isso, aí, o caráter catarral e reumático é mais pronunciado e de certo modo acompanhado do bilioso. Catarros violentos, diarreias que se transformam em disenterias e as enterites que aparecem com frequência".* Quanto ao Brasil extratropical, compreendida este de *uma parte das províncias de São Paulo e do Rio Grande do Sul, habitado por poucas tribos Tupi e Guarani, nesses lugares a nosologia se aproxima da última descrita, predominando a constituição médica reumatismal inflamatória.*

As práticas de cura, a princípio, eram os próprios nativos que buscavam praticá-las junto a seus companheiros, admitindo agentes sobrenaturais agindo sobre o corpo do indivíduo e provocando doenças. No arsenal terapêutico estavam as plantas, como foi testemunhado pelos primeiros colonizadores em suas narrativas sobre os costumes médico-terapêuticos indígenas, no alvorecer do Brasil. Eram frutos, sementes, raízes, essências, bálsamos e resinas, partes lenhosas e brandas, que esmagavam com pedras, carbonizavam, pulverizavam, dissolviam, maceravam, coziam, para ingerir, aspirar, friccionar ou aplicar em cataplasma em uma série extensa de doenças, como inventariou Ordival Cassiano Gomes, segundo Thales Azevedo (1941: 267).

Em parte, deve-se às narrativas dos jesuítas embutidas nas cartas trocadas entre eles o conhecimento da fisionomia nosológica do índio brasileiro e de suas técnicas de cura que tanto influenciaram a medicina popular que conhecemos hoje. Destacamos a obra de Simão de Vasconcelos, A *vida e obra do padre Anchieta* (1943) [1672], em que se depara com as doenças de que eram acometidos os índios e suas maneiras de curar, assim como em sua *Chronica da Companhia de Jesus do Estado do Brasil: e do que obrarão seus filhos nesta parte do novo mundo*, editado pela primeira vez em 1663, em Lisboa. Cita-se, ainda, Serafim Leite, em *Cartas dos primeiros jesuítas do Brasil.*

Não cremos que tenha sido possível, logo no início da colonização, saber como os índios diagnosticavam e curavam suas doenças, visto que certamente se mantinham arredios, diante de situações tão novas para eles, disputando seu espaço com estranhos e, pior, sendo subjugados por estes. Acrescentamos, ainda, o medo de serem pegos para viver como escravos nas mãos dos brancos, fato que os levou a se esconderem a fim de proteger sua integridade física e espiritual, além de suas crenças, reverenciando seus ancestrais em rituais propiciatórios.

Havia os rituais de cura, as pajelanças, regidos pelos pajés com as credenciais que lhes cabiam, os quais foram se descaracterizando à medida que a catequese por parte de ordens religiosas infiltradas país afora ia os introduzindo na fé cristã. Lentamente os indígenas iam absorvendo traços de outros sistemas de crença que, com o tempo, foram se desenvolvendo no País. Egon Schaden (1969: 103) comenta sobre a substituição das cerimônias nativas pelas práticas de culto cristão, "(...) se é que não se trata de mero expediente, para melhor ocultar o apego à religião tribal ou a algum aspecto dela". Os pajés curadores eram tidos pelos colonizadores por feiticeiros. Fernão Cardim (1980: 87), no século XVI, assim se expressa: "Usam de alguns feitiços e feiticeiros, não porque creiam neles, nem os adorem, mas somente se dão a chupar em suas enfermidades, parecendo-lhes que receberão saúde, mas não por lhes parecer que há nelles divindade, e mais o fazem por receber saúde que por outro algum respeito".

Em Pedro Calmon (1935: 16), "O jesuíta foi o bandeirante da primeira hora: achou os rumos do sertão; o mameluco foi o bandeirante dos descobrimentos geográficos: internou o povoamento e deu à colônia um contorno continental." Foi quando teve início a caça ao índio, como diz Darcy Ribeiro (1995: 106):

> *O que buscavam no fundo dos matos a distâncias abismais era a única mercadoria que estava a seu alcance: índios para uso próprio e para a venda; índios inumeráveis, que suprissem as suas necessidades e se renovassem à medida que fossem sendo desgastados; índios que lhes abrissem roças, caçassem, pescassem, cozinhassem, produzissem tudo o que comiam, usavam ou vendiam; índios, peças de carga, que lhes carregassem toda a carga, o longo dos mais longos e ásperos caminhos.*

O indígena, no trabalho escravo, tornou-se legal pela Coroa Portuguesa, conforme consta das *Cartas de doação das capitanias hereditárias*, as quais declaravam que índios podiam ser vendidos em praça pública a fim de indenizar despesas da Fazenda Real (Fiabani, 2007).

Ainda no século XVI, o Vale do Ribeira é indicado como área habitada por povos de origem tupi, Carijó, de família linguística Guarani. Estes índios eram constantemente perseguidos pelos portugueses que, atraídos pela atividade mineradora que a região oferecia com o ouro de aluvião, caçavam os nativos a fim de escravizá-los e colocá-los a seus serviços, no trabalho do garimpo, conforme Santos (2006), em *Vozes do quilombo*. Acrescenta a autora que os indígenas, quando perseguidos, procuravam refugiar-se em locais de difícil acesso para os portugueses, criando aí agrupamentos de fugitivos.

Muitos paulistas, não seduzidos pelo ouro, preferiram tocar a atividade de capturar e negociar índios para trabalhar nas lavouras e nos engenhos. Os paulistas dos séculos XVI e XVII respiravam uma atmosfera saturada de sertanismo, comenta Alcântara Machado (Machado, 1978: 133-5) em *Vida e morte do bandeirante*:

Vindos de um mar desconhecido e, convivendo com os longos dias repletos de imprevistos, mistérios e riscos de toda sorte, o sertanista se comparava aos marinheiros. Diante do oceano, como diante do sertão, é o mesmo assombro. (...) Homem do mar e homem da floresta têm o mesmo temperamento, são igualmente simples e brutais, ingênuos e intrépidos. É alguém que vai resolutamente para o desconhecido. Acompanhavam as bandeiras, tanto meninos de pouca idade como velhos. Noventa anos tinha Manuel Preto, e sessenta e seis Fernão Dias Paes Leme, ao iniciar a jornada das esmeraldas.

Desde a chegada de Martim Afonso a São Vicente, em 1552, várias expedições se internaram pelo interior à procura de riquezas e de índios para escravizar. Conforme Paulo Prado (1925: 35), ao longo da faixa litorânea da colônia, saindo da Bahia, de Sergipe, do Ceará, do Espírito Santo, partiram muitas entradas que se converteram em caçadoras de nativos, a exemplo da entrada de Antônio Dias Adorno, retornando ao litoral com 7.000 selvagens capturados. Frei Gaspar Madre de Deus, em 1797, em sua *Memórias para a história da capitania de São Vicente*, escreveu: "Quando da invasão dos conquistadores, os guaanases não puderam acompanhar as tribos de sua nação que procuraram, em meio às florestas, um refúgio contra a escravidão e a morte".

Dadas as dimensões continentais do País e os diferentes grupos tribais espalhados por todo o seu território, a arte de curar entre eles cabia aos pajés investidos de poderes sobrenaturais, em vista de a medicina que praticavam ser essencialmente mágica, ligada às crenças em seus diferentes universos simbólicos. Eram denominados feiticeiros pelos jesuítas. Os pajés eram aqueles que intermediavam entre as divindades e as criaturas, por meio de adivinhações e profecias. Diziam estes que, se o doente, depois de submetido às terapias, não sarasse, seria abandonado à morte. Conforme Rodrigues (s/d), lê-se em *História da província de Santa Cruz*, de Pero de Magalhães Gândavo (1980: 141), impresso primeiramente em Lisboa, em 1576, o seguinte:

(...) quando algum chega a estar doente de maneira que se desconfia de sua vida, seu pai, ou mãe, irmãos ou irmãs, ou quaisquer outros parentes mais chegados o acabam de matar com suas próprias mãos, havendo que usam assi com elle de mais piedade, que consentirem que a morte o esteja senhoreando e consumindo por termos tam vagarosos. E o peor que he que depois disso o assam e cozem, e lhe comem toda a carne, e dizem que nam hão de sofrer que cousa tam baixa e vil como he a terra lhes coma o corpo de quem elles tanto amam (...)

Sobre os conhecimentos da arte de diagnosticar e curar da parte dos nativos, diz Lopes Rodrigues (s/d: 73):

(...) toda a materialização intuitiva de práticas e manejos que constituem o fundamento das técnicas médicas racionais já se esboçava no tino dos aborígenes, qual centelha do instinto que antecipa as emancipações da inteligência humana; meios antiflogísticos,

revulsórios, defumatórios, hipnóticos, excitantes e balsâmicos; o cautério, a diérese, a sangria, o clister, o emplastro, os antídotos ou contra veneno; o jejum, a dieta, a sobriedade alimentar; beberagens, tratamentos pela sugestão, finalmente, a eutanásia.

Ainda em Rodrigues (s/d: 75), os índios, a exemplo dos Camacan, usavam soprar os doentes com fumaça de tabaco e empregavam o emplastro de plantas mastigadas. Para a transpiração artificial, o doente se recolhia em sua rede e, sob esta, acendiam fogueiras ou utilizavam água sobre uma pedra quente para que a cura se desse com o vapor quente. Protegiam-se da picada de insetos, untando os corpos com vegetais odoríferos e coloridos como o urucum (*Bixa orellana* L. Bixaceae), prática que imaginamos profilática contra a malária.

Em carta de 1554 dirigida a Santo Ignácio de Loyola, em Roma, Anchieta narra a prática indígena representada por um feiticeiro: "chupam os outros quando estes sofrem alguma dor e afirmam que os livram da doença e que têm sob seu poder a vida e a morte" (Anchieta, 1984: 146).

A medicina indígena nas diferentes regiões brasileiras, nos primeiros tempos do Brasil, nos foi apresentada, não só pelos jesuítas, como por observadores que, geralmente, a analisavam com a suficiente depreciação dos valores culturais de cunho religioso que envolviam as práticas de cura, sempre em prol da santa fé católica. Descrevendo aquela gente de forma bastante generalizada, diz Gândavo (1980: 54), em 1576, em seu *Tratado da Terra do Brasil*: "(...) Não adoram cousa alguma nem têm pera si que ha na outra vida gloria pera os bons, e pena pera os maos, tudo cuidão que se acaba nesta e que as almas fenecem com os corpos, e assi vivem bestialmente sem ter conta, nem peso, nem medida".

O pouco conhecimento que os portugueses na realidade tinham dos costumes dos nativos se percebe, ainda, no autor acima referido, à página 14, quando deixa perceber que quase nada sabiam sobre suas práticas religiosas e de cura:

> (...) *nan me quis mais deter em particularizar alguns ritos desta, e outras nações diferentes que há nesta Provincia, por me parecer que seria temeridade e falta de consideração escrever em historia tam verdadeira, cousas em que por ventura podia haver falsas informações pela pouca noticia que ainda temos da mais gentilidade que habita terra a dentro.*

Martius (1979: 125), no século XIX, em *Natureza, doenças, medicina e remédios dos índios brasileiros* (1844), mantendo a mesma linha depreciativa dos comentaristas de tempos anteriores sobre as práticas médicas indígenas, diz: "A atividade do pajé, a estupidez e ignorância da multidão, fazem-no valer e sobressair como se ele fora de natureza privilegiada e mais elevada." Porém, em nota de Pirajá da Silva, tradutor e comentarista desta obra de Martius, citando Lévy-Bruhl, traz alguns esclarecimentos sobre os procedimentos do pajé na preparação do ritual de cura: "Nesse momento o diagnóstico se faz por intuição e, por conseguinte, sem erro possível. Consoante sua mentalidade, o paciente e os seus acreditarão cegamente". Assim, o diagnóstico não se faz mediante um exame ou comparação de sintomas físicos ou mentais, senão por intuição no estado de transe, por magia de adivinhação ou por métodos oraculares. São indiferentes ao exame dos sintomas físicos, porque "não é o corpo, nem são os órgãos visíveis que determinam a causa do mal: é a alma ou o espírito que está doente e, por isso, não há motivo para a observação dos sintomas visíveis. Nos casos difíceis, o primitivo se utiliza, como auxiliares do diagnóstico e do prognóstico, não só dos presságios, augúrios, consultas aos oráculos, mas, ainda, do hipnotismo e das visões em êxtase. O médico provoca o estado de êxtase em si mesmo e no enfermo por meio de sugestão, hipnotismo ou por meio de drogas, que fazem sonhar e são aquelas entendidas como estupefacientes".

2.5.2. As plantas medicinais nativas balsâmicas

Das plantas medicinais que mais chamaram a atenção dos colonizadores desde o século XVI, foram as espécies de propriedades balsâmicas, já tendo chamado a atenção para elas Fernão Cardim (1980: 39), relacionando uma série delas, a exemplo do "andá" usado para secar feridas; "aiabuti-pigta", cujo óleo usavam para untar o corpo dos enfermos; "cupaigba", ou a conhecida copaíba, cujo óleo é extraído das espécies *Copaifera guianensis* Desf., *C. reticulata* Ducke, *C. multifuga* Hayne (todas amazônicas), e *C. langsdorffii* Desf. (planalto central), carobinha-do-campo (*Jacaranda decurrens* Cham, Bignoniaceae) (Rizzini & Mors, 1976: 43,85). Lembramos ainda o urucum (*Bixa orellana* L. Bixaceae), que os indígenas empregavam sobre o corpo como repelente de insetos, além de agir como filtro da radiação ultravioleta do espectro solar. Para esses fins, pintavam o corpo com a tinta obtida do arilo vermelho veiculado em óleo, tanto animal como vegetal, visto a bixina, componente químico que, por ser insolúvel em água, é lipossolúvel (Rizzini & Mors, 1976: 154).

Sobre essa categoria de plantas, de onde extraíam óleo com os quais se untavam, os indígenas tinham grande conhecimento, mostrando, ainda, ao colono português onde elas medravam.

Complementando os exemplos acima, citamos as plantas da família Crassulaceae, conhecidas por "fortuna", cujas folhas, depois de aquecidas, são de ação antiflogística. Tal fato nos leva a constatar que estas práticas curativas à base de bálsamos perpetuaram até nossos dias na medicina popular no Brasil.

As plantas balsâmicas nativas foram incluídas no rol dos remédios chamados resolutivos pelo médico Francisco Antônio Sampaio (1969) [1782], em sua obra *História dos reinos vegetal, animal e mineral do Brasil, pertencentes à medicina,* e dentre elas estava o argueiro, também chamado "mulungu", cujas folhas cozidas eram usadas sobre a "parte resolúvel". Outras plantas usadas como resolutivas sobre as "partes lezas" são também mencionadas, tais como: fedegoso, malícia-de--mulher, malvas-do-campo, pimenta-malagueta, mentrasto, babosa e abutua. Nessa mesma obra, são mencionadas também outras plantas com as respectivas indicações terapêuticas, tal como vão abaixo reproduzidas, respeitando a grafia do autor. São elas:

- **Detergentes**: tanherom, mandioca, vassourinha, velame, crista-de-galo, erva passarinho, folha de fogo.
- **Ingrassantes** para uso interno: oyti, carrapixo chato, cipó de chumbo, cipó-de-minas, anduzeiro, orucu.
- **Adstringentes**: banana-verde e bananeira, pão-pomba, cajazeira, araçá-guayaba, genipapeiro, cajueiro.
- **Purgantes e eméticos**: batata, velame, ipecaquanha, gameleira, pinham, mamona, bucha--de-paulista, bucha-menor-de-paulista, areticumapé, cipó-de-ajuda, marinheiro, canafistola.
- **Desobstruentes**: jamvarandim, capeba, gravata de cama, sapé, leite de gambeleira, café, canela.
- **Contravenenos e febrífugos**: contraerva, dada, jurema, erva de bicho, mamoeiro-macho, tamarindo, raiz-de-jarrinha, pitangueira, pimenta-malagueta, pimenta comari, matapasto.
- **Diaforéticos**: gytirana, ninga, abóbora-do-mato, contraerva, cordão-de-são-francisco.
- **Antivenéreos**: salça, parrilha, caroba.
- **Anticolicos**: biquiba, andiroba, orelha-de-onça, abutua, almeciga do Brasil.
- **Antiespasmódicos**: mundobins, biquira.
- **Refrigerantes e temperantes** para o uso externo: coirama, erva- ou folha-da-costa, mariana, mandacaru, maxixe, cana-de-macaco, cana-de-açúcar, urucum.

A referência, neste capítulo do livro, às plantas balsâmicas, deveu-se à indicação, segundo entendemos, de plantas que, de uma forma ou de outra, teriam ação no sistema nervoso central, segundo as indicações terapêuticas relacionadas por Sampaio, como anticólicos e antiespasmódicos.

Obs.: Não acompanham as identificações botânicas os nomes vulgares mencionados, visto que qualquer menção a elas seriam apenas hipóteses.

2.5.3. Plantas psicoativas

Como já visto na Parte I deste livro, recordamos a importância da qual se investiram as plantas psicoativas, em meio às crenças voltadas ao sobrenatural, entre as velhas civilizações que foram se sucedendo pelos séculos. Desde os primórdios da escrita nas regiões mesopotâmica e egípcia, seguidas da grega e românica, até atingirem incólumes os períodos medievais e renascentistas europeus, que a mandrágora (*Mandragora officinalis* Mors.), o meimendro (*Hyoscyamus niger* L.) e a beladona (*Atropa belladonna* L.), as três espécies da família botânica Solanaceae, permanecem como ingredientes certos dos bruxedos tão em voga em Portugal no século XVI. Eram tais bruxedos que apavoravam os colonizadores, visto ter sido o Brasil rota de fuga dos feiticeiros fugidos do Tribunal da Inquisição, antes da unificação das coroas espanhola e portuguesa (1585-1640).

No Brasil, os representantes da bruxaria em Portugal não tiveram dificuldade em encontrar na nova terra conquistada os sucedâneos para aquelas espécies de Solanaceae. Foram elas: figueira-do-inferno (*Datura stramonium* L. Solanaceae) e trombeteira (*Brugmancia suaveolens* L.), apresentando em sua composição química os mesmos princípios ativos das espécies usadas na Europa: atropina, escopolamina e hiosciamina, alcaloides tropânicos de atividade no sistema nervoso central que levam os usuários a estados alterados de consciência, aqueles ideais para o contato com o sobrenatural, espécies já usadas pelos xamãs da América do Sul, na medicina e em ritos mágico-religiosos, segundo Davis (1986) e Schultes *et al.* (2001). Dentre outras, também está o guaraná (*Paullinia cupana* var. *sorbillis* (Mart.) Kunth.).

A avelã europeia usada nos bruxedos foi substituída pela cápsula que envolve o fruto e as sementes de pinhão-de-purga (*Jathropha curcas* L. Euphorbiaceae), evacuante drástico, conforme confissão durante a *Primeira Visitação do Santo Ofício nas partes do Brasil*, ocorrida na Bahia em 21 de agosto de 1591, por Guiomar Oliveira, cristã-velha. A confessante fez referência à desterrada Antônia Fernandes, cristã-velha conhecida por Nóbrega, que havia ensinado a preparar um pó feito com três pinhões, que, nesta terra, serve de purgante.

> *Perfurava-se a fruta com alfinete e se retirava a medula, para logo recheá-la com pelos do corpo da confessante e das unhas de seus pés e mãos e raspas da sola dos pés. Assim cheios os três pinhões, eram os mesmos tostados e reduzidos a pó, que a confessante colocou no caldo de galinha e deu a beber a João Aguiar, casado, que era seu marido, para garantir a estabilidade do casamento.*

As sementes desta espécie botânica têm em sua composição química uma toxoalbumina – curcina – daí o efeito drástico, podendo levar o usuário a óbito.

São consideradas plantas psicoativas aquelas que apresentam em sua composição química substâncias de ação no sistema nervoso central, conforme já referido anteriormente.

A categoria de plantas perturbadoras do SNC, referidas acima, representa as espécies que podem proporcionar estados alterados de consciência e que, em contextos religiosos, cumprem o papel de propiciar o contato com o sobrenatural, momento quando se deparam com representações simbólicas, cujas interpretações variam segundo os sistemas de crença envolvidos, considerando-se evidentemente aqueles que se caracterizam pelo desenvolvimento da mediunidade, a exemplo das religiões afro-brasileiras.

Nas práticas de cura de origem e influência indígena, as plantas psicoativas têm por papel o estabelecimento de uma relação entre as atividades biológicas decorrentes dos princípios ativos que encerram e as crenças no sobrenatural, por meio do qual são determinadas as causas das doenças e as orientações de cura. Neste sentido, para melhor se estabelecer essa relação, deve ser levado em consideração como são consumidos os preparados, visto que as substâncias ativas contidas nas plantas são absorvidas pelo organismo por diferentes meios, tais como:

a) por inalação através da fumaça obtida da planta cremada em incensórios, cigarros, charutos e cachimbos;

b) por meio da aspiração pelas narinas de plantas reduzidas a pó (rapé);

c) pelo uso tópico por meio de banhos, aplicação sobre a pele sã ou escarificada;

d) pela ingestão.

No entanto, as respostas alucinatórias ao consumo de plantas psicoativas vão depender de sua composição química, sua dosagem e das zonas atingidas no SNC.

Com respeito ao uso de plantas capazes de alterações comportamentais, é importante que sejam consideradas as determinantes culturais que influenciam na resposta alucinatória. Fica claro que os valores culturais ligados ao seu uso devem apresentar variantes na fenomenologia do quadro de intoxicação. Neste caso, pode-se imaginar, como exemplo, o uso de uma bebida ritual consumida em um ambiente dominado por indígenas em seus próprios ambientes culturais, e a mesma bebida consumida no meio urbano por indivíduos desvinculados daqueles ambientes. À atividade biológica cientificamente conhecida que possa ocorrer, soma-se a influência de elementos culturais que vão permitir, ao ingerir aquela bebida, vivências alucinatórias diferentes.

Lembramos que as substâncias de ação no SNC podem estar em concentrações variáveis em qualquer das partes das plantas – raiz, caule, folha, flor, fruto, semente –, razão da indicação da parte da planta a ser usada para as respectivas manipulações.

Conhecedores dos efeitos tóxicos das plantas, os Kaiapó, da aldeia Gorotire, cultivam plantas que são consumidas cremadas, tal como o tabaco (*Nicotiana tabacum* L. Solanaceae), ao qual juntam folhas de amendoim (*Arachys hypogaea* L. Fabaceae), de gengibre (*Zingiber officinale* Rosc. Zingiberaceae), socadas, para que o cigarro fique menos tóxico, ao ser fumado em um pito longo (Kerr, 1987: 170).

Na Amazônia, os índios usam rapé preparado com as sementes e casca de *Anadenanthera spp.* Fabaceae, espécie também conhecida por paricá, kurupa, cohoha, yopa, yupa, yop, niopo, vilca, huillca, sebil, hatax, jataj, reduzidos a pó e aspirados pelas narinas por meio de um instrumento feito de tíbia de ave.

Vários outros autores já trataram desses assuntos, tais como: Gillean T. Prance (1972), em um estudo comparativo entre quatro tribos indígenas da Amazônia brasileira; José L. Amorim (1974), sobre plantas alucinógenas americanas; Nunes Pereira (1974, 1980), sobre comidas, bebidas e tóxicos da Amazônia brasileira; Vera Coelho (1976), sobre os alucinógenos e o mundo simbólico; Lewis & Elvin Lewis (1977), sobre a toxicidade das plantas rituais entre povos primitivos; Gonçalves de Lima (1975), sobre um estudo etnobiológico de bebidas e de alimentos fermentados primitivos; Carneiro (2002), que tratou dos alucinógenos e a História da Botânica e da Farmácia entre os séculos XVI e XVIII, dentre outros.

Muitas plantas psicoativas ensinadas pelos indígenas a partir do período colonial passaram para a farmacopeia adotada na medicina popular que conhecemos hoje, no Brasil, não só nas poções medicinais – chás, cozimentos, colutórios, xaropes etc. –, mas como componentes de bebidas rituais que, por influência dos sistemas religiosos indígenas, estão presentes em sistemas de crença que se desenvolveram no País, nos quais o trabalho com a mediunidade tem seu ponto alto, como veremos mais adiante.

Provavelmente, tudo teria começado quando o humano primitivo buscava, na seiva de plantas, o mitigador da sede, por vezes doce e nutritiva, como salienta Lima (1975: 1-19). Este autor acrescenta que o interesse do ser humano pelo sabor doce com o uso de plantas suculentas vem desde tempos remotos, e em especial em regiões secas onde se buscava água em reservatórios biológicos constituídos de vegetais. Povos indígenas da mais elevada cultura nas Américas deixaram registrados em documentos pré e pós-hispânicos, a exemplo do Chilam Balam – *Coletânia de textos maia* –, a importância de certas plantas dessedentoras nas fases críticas de suas vidas nacionais.

O aproveitamento do sumo vegetal foi muito difundido em regiões tropicais, obtido diretamente de frutos, como ocorria com o cacau, bebida corrente na Guatemala, assim como entre os indígenas da desembocadura do rio Juruá, observado por Martius (1966), conforme Lima (1975: 41-2), onde a planta do cacau era nativa.

Nenhuma outra palmeira da Hileia Amazônica terá sido mais útil ao indígena do que o mirici (*Mauritia flexuosa* L. Arecaceae), diz Gastão Cruls (1976: 296, 298):

> *E, se a água não houvesse pelos arredores, a própria palmeira lhe daria na seiva de seu caule a mais deliciosa das bebidas, um vinho extremamente doce, tão doce que, engrossado pela evaporação, se transforma em mel e este em açúcar e, se fermentado, passa a ter efeitos ebriáticos (Cruls: 1976: 67). De seus frutos, segundo este autor, é possível se obter uma bebida muito doce e que, fermentada, torna-se um dos apreciados "caxiris", comuns principalmente na região do rio Negro. Caxiri na região amazônica parece ser designativo de bebida fermentada, visto que se dá o mesmo nome para aquela preparada com mandioca. Com o milho, nas regiões onde a mandioca não se desenvolve como na região guianense, em seus altiplanos, é preparado o "paiuru", o correspondente de nosso "caxiri". (Lima, 1975)*

Há forte evidência de que os processos fermentativos que ocorriam na manipulação de plantas pelo humano primitivo, como veremos mais adiante, passaram a ser a base dos preparados que ele passou a utilizar desde eras perdidas no tempo. Pesquisas arqueológicas já demonstraram que, naquele período pré-histórico, o humano já os conhecia. Pinturas rupestres deixam evidenciar práticas de xamãs em estados alterados de consciência, como indicativo de ter existido um complexo xamânico boreal do êxtase, conforme Carneiro (2002: 167), citando Jean Clottes e David Lewis-Williams com a obra *Chamanes de la Préhistoire. Transe e Magie dans les Grottes Ornèes*.

Certamente, nas Américas, a figura do xamã era uma realidade, tendo em vista suas práticas de adivinhação com o uso de plantas psicoativas, as quais foram rechaçadas pelo colonizador (Carneiro (2002). O xamanismo existe desde tempos imemoriais e ainda é praticado em comunidades que buscam viver em harmonia com a natureza. Desde os primórdios da humanidade, ou seja, na etapa da organização e produção social, chamadas primitivas, constroem-se sistemas de ideias que forneçam explicações sobre o mundo e o ser humano, vida, o sofrimento e a morte. Assim, nasceram a magia, os ritos, os mitos e os deuses (Camarena, 1988).

Procedimento semelhante ao adotado pelos povos da Mesopotâmia e Egito a partir dos pães de cerveja para a preparação de suas bebidas fermentadas de teor alcoólico é o da preparação de bebidas nas Américas, com grãos de milho. Eles são colocados de molho em água, até sua germinação, para, depois, iniciar a mastigação, como ocorreu com alguns grupos andinos. Tal prática também teria sido desenvolvida pelos índios camacã, um ramo Gê do baixo rio das Contas e Pardo (Métraux, 1928: 197-8), que adotavam a maltação, com as sementes de milho germinadas para a elaboração de seu "tapui". Procedimento semelhante ao adotado por estes povos antigos no preparo dos pães de cerveja era comum entre os indígenas brasileiros, a exemplo do *mbeiu-ticanga* para o "caxiri". São beijus secos, como biscoitos, torrados duas vezes, feitos de mandioca insalivada pelo processo mastigatório e armazenado envolto em folha de bananeira. Por esse processo, o cozimento se dá por si mesmo, ao calor da própria fermentação, devido à ação microbiana de bactérias e fungos, até se transformarem em pão de viagem e fermento de duração. Estes pães eram levados em viagens a fim de serem usados em diluição aquosa, para a obtenção de uma bebida fermentada refrescante. Também os maias preparavam algo parecido com milho, ou seja, uma espécie de bolo que levavam os "caminantes y navegantes, grandes pelotas que duran algunos meses con las que se hacían bebidas (…) y que se beben aquella sustancia y se comen lo demás y que es sabroso (Lima, 1975: 144, 148, 251, 256)"[41].

Dentre as plantas psicoativas mais representativas da flora brasileira de uso em rituais de influência indígena, em diferentes seguimentos da medicina popular, estão:

- **Ayahuasca** – *Banisteriopsis caapi* (Spruce ex Griseb.) R. E. Schultes; *B. inebrians* Morton; *B. rusbyana* (Ndz.) Morton Malpighiaceae.
- **Chacrona** – *Psychotria viridis* R. et P. Rubiaceae.
- **Dorme-dorme** – *Mimosa pudica* L. Fabaceae.
- **Figueira-do-inferno** – *Datura stramonium* L. Solanaceae.
- **Guaraná** – *Paullinia cupana* H. B. K. var. *sorbilis* Ducke. Sapindaceae.
- **Gitirama** – *Ipomoea purpúrea* L. Convolvulaceae.
- **Jurema** – *Mimosa hostilis* Benth. Fabaceae.
- **Manacá** – *Brunfelsia uniflora* D. Don. Solanaceae.
- **Maracujá** – *Passiflora edulis* Simis.; *Passiflora alata* Driand Passifloraceae.
- **Mulungu** – *Erythrina spp.* Fabaceae.
- **Paricá** – *Anadenanthera peregrina* (L.) Benth. Fabaceae.
- **Tabaco** – *Nicotiana tabacum* L. Solanaceae.
- **Trombeteira** – *Brugmancia suaveolens* Solanaceae.

---

41. "caminhantes e navegadores, grandes bolas que duram alguns meses, com as quais faziam bebidas (…) e que se bebe aquela substância e que se come outras, e que é saboroso".

Mulungu foi uma planta que despertou em nós grande interesse em desenvolver pesquisa, visto a influência africana no próprio nome "mulungu", termo próprio da etnia banto, cujos representantes vieram para o Brasil na condição de escravos, no século XVI. Estes indivíduos desempenharam importante papel nas trocas culturais ligadas aos sistemas de crença e à medicina popular, assunto que abordaremos na parte deste livro que trata da matriz africana.

Sobre o "mulungu", Schultes (2001: 42, 69) o relaciona à *Erythrina spp.*, apresentando efeitos semelhantes aos do curare usado por índios da América do Sul, em dores reumáticas e como narcótico. É possível admitir estes efeitos à ação dos alcaloides de atividade alucinogênica, ou dos glicosídios cardioativos de ação sobre o músculo cardíaco.

Importante darmos destaque ao tabaco (*Nicotiana tabacum* L. Solanaceae), cujo uso vem sendo primordial desde os antigos indígenas americanos, até nossos dias, e empregado em práticas de cura, em diferentes ambientes da medicina popular.

2.5.3.1. Tabaco

O tabaco (*Nicotiana tabacum* L. Solanaceae) apresenta em sua composição química o alcaloide nicotina de ação no SNC, como estimulante e também no sistema digestório, provocando diminuição da contração do estômago e dificultando a digestão (CEBRID s/d: 41).

Sítios arqueológicos na América do Sul apontam vestígios do tabaco utilizado de diversas maneiras pelos indígenas, em períodos que antecederam a chegada dos colonizadores, embora se saiba que, entre os habitantes dos altiplanos do Peru, da Bolívia e do Chile, onde existe o hábito de mascar coca, não era comum esse uso, segundo Cooper (1987: 102). Acrescenta este autor que o uso do tabaco em charutos e cigarros prevaleceu, também, nas Antilhas e na América Central. Diz Cooper que os charutos e cigarros podiam ser enrolados em folhas de fumo, de milho e de bananeira, assim como na entrecasca de árvores. Conta também que, no Panamá, os charutos eram fumados com a ponta acesa junto à boca do fumante, para soprar a fumaça no rosto das pessoas. Esta maneira de soprar fumaça é encontrada nos catimbós, rituais de influência indígena, geralmente, ligados às curas, comuns no nordeste do Brasil, onde se usa, além do tabaco, a jurema (*Mimosa hostilis* Benth. Fabaceae), misturada ou não a outras plantas, fumados em cachimbo, não em charuto, colocando na boca a extremidade acesa. Este costume estendeu-se também a rituais afro-brasileiros.

O tabaco foi elemento essencial nos ritos mágico-religiosos entre os índios da América tropical. Enrolar o tabaco e acender, fumá-lo e mandar a fumaça para os céus e para os espíritos invisíveis eram procedimentos comuns entre os pajés, como diz Metraux (1994):

> (...) *el cigarro de tabaco torcido es el atributo de los chamanes indoamericanos.* (...) *La fuerza del brujo es con frecuencia asimilada a soplo, y el tabaco materializa ese soplo, añadiéndole virtudes complementarias. Aliento y humo tienen uno y otro poder*

purificador y vivificante. En ceremonia mágica soplaban humo sobre los otros indios, diciendo: Recibid el espíritu de la fuerza.[42]

Conforme Rodrigues (s/d: 75, 77, 82), entre os indígenas, os representantes da arte de curar eram os "pajés", "piagas" ou "caraíbas". Entre os camacã, havia o hábito de soprar os doentes com fumaça de tabaco. Em uma das práticas de cura estava aquela em que o pajé se utiliza de uma cabaça ornada de orelhas, boca, nariz e olhos que enchiam de fumo que sustentavam em uma flecha, acendendo o conteúdo desta, de onde sorviam a fumaça até perturbarem os sentidos. Já tontos, usavam de palavras cabalísticas que, interpretadas pelos assistentes, eram ordens sagradas. Com uma cabaça cheia de pedrinhas, começavam a sacudi-la, a dançar e a cantar noites inteiras, momento em que faziam previsões.

2.6. Sistemas de crença de influência indígena

Os sistemas de crença no Norte e no Nordeste brasileiro são os que mais deixam evidente a presença da influência indígena nas práticas de cura e, mesmo quando emigradas para outros centros urbanos, denota-se a força do traço indígena. Porém, acrescentamos que, decorrente do convívio do índio com o colono português e, particularmente com os jesuítas, no período colonial, os nativos absorveram muito dos aspectos culturais religiosos trazidos por eles. Neste sentido, lembramos que outras missões religiosas que se seguiram aos jesuítas procuraram introduzir novas visões de mundo àqueles indivíduos que, à margem dos centros ditos civilizados, foram incorporando aos seus antigos costumes tribais. Neste sentido, lembramos Paula Monteiro (1985), na análise que fez das etnografias produzidas pelos salesianos no Brasil, no final do século XIX até meados do XX, indicando atuações bem diferenciadas das adotadas nos séculos passados pelos jesuítas, pelo tempo em que permaneceram no País.

Dos sistemas de crença de influência indígena no Nordeste e Norte brasileiros, citamos a pajelança e o catimbó.

2.6.1. Pajelança

A pajelança, por carregar o estigma de charlatanismo, foi no século XIX muito reprimida pela Igreja Católica, por associar as religiões mediúnicas à demonolatria (Carvalho, (1989: 4).

---

42. O charuto do tabaco torcido é o atributo dos xamãs indígenas americanos. (…) O poder do xamã é muitas vezes assimilado como sopro, e o tabaco materializa esse sopro, acrescentando nele virtudes complementares. Esse sopro e o fumo têm, ao mesmo tempo, poder purificador e revigorante. Na cerimônia mágica, soprava-se fumaça sobre os outros índios, dizendo: Recebei o espírito da força.

Maués (2007), abordando a pajelança cabocla amazônica, diz tratar-se de um culto de natureza xamânica indígena, praticada por grupos tribais da Amazônia e de outras regiões do País. Segundo este autor, o caráter xamânico configura-se pelo fato de o pajé ou curador ter "companheiros de fundo", os "caruanas", entidades nele incorporadas durante as sessões de cura. Cita, ainda, alguns pajés considerados melhores e com poderes de realizar viagens "pelo fundo" das águas, morada dos "caruanas" ou "encantados do fundo", onde aperfeiçoam os conhecimentos terapêuticos. Segundo este autor, os integrantes dos grupos que a praticam se consideram católicos ou pentecostais, segundo a predominância de traços dessas religiões e de outras, como da umbanda, do catimbó nordestino, do kardecismo e outras influências de matriz africana.

Em Napoleão Figueiredo (1976: 156),

> (...) a pajelança que era urbana (...), através da ação policial foi afastada para as colônias agrícolas e, com ela, os pajés. Com a abertura de Tendas e Searas de Umbanda e de terreiros de Batuque naquela cidade, devidamente legalizados (...) os pajés voltaram a se instalar na periferia da cidade e ao longo da estrada Bragança-Vizeu.

Acrescenta Figueiredo, à página 156, que em um pequeno altar estão santos católicos, velas, defumador, garrafas com guaraná, cerveja, vinho tinto, cachaça e os cigarros de tauari (*Couratari tauary* Berg. Lecythidaceae)[43], planta psicoativa. Ainda este autor, na mesma obra, em um estudo sobre a pajelança cabocla no Pará, apontou a influência do catimbó nesse experimento religioso em decorrência da imigração de nordestinos para aquela região da Amazônia, fugidos da seca, a partir da metade do século XIX. Assim, como mostra Figueiredo, este experimento religioso,

> (...) surgido no Nordeste brasileiro e resultante da integração dos sistemas de crenças de que eram portadores o indígena subjugado, o negro importado e escravizado e o português colonizador, que em tempo algum abriu mão dos padrões básicos de sua cultura, na tônica do processo civilizatório que atravessava: a língua, a religião, as instituições políticas, administrativas, sociais e morais, a organização social, a maneira de construção de povoados e vilas, a arquitetura civil, militar ou religiosa, a vida em família e o espírito tradicionalista.

Figueiredo, ao estudar este experimento na região de Bragantina PA, na década de 1970, diz que, neste sistema de crença, tudo gira em torno dos espíritos dos "mestres de cura" que moram nas "encantarias", localizadas nas matas, nas águas (doce e salgada) e no ar, agrupados em linhas, nações, povos ou tribos, sendo os intermediários entre os humanos e os santos, em reuniões denominadas "mesa". As sessões realizavam-se na casa do pajé ou na do consulente. Na casa do pajé, há sempre um altar com santos católicos, velas, defumadores e garrafas com guaraná.

---

43. Tauari (*Courtaria tauary* Berg. Lecythidaceae). Usa-se o líber da casca no lugar do papel de cigarro (Le Cointe, 1947).

Na "sessão de mesa", o pajé invoca os mestres, portando um maracá, enquanto pessoas da família acendem os cigarros, servem a bebida e defumam o ambiente. Reza-se Ave Maria e Padre Nosso; em seguida, chamam os encantados e começa a "descida" dos "visitadores de linha". Estes são os preparadores dos corpos dos pacientes, a fim de serem tratados pelos "mestres de cura". As consultas são para casos de amor, insucesso nos negócios, inveja, doenças, mau-olhado etc. Começando as consultas, são indicadas receitas para cada caso, nas quais são empregadas ervas, raízes e sementes, preparados com os quais fazem as defumações e os banhos. Quando os casos são produtos de serviços feitos para o mal por outro pajé, o "visitador da linha" os desmancha, sugando partes do corpo, quando retira insetos, vermes etc., os causadores do mau. Em seguida, receitam banhos e defumam os corpos com a fumaça do cigarro de tauari, colocando a boca no local onde a planta está queimando.

Ferretti (1996) analisa a representação do índio em terreiros de Mina, em São Luís-MA, mostrando que, no Tambor de Mina, as entidades espirituais indígenas são "acabocladas", recebidas como "selvagens" no Tambor de Índio, Borá ou Canjerê, realizado em terreiros que têm linhas de Mina e de Cura (pajelança). Acrescenta a autora que, naqueles rituais, as entidades indígenas são associadas a santos católicos, invocadas para combater "forças negativas". Cita exemplo de uma sessão de pajelança, cuja "pajôa" se apresenta com adornos de pena de arara e portando uma cabaça – maracá – em "brinquedo de cura[44], no terreiro de candomblé *Ilê Axé Ayrá*, em São Luís do Maranhão. Também o uso de maracá e o cigarro de tauari[45] (*Couratari tauary* Berg. Lecythidaceae) enrolado em papel de embrulho, usado por curadores ou pajés, em terreiros do Pará, conforme documentou Mundicarmo Ferretti[46].

Em se tratando da Região Norte, Roger Bastide (1974) diz ter encontrado, na Amazônia, tribos de índios, tendo como chefe supremo ou por sacerdotes mágicos, negros fugitivos. Acrescenta que, no Nordeste, o catimbó ou cachimbo, como também é conhecido, é uma realidade indígena, assim como a pajelança que, ao receber contribuição negra, criou uma outra pajelança, chamada de "linha africana".

Araújo (1990: 37) narra uma apreensão em 24 de abril de 1878, em um local onde ocorria uma pajelança dirigida pelo negro Estevão, em uma festa de pajés entre um grupo de aquilombados.

---

44. Cura ou brinquedo de pena e maracá é de origem ameríndia. A cura realiza-se, hoje, em numerosos terreiros de mina em São Luís, abertos por curadores (pajés), sob comando do pai ou mãe de santo, podendo ser também realizada por outros membros do terreiro, em suas residências. Na Casa Fanti-Ashanti, o ritual de cura é realizado pelo pai de santo Pai Euclides e alguns dos filhos de santo que têm encantado de linha de "água-doce" (Ferretti, 1991). Ver bibliografia.

45. Originariamente, o cigarro de tauari compreendia aquele que, na Amazônia, os índios usavam o paricá, obtido da casca de *Anadenanthera peregrina* (L.) Benth. que, reduzida a pó, é aspirada pelas narinas por meio de instrumento apropriado, ou fumado em cigarro enrolado na entrecasca do taurim (*Couratania taury* Beer).

46. Foto da coleção Mundicarmo Ferretti (2007).

2.6.2. Catimbó

O que se sabe sobre o surgimento do catimbó e sua história foi narrado e descrito por cronistas e viajantes a partir do século XVI. Vasculhar essa documentação foi tarefa exaustiva, encetada por Luiz Assunção (2006). Só assim podemos dar conta do seu início. Este autor comenta que foi a partir da década de 1920 que passou a ser objeto de pesquisa. Sem dúvida, merece louvor a pesquisa de Câmara Cascudo, focando o assunto, seguido de outros estudiosos, como Gonçalves Fernandes, Mário de Andrade, Roger Bastide e Artur Ramos.

As Regiões Norte e Nordeste são as que mais perpetuam a influência indígena nas práticas de cura. Porém, decorrente do convívio do índio com o colono português e, particularmente com os jesuítas no período colonial, o indígena absorveu muitos traços da cultura europeia, como ocorreu no catimbó nordestino estudado por Cascudo (1951), principalmente no que tange à feitiçaria, assunto já tratado anteriormente.

A imigração de nordestinos para a Amazônia, fugindo da seca e da fome, a partir da segunda metade do século XIX, foi intensa. Eram eles maranhenses, rio-grandenses do norte, paraibanos, piauienses, pernambucanos e alagoanos, segundo Napoleão Figueiredo (1976: 154). Este autor comenta que, com a chegada do nordestino à Amazônia, chegou o catimbó,

> (...) *experimento religioso surgido no nordeste brasileiro e resultante da integração dos sistemas de crenças de que eram portadores o indígena subjugado, o negro importado e escravizado e o português colonizador que em tempo algum abriu mão, onde quer que se instalasse, dos padrões básicos de sua cultura (...).*

Além dessas regiões, outras assistiram ao encontro das três principais matrizes influenciadoras nas práticas rituais tanto de cura, como dos propriamente religiosos. Nesses rituais, efetivamente as plantas tinham destaque como imprescindíveis em determinadas situações ritualísticas. Foi quando plantas conhecidas de bantos e sudaneses em África foram aqui substituídas por aquelas aprendidas com os indígenas que, também, as empregavam nas práticas médicas e em rituais de cunho religioso. Elas foram também levadas para a África com os negros que posteriormente retornaram à pátria mãe ou mesmo pelos portugueses que, desde o começo da colonização, transitavam com elas para baixo e para cima do continente africano.

Catimbó compreende um sistema de crença, predominante de influência indígena, bastante estudado por Câmara Cascudo (1951), em *Meleagro*. Entendeu este autor que o catimbó no Nordeste do Brasil permanecia inalterado na confiança popular, com suas receitas vegetais, despachos, tecendo amor, provocando a morte. Entendeu que a feição mais decisiva dessa manifestação era a da feitiçaria europeia, onde dispensava a iniciação. Porém, salientou que o feitiço não tinha nada a ver com o diabolismo bruxo europeu, com suas invocações e pactos com demônio. Acrescentava que, no íntimo do catimbó, estava a presença dos ensinamentos sobre a flora transmitidos pelos índios, sendo que seus mestres foram ex-escravos, cujas vidas sem história ressurgiam como soberanos nos reinos da Vajucá e de Juremal. Os mais antigos mestres do catimbó eram negros. Segundo Cascudo, teria sido influenciado, na primeira fase, pelo catolicismo e, posteriormente, na época de sua pesquisa, pelo espiritismo com seu vocabulário, cerimonial e dialética catequizante (Cascudo, 1951).

A fitolatria, com destaque para a planta jurema, era um dos pontos altos do universo catimbozeiro, cujo nome catimbó era moderno, quando Cascudo, em 1928, iniciou sua pesquisa. Nos séculos XVIII e XIX, segundo ele, dizia-se "beber jurema" ou "adjunto da jurema", entendido como reunião, sessão ou agrupamento. Faziam a bebida com a jurema (*Mimosa hostilis* Benth, Fabaceae) e bebiam-na. Era remédio, alegria, desabafo e sublimação. Bebiam, amavam, sonhavam em reuniões clandestinas.

Segundo Assunção (2006), citando Bastide (1945: 205), "o catimbó não passa da antiga festa da jurema, que se modificou em contato com o catolicismo".

A jurema, por meio da possessão, fazia perpetuar a memória dos mestres que viveram em Pernambuco e na Paraíba naqueles séculos e mesmo antes. Eram dotados de poderes extraordinários, podendo tornar-se invisíveis, atravessar quarteirões com um único salto, ser videntes, curadores, telepatas (Carvalho, 1989). "Beber jurema" continuou como sinônimo de feitiçaria e de reunião catimbozeira.

As plantas que curam conhecidas dos pajés juntavam-se às tradições do bruxo europeu e do negro, também grande conhecedor dos segredos das ervas, assumindo a posição do mestre orientador, o dono dos segredos, uma constante etnográfica de grande poder psicológico, segundo Cascudo. Acentuava-se o receituário de procedência vegetal, chás, infusões, fricções, fumigações, ou traziam junto ao corpo um amuleto, orações fortes, lasca de jurema ou outra madeira sagrada que tivesse passado pelas cerimônias votivas.

O fundamento da magia no catimbó, conforme Cascudo (1951), ligava-se à velha concepção universal da continuidade simpática. Entendia-se que o ser humano era uma unidade indivisível e tudo que lhe pertencia ou sofria contato fazia parte de seu todo, como roupa, cabelo, sangue, saliva, unha etc., constituindo elemento vivo, mesmo depois de destacado e distante do corpo. Qualquer ação sobre esses fragmentos refletiria sobre a pessoa.

Cascudo (1951: 27) refere-se ao catimbó nordestino, que estudou cuidadosamente os diversos aspectos dos usos e costumes a ele relacionados, dizendo tratar-se da fusão de elementos culturais europeus, africanos e indígenas. As práticas mágicas, processos de encantamento, orações, segundo ele, são da bruxaria europeia. O emprego das plantas medicinais conhecidas dos pajés somou-se às tradições do bruxo europeu e do negro, estes também grandes conhecedores dos segredos das ervas.

Comparando-se a pesquisa do catimbó na Amazônia, estudada por Figueiredo (1976), com a realizada por Câmara Cascudo (1951) em sua antológica obra *Meleagro*, em meados de século XX, no Rio Grande do Norte, nota-se a adaptação do fenômeno mágico-terapêutico próprio deste sistema de crença, o catimbó, aos elementos culturais presentes em ambas as regiões. Percebe-se que os elementos usados, descritos por Napoleão Figueiredo (1976), já não eram os mesmos citados por

Cascudo, quando este dá destaque ao fumo (*Nicotiana tabacum* L.) "a marca provocadora do transe e a jurema (*Mimosa hostilis* Benth.), com a qual era preparada a bebida ritual a que chamavam "cauim", à base de água ardente e raiz de jurema, consumido enquanto o "mestre" fumava em um cachimbo feito da raiz da mesma planta.

Sobre Catimbó nordestino, recordarmos a pesquisa que Cascudo encetou sobre esse sistema de crença, visando ao estudo da magia branca no Brasil, ao lado de Mário de Andrade, este com interesse particular em buscar subsídios para seu estudo sobre a atividade terapêutica da música de feitiçaria. Em um estudo comparativo (Camargo, 2011: 129) de ambas as obras: *Meleagro* de Câmara Cascudo e *Namoros com medicina* de Mário de Andrade, a autora chegou à seguinte conclusão: Câmara Cascudo atribui aos cantos das melodias do catimbó o poder da ação psicológica e fisiológica em indivíduos imbuídos de fé, nos poderes dos "mestres" curadores, deixando a impressão de que ele atribui tal poder mais à emissão do som vocal do que às letras propriamente ditas, embutidas nas melodias cantadas. Em contrapartida, Mário de Andrade valoriza mais o papel do ritmo rebatido do maracá.

Diante da posição aventada por Cascudo quanto à atividade terapêutica da música vocal, atribuindo mais importância à emissão de som do que à própria letra da música cantada, nos faz lembrar do hábito de rezadeiras em ambientes de igrejas católicas, ao recitarem enormes ladainhas. Estas, compreendidas de infindáveis repetições de palavras pleonásticas, levando-as a quase estado de torpor, possivelmente devido à monotonia da situação e a rapidez com que balbuciam as palavras. Neste sentido, Huxley (1984: 87) comenta que, cantos contínuos e prolongados podem propiciar prolongadas suspensões da respiração, levando a expirar mais ar do que inspirar, ao produzir uma elevada concentração de CO_2 nos alvéolos pulmonares e no sangue. Tal mecanismo leva a uma diminuição da eficiência do cérebro, "como válvula redutora que permite acesso à consciência, tornando possível experiências visionárias". Lembra este autor a verdadeira finalidade das palavras mágicas, ladainhas, salmos, sutras etc. Neste caso, por que não concordarmos com Cascudo?

2.7. Bebidas rituais em contextos religiosos de influência indígena

Importantes na cultura de povos primitivos foram as técnicas de preparação de bebidas inebriantes usadas em diferentes situações ritualísticas da vida tribal. Indígenas americanos conheceram muitas formas de prepará-las, utilizando-se de vegetais, por meio da fermentação alcoólica.

A descoberta da América propiciou aos conquistadores, portugueses e espanhóis o conhecimento de plantas com as quais os nativos preparavam bebidas que propiciavam estados alterados de consciência, despertando grande interesse por parte de estudiosos voltados aos usos e costumes indígenas.

A técnica de sacarificação pela amilase da saliva humana por meio da mastigação de grãos e raízes, realizada pelas mães primitivas a fim de insalivarem os alimentos como fator dulcificante sobre o amido, teria sido precursora das bebidas do grupo cauim brasileiro e da chicha andina, segundo Gonçalves de Lima (1975). Os araucanos chilenos foram os indígenas americanos que utilizavam maior número de frutos silvestres para preparar bebidas rituais (Lima, 1975: 187).

Para o preparo do cauim, dentre as plantas utilizadas, destacam-se a mandioca (*Manihot esculenta* Crants Euphorbiaceae), o milho (*Zea mays* L. Poaceae), o cará (*Dioscorea spp* Discoreaceae), a batata-doce (*Ipomoea batatas* (R.) Poir. Convolvulaceae), frutos de palmeiras, dentre outros.

Patiño R. (1984: 172), sobre a fermentação alcoólica na América Equinocial, diz que as referências mais antigas datam do século XVII e se referem aos Maynas, da parte oriental do Equador, que preparavam uma bebida de banana. Este autor (1969: 178-9), referindo-se a essa bebida na região do Orinoco, diz que "a poca cantidad causa embriaguez".

Em tempos atuais, há bebidas à base de plantas que não são alcoólicas em decorrência de sua fermentação, mas, por serem utilizados veículos alcoólicos em sua preparação, tais como a cachaça e vinho, geralmente branco, como no caso das garrafadas de uso medicinal, comuns na medicina popular do Brasil (Camargo, 1975, 1998).

Com a colonização, conflitos inimagináveis com os nativos se criaram em torno de questões culturais, principalmente quando ligados ao consumo de bebidas rituais à base de espécies alucinógenas e, particularmente, afrodisíacas, por exemplo, que tiveram seu conhecimento excluído dos herbários nos séculos XVII e XVIII, em Portugal. Tais plantas foram atacadas pela Igreja do século XVI, para obter-se o sucesso na missão de extirpação das idolatrias e de implantação do cristianismo (Carneiro, 2002: 202). Conforme este autor, Anchieta fazia parte dos religiosos que cumpriam a tarefa da catequese, condenando as idolatrias e combatendo o uso de tais plantas.

As espécies que provocam estados alterados de consciência cumprem, assim, em contextos religiosos, o papel de intermediárias entre o ser humano e o mundo sobrenatural, onde vão se deparar com representações simbólicas codificadas e interpretadas segundo o pensamento religioso próprio dos diferentes contextos onde o fenômeno ocorre.

Devido à sobrevivência das bebidas do mundo pré-colombiano, perduram até nossos dias os conflitos decorrentes da interferência das missões religiosas junto a povos indígenas, lembrando aquelas bebidas de teor alcoólico resultantes da fermentação de seus componentes. Dentre estas, estavam as bebidas preparadas com milho, conhecidas dos primitivos habitantes da América Central e América do Sul.

Plantas que fazem sonhar e ter visões, que combatem o cansaço e a insônia, anulam a sensação de fome, estimulam ou anulam o apetite sexual, provocam depressão e euforia; aquelas com propriedades divinatórias intermediando práticas de cura; aquelas ingeridas, mascadas, fumadas, cheiradas ou passadas sobre a pele sã ou escarificada e, ainda, usadas como ingredientes de comidas e na preparação de bebidas, usadas nos mais diferentes ambientes culturais. Tais plantas fazem parte de uma história que se perde no tempo e que se prolonga até nossos dias, popularizadas em ambientes religiosos ou não (Camargo, 2006: 396).

O uso desta categoria de plantas encontra-se fundamentado na história da humanidade desde os antigos relatos mitológicos, visto que o ser humano sempre utilizou substâncias que interferissem em seu estado psíquico, como as saporíferas, as euforizantes e as despersonalizantes, com propósitos místicos ou não. Os primeiros indícios da procura de substâncias com estas características estão na lenda de Endymion, neto de Júpiter, que buscou o sono perpétuo a fim de evitar o envelhecimento. Porém, não se sabe quais eram as beberagens usadas para adormecimento tão profundo. Segundo Teofrasto, o heléboro já teria sido usado por Melampo, uma figura mitológica, talvez psiquiatra e precursor da Psicofarmacologia (Bernik, 1974: 83). Segundo este autor, era por meio de substâncias psicoativas que povos antigos buscavam o êxtase e a enlevação religiosa, desencadeando um ciclo de alucinações visuais e auditivas coletivas.

Quanto às espécies psicoativas, os primitivos habitantes das Américas foram grandes detentores de seu conhecimento, empregavam-nas na elaboração de suas bebidas rituais, sendo que muitas delas não só ainda estão em uso entre grupos indígenas como foram absorvidas e adaptadas ao uso em meio urbano, com finalidades religiosas ou não.

2.7.1. Vinho da Jurema

Vinho de uso ritual de influência nitidamente indígena, hoje de uso em rituais de diferentes sistemas de crença, preparado à base da planta jurema (*Miimosa hostilis* Benth. Fabaceae).

Do contato dos índios com colonos portugueses e negros, surgiu a figura do caboclo, entidade espiritual, o mestre do além, respeitado por seus poderes de cura nas reuniões de catimbó e pajelança, no Norte e Nordeste do País. Deste entrelaçamento de culturas tem-se a planta jurema (*Mimosa hostilis* Benth. Fabaceae), como centro de convergência cultural a que Mota & Barros (1990) denominam de "complexo da jurema".

Vale lembrar que são conhecidas, hoje, várias espécies botânicas que levam o nome de jurema, devido à grande penetração desta bebida ritual na umbanda e no candomblé em todo o País, e da não ocorrência da espécie *Mimosa hostiles* Benth, em outras regiões brasileiras. Porém, destacamos que, das plantas que levam o nome jurema, somente a espécie acima mencionada apresenta em sua composição química o alcaloide identificado como N, N-dimetiltriptamina (DMT), substância alucinógena.

A triptamina tem ação no SNC, no metabolismo das funções psíquicas, conforme Lewis & Elvin-Lewis (1977: 400-5), que assim se expressam:

> *Being tryptamine derivates, these indolic hallucinogens are structurally akin to the neuro-humoral factor serotonin (5-hydroxutryptamine), common to warmblooded animal. This substance accumulates to the brain, where it is involved in the biochemistry of central nervous regulations. It appears that certain tryptamines that occur frequently*

as hallucinogens, as well as in the neurohormone serotonin, are in fact centrally important in the metabolism of psychic functions.[47]

Em Zanini & Oga (1985: 356), pela metilação da triptamina se obtém dimetiltriptamina, a qual, quando administrada, produz efeitos semelhantes aos do LSD25 e de outras substâncias desse grupo. Acrescentam que o uso dessa droga é periódico, por não causar dependência física, não exigindo o uso contínuo para evitar síndrome de abstinência. Segundo estes autores, os efeitos são:

> *(...) alterações de humor com euforia e depressão, ansiedade, distorção na percepção de tempo, espaço, forma e cores, alucinações visuais algumas vezes bastante elaboradas e do tipo onírico, ideias delirantes de grandeza ou perseguição, despersonalização, midríase, hipertemia e aumento da pressão arterial.*

Gonçalves de Lima (1946: 77) foi quem primeiro determinou o alcaloide "nigerina" desta espécie botânica e iniciou a experimentação em animais por meio de injeção hipodérmica, com descrição de seus efeitos, citando, inclusive, a ingestão de 0,040 mg, por parte de um de seus companheiros de pesquisa, que experimentou sensação de exacerbação auditiva, náuseas ligeiras, sintomas respiratórios (dispneia ligeira), fenômenos que desapareceram em 45 minutos.

Lima (1975: 124), em pesquisa entre os índios xucuru, remanescentes cariri da serra Ororubá, em Pernambuco, encontrou a preparação de *veuêka*, um hidromel fortificado com cascas de jurema (*Mimosa hostilis* Benth, Fabaceae). Segundo Lima, trata-se da mesma planta usada pelos Pancaru de Tacaratuem, em Pernambuco, na preparação do "ajucá", o mesmo que "vinho da jurema", registrado por Schultes (1979: 84).

Todavia, Elizabetsky (1987: 135) diz:

> *Durante muito tempo não se valorizava a adição de espécies com derivados tripta-mínicos a essas beberagens, acreditando serem esses compostos inativos por via oral. A ação alucinogênica era atribuída aos mencionados alcaloides. Os relatos dos índios enfatizavam que a mistura era mais forte que a planta isolada. Hoje se sabe que esses alcaloides são inibidores de enzimas, tornando os derivados triptamínicos ativos por via oral. A mistura dos dois tipos de substâncias permite, portanto, a soma de seus efeitos, o que comprova as afirmações das populações usuárias.*

Porém, em recentes pesquisas, segundo Vepsäläinen *et al.* (2005), foi isolado *Yuremamine*, alcaloide fitoindólico presente no gênero *Mimosa*, que poderá agir como inibidor de monoamina

---

47. Sendo derivado triptamínico, estes alucinógenos indólicos são estruturalmente relacionados à serotonina (5-hydroxutryp-tamine), comuns em animais de sangue quente. Esta substância, acumulada no cérebro, está envolvida na bioquímica dos centros nervosos, vindo a ser importante no metabolismo das funções psíquicas.

oxidase (MAO) e explicar a psicoatividade oral da bebida jurema que leva em sua composição *Mimosa hostilis* Benth.

O ato de beber jurema nos permite imaginar que esteja associado à herança indígena de "beber fumo", isto é, inalar a fumaça por meio do cachimbo que, também, pode ser feito com a própria planta jurema, tal como descreveu Cascudo (1951: 35): "Acendeu um cachimbo tubular feito de raiz de jurema e, colocando em sentido inverso, isto é, botando na boca a parte em que se põe o fumo, soprou-o de encontro ao líquido, que estava na vasilha".

Conforme Camargo (2001)[48], o ato de "beber jurema" poderia ser tanto a ingestão da bebida como o ato de fumar através do cachimbo, engolindo a fumaça como faziam os antigos habitantes da América do Sul e Antilhas, os quais, segundo Cooper (1987: 106): "(…) para consumir tabaco, com o objetivo de provocar uma intoxicação mais ou menos aguda". Isso pode ocorrer quando se engole a fumaça; fumando rápida e intensivamente por longo tempo (…).

Devemos considerar que, nos primórdios do Brasil, o ato de *beber fumo* e sua popularidade foram mencionados por Fernão Cardim (1980: 92), em 1584:

> *Costumam estes gentios beber fumo de petigma, por outro nome erva santa, esta seção e fazem de uma folha de palma uma canguera, que fica como canudo de canna cheio desta herva, e pondo-lhe o fogo na ponta metem o mais grosso na boca, e assim estão chupando e bebendo aquelle fumo, e o tem por grande mimo e regalo, e deitados em suas redes gastão em tomar estas fumaças parte dos dias e das noites. A alguns faz mal e os atordoa e embebeda; a outros faz bem e lhes faz deitar muitas reimas pela boca. As mulheres também o bebem, mas são as velhas e enfermas, porque é ele muito medicinal, principalmente para doentes de ashma, cabeça ou estomago, e daqui vem grande parte dos Portugueses beberem este fumo, e o têm por vício, ou por preguiça, e imitando os índios gastão nisso dias e noites.*

"Inalar e exalar a fumaça de tabaco era o beber fumo".

Em nossa pesquisa de campo, encetada na década de 1980, com Mãe Renilda de Iansã, em Campo Limpo, na grande São Paulo, no terreiro *Balé Ilê Oia Lecy*, registramos o uso da jurema nos trabalhos para caboclo. Era preparada uma bebida com folhas e entrecasca da jurema e colocada em um pote com mel, guaraná e cachaça, sendo que, durante a festa, todos os presentes bebiam desse vinho.

Observa-se que o hidromel, anteriormente empregado pelos indígenas na preparação da bebida, foi substituído pela aguardente de cana, como também pelo mel industrializado.

---

48. "Contribuição ao estudo etnofarmacobotânico da bebida denominada Jurema e seus aditivos psicoativos, usada em rituais religiosos afro-brasileiros". Trecho da conferência apresentada no X Simpósio Latino-americano e VII Simpósio Argentino de Farmacobotánica, realizados em Comodoro Rivadavia – Patagônia Argentina, de 8 a 11 de abril de 2001.

Em pesquisa no candomblé *Ilê Axe ti Jogun Egbond Awon ia Opele ti Mokio*, conforme pai Quilombo, nos dias em que havia "batida para caboclo", usava-se uma bebida feita com casca e folha de jurema, as quais eram obtidas no comércio.

Os efeitos buscados com o consumo do vinho da jurema durante a festa de caboclo estão explicitados no cântico do mesmo candomblé de Pai Quilombo, como foi registrado pela antropóloga Mundicarmo Ferretti (1994):

> *Vou beber jurema – de no que dé*
> *E num paro mais – dê no que dé*
> *ô que mé, meu Deus – de no que dé*
> (continua tirando versos e virando o caneco)

2.7.1.1. Dandá – aditivo do vinho da Jurema

Dandá (*Cyperus spp* – Cyperaceae) é um aditivo do vinho da jurema à base da planta conhecida por jurema (*Mimosa hostilis* Benth. Fabaceae), cujo principal constituinte químico é N,N-dimetiltriptamina (DMT) que, agindo no SNC e no metabolismo das funções psíquicas, produz alterações de humor, ansiedade, distorção na percepção de tempo e espaço, alucinações do tipo onírico e despersonalização conforme Lewis & Elvin Lewis (1977: 400,405), proporcionando estados alucinatórios mais visuais que auditivos (Zanini & Oga, 1985).

Com respeito aos ingredientes empregados na preparação do vinho da jurema, sabe-se que este, a partir do momento em que deixou o ambiente indígena, agora, em novos ambientes em meio urbano, onde esta bebida se impõe com seu valor sacral, outros ingredientes são acrescentados. Albuquerque, citando Silva (1989), diz que nos cultos afro-brasileiros, aproximadamente 23 espécies podem entrar na preparação desta bebida que leva, além da cachaça, vinho tinto e mel. Dentre essas plantas, citam-se pela frequência nas receitas, a canela, o cravo-da-índia e o gengibre. Porém, dentre outros aditivos, citam-se espécies psicoativas como: paricá (*Anadenanthera colubrina*), manacá (*Brunfelsia sp*), noz-moscada (*Myristica fragrans*), cola (*Cola acuminata*) e espécies do gênero (*Cyperus spp*), da família botânica Cyperaceae, conhecidas por dandá ou junça.

Segundo Santos (1995: 104), em pesquisa realizada em Salvador, em um estudo sobre o caboclo em candomblé da Bahia, o vinho da jurema é por excelência a bebida dos caboclos. Diz o autor que, em alguns terreiros da nação Angola, antes de ingerir a bebida, coloca-se uma pitada de dandá na boca, cuja identificação botânica é *Fuirema umbellata* Rothb., a mesma espécie mencionada por Barros (1983). A jurema e o dandá juntos permitem a manifestação imediata da entidade, caso a pessoa tenha caboclo na cabeça.

Quanto à presença de dandá, lembramos se tratarem de espécies da família Cyperaceae, das quais são empregados os rizomas.

Nos sistemas de crença afro-brasileiros, segundo a pesquisa de campo e bibliográfica, dandá ou junça estão representados por espécies dos gêneros *Cyperus* e *Fuirema*. Porém, em São Paulo, *Cyperus rotundos* L. foi a espécie encontrada.

Acrescentamos que no rizoma de espécies do gênero *Cyperus* comumente se desenvolve a fitotoxina cyperine, produzida por *Ascochyta cypericola*, um fungo patogênico, comum na espécie *C. rotundus*, embora se saiba da ocorrência em outras espécies.

Testes de caracterização de alcaloides por precipitação do rizoma do dandá, adquirido no comércio, referido acima, tiveram resultados positivos. Além desse dado importante, sabe-se da presença da fitotoxina produzida pelo fungo mencionado desenvolvido no rizoma seco armazenado, tal como empregado no teste acima referido. Tal fato permite lembrar que as casas de culto costumam adquirir esse produto no comércio, onde é mantido estocado, deixando no ar a pergunta: como se dá a interação do alcaloide contido no rizoma da espécie submetida a teste e a fitoxina elaborada pelo fungo desenvolvido no mesmo rizoma seco? Não estaria aí a resposta quanto à propriedade psicoativa do dandá, desempenhando papel de acelerar o processo de transe no consumidor do vinho da jurema, conforme relatado acima por Santos (1995)?

É possível admitir como hipótese estar aí algum princípio ativo que, interagindo com os componentes do rizoma, possa desencadear ação no SNC, justificando, assim, seu papel na composição do vinho da jurema. Devemos lembrar que o dandá utilizado na preparação do vinho é, geralmente, adquirido no comércio de produtos religiosos, em estado seco, o que permite o desenvolvimento do fungo referido acima.

Para que possamos entender como a ação no sistema nervoso ocorria entre os indígenas, basta lembrarmos que eles se utilizavam da bebida, a que davam o nome de "ajucá", preparada com as cascas da raiz da jurema e hidromel, bebida fermentada de teor alcoólico, ao mesmo tempo em que defumavam com um cachimbo feito da planta, como foi relatado por pesquisadores como Schultes (1973) e Lima (1975). A fumaça inalada por meio do cachimbo, sem bloqueios, permitia sua ação nos centros nervosos em poucos instantes. Hidromel foi comumente utilizado durante a primeira fase colonial e observado entre os indígenas de várias regiões brasileiras, o qual era preparado, acrescentando-se água ao mel e pondo para fermentar.

Ao analisarmos o vinho da jurema empregado em rituais afro-brasileiros, verificamos que ele vem sofrendo substanciais transformações, quando comparado ao ajucá dos antigos índios do sertão pernambucano. O hidromel, por exemplo, é substituído pela cachaça ou, ainda, vinho e mel industrializado, além de outros ingredientes já mencionados acima. Sabe-se que bebidas de teor alcoólico são euforizantes e que, somadas a plantas psicoativas, podem potencializar seus efeitos. Podemos, ainda, admitir que a psicoatividade do vinho da jurema possa advir de aditivos, como a noz-moscada (*Myristica fragrans* Houtt. Myristicaceae), visto que seus componentes ativos inibem as enzimas do trato digestivo, liberando os neurotransmissores, substâncias químicas responsáveis pelos impulsos nervosos, permitindo, assim, a atividade do dimetiltiptamina presente na jurema, quando consumido por via oral (Lewis & Elvin-Lewis, 1977: 408).

Como mencionado acima, em determinadas situações rituais, o vinho da jurema leva em sua preparação o rizoma de dandá, espécies do gênero *Cyperus* Cyperaceae, geralmente adquirido no mercado de produtos religiosos, tal como usado em festa de caboclo, na Bahia[49], segundo Santos (1995). Este rizoma, quando armazenado, desenvolve uma fitotoxina (cyperine), produzida por *Ascochyta cypericola*, um fungo patogênico comum em espécies do gênero botânico mencionado. Testes de caracterização de alcaloides por precipitação que realizamos no laboratório do Departamento de Botânica do Instituto de Biociências da USP, sob a orientação da Dra. Maria Luíza Salatino, tiveram resultados positivos no rizoma seco armazenado no comércio, onde foi adquirido. Isto demonstra que este rizoma, como aditivo da bebida jurema, permite a potencialização do efeito desta, que apresenta em sua composição química, o componente psicoativo DMT.

2.7.2. *Ayahuasca* ou Santo Daime

Conforme Labate (2004: 232), a palavra *ayahuasca* pertence à língua quíchua. Citando Luna (1986), "Aya, quer dizer pessoa morta, alma, espírito" e "wuasca" significa "corda, liana, cipó". Este, certamente, é o termo designativo de um dos componentes da bebida, um cipó, do qual trataremos a seguir.

Santo Daime é um termo empregado para designar a mesma bebida denominada *ayahuasca*. Bebida originária das tradições de cura na Alta Amazônia peruana, "centradas na iniciação pelas plantas alucinógenas e seu uso como método diagnóstico, prognóstico, terapêutico e divinatório", cujas práticas são comuns em toda planície amazônica, segundo Mabit (2002: 148).

O uso ritualístico desta bebida liga-se a diversos movimentos religiosos sincréticos, destacando-se o culto do Santo Daime e União do Vegetal que, embora de origem cabocla do interior da selva amazônica, se encontram, hoje, espalhados por todo o País.

Segundo McKenna, Dennis J. & Luna, L. E. & Towers (1986), as fontes botânicas desta bebida são, basicamente: o cipó (*Banisterioposis caapi* (Sprece ex Griseb) C. V. Morton Malpighiaceae) e folhas de chacrona (*Psychotria viridis* R. & P. Rubiaceae), comumente mesclada com espécies de Solanaceae: *Nicotiana spp*, *Brugmancia spp* e *Brunfelsia spp*.

> "Ayahuasca" ou cipó (*Banisteriopsis caapi* (*Sprece ex Griseb*) *C. V. Norton Malpighiaceae*) que apresenta, em sua composição química, alcaloides betacarbolínicos: harmina e harmalina. Esta espécie botânica sozinha não produz efeito no Sistema Nervoso Central, razão de ser associada a folhas de "chacrona" (*Psicotria viridis Rubiaceae*), apresentando em sua composição química N,N-Dimetiltriptamina (DMT). (Oliveira, 2002)

49. SANTOS, Jocélio Teles dos. *O dono da terra: o caboclo nos candomblés da Bahia*. Salvador: SarahLetras; 1995.

Este autor, com relação à composição de B. *caapi*, diz:

> *As betacarbolinas podem ser alucinógenas perto do nível tóxico, importante para o xamanismo visionário, porque podem inibir sistemas enzimáticos do corpo que, caso isso não acontecesse, despotencializariam os alucinógenos do tipo DMT. Portanto, as betacarbolinas podem ser usadas em conjugação com a DMT para prolongar e intensificar as alucinações visuais.*

A psicoatividade de N,N-Dimetiltriptamina (DMT) foi demonstrada em 1967 por meio da hipótese Holmstedt-Lindgren de que o efeito intranasal das triptaminas associadas ao inibidor monoaminaoxidase (MAO) betacarbolinas, da *Banisteriopsis caapi* (Apruce ex Griseb.) C. V. Morton, no preparo de rapés usados por indígenas, foi confirmado pelos experimentos de psiconautas (Ott, 2001).

A espécie *Banisteriopsis caapi* (Spruce ex Griseb.) C. V. Morton Malpighiaceae contém alcaloides que provocam visualizações cênicas com forte acentuação à intensidade das cores, visões de caráter onírico, sendo que, em doses excessivas, provoca lassidão, sem, contudo, ocorrer a perda de consciência nem diminuição da capacidade motora dos membros inferiores, visto a dança fazer parte dos rituais, conforme diz Schultes (1973: 103). Este autor faz referência ao componente telepathine, dizendo: "is an indication of the widespread belief that the drink prepared from these vines gave the Indian medicine men telepathic powers"[50]. Em Schultes *et al.* (2001: 126, 129), *Plants of the gods – Their sacred, healing and allucinogenic powers*, os efeitos da bebida variam de acordo com o método de preparação empregado, o momento em que é ingerido, assim como o número e a qualidade dos aditivos empregados, além do controle do ritual por parte do xamã. A bebida, entendida como droga de ação no SNC, segundo Shultes na mesma obra, provoca no usuário uma alternância de comportamento, ora eufórico, ora agressivo. Sobre a atividade por via oral das triptaminas, diz Bruneton (1999: 972), se dá "invoking the MAO[51] inhibiting activity of the carboline"[52].

São muitos os efeitos da bebida *ayahuasca* ou daime no ser humano, tanto mental como fisicamente, causando estados alterados de consciência com distorções na percepção de tempo e espaço, alterações do humor, sinestesia e aumento de sugestionabilidade, assim como o estado de imobilidade e descoordenação de movimentos, além de náuseas acompanhadas de vômitos e diarreia frequente, conforme Emmert (1998), citando de Rios (1972). Callaway (1993), do Department of Pharmaceutical Chemistry, da Universidade de Kuopio, Finlândia, em seu trabalho *Tryptamines, B-carbolines and you*, assim se expressa:

---

50. "é crença, de que a bebida preparada com esse cipó, transfere ao pajé poderes telepáticos".

51. Monoaminooxidase – MAO – Enzima envolvida no metabolismo da serotonina e dos neurotransmissores no SNC ou o Sistema Nervoso Simpático.

52. "invocando a atividade inibidora da MAO carbolínica".

Since these same Psychoactive tryptamines occur in humans, it is possible that their activity may be promoted by the actions of endogenous beta-carbolines for normal psychologial processes; e.g. the production of visual/emotive imagery in sleep. The periodic altering of consciousness in sleep may even be necessary for the maintenance of normal mental health, since only a few days of sleep deprivation will result in a seepage of hallucinatory phenomena into the waking state.[53]

Diferentes tribos da Região Amazônica usam caapi (*Banisteriopsis caapi* (Spruce ex Griseb) C. V. Norton) na preparação da bebida ritual que recebe diferentes nomes, tais como: *ayahuasca*, caapi, yage, yaje, natem, datem, pinde, dapa, dentre outros (Schultes, 1976).

A espécie botânica referida acima é a planta alucinógena mais usada entre os Shuar, indígenas da Região Amazônica, que envolve Equador e Peru, segundo Bennett (1992: 483). Este autor acrescenta que outras espécies são usadas como aditivos por esses indígenas, tais como: tabaco (*Nicotiana tabacum* L. Solanaceae), trombeteira (*Brugmansia suaveolens* Solanaceae), manacá (*Brunfelsia uniflora* D. Don Solanaceae), dandá (*Cyperus spp.* Cyperaceae), entre outras. Segundo o autor, os Shuar bebem um suco de N. *tabacum* L. Solanaceae, durante os rituais de cura da *ayahuasca* que, segundo eles, a fumaça desprendida do ato de fumar espanta os maus espíritos. Quanto à *Brugmancia suaveolens*, esta é considerada um potente alucinógeno e muito perigoso, a qual é algumas vezes adicionada à bebida *ayahuasca*. Harner (1976: 93-4) diz ser este alucinógeno usado com maior eficiência para curar as enfermidades que se creem de origem mágica, admitindo que as alucinações visuais são usadas pelo curador para determinar a causa mágica das enfermidades e neutralizar a magia maléfica.

Como já mencionado, é comum na preparação da bebida *ayahuasca* a adição de outras plantas e mesmo outras espécies do mesmo gênero *Banisteriopsis*, tais como B. *rusbyana*, B. *inebriens* C. V. Morton e B. *quitensis* C. V. Morton (Emmert, 1998). Segundo esta autora, a bebida muitas vezes é suplementada com outras espécies que visam a prover a bebida de mais propriedades alucinógenas. As plantas usadas nas várias misturas são: *Diplopterys cabrerana*, *Psycotria viridis* e *P. carthaginensis*, da família Rubiaceae, além de espécies de Solanaceae, tais como: *Nicotiana spp.*, *Brugmancia spp.* e *Brunfelsia spp.* Estas espécies trazem diferentes constituintes químicos à bebida que, certamente, no processo de interação entre todos os componentes presentes, é potencializado o efeito alucinogênico.

Pardal (1937) faz referências às viagens encetadas em épocas passadas por estudiosos, tais como Bompland, botânico que fez referência à *ayahuasca* quando de sua viagem realizada com Humboldt até São Carlos do Rio Negro (1799-1800). Cita, ainda, outros viajantes que tomaram conhecimento dessa bebida estupefaciente, tais como: Michelena & Rojas (1855-1859) e Manuel Villavicencio

---

53. Visto certas triptaminas psicoativas ocorrerem em humanos, é possível que sua atividade decorra de ações das beta-carbolinas endógenas, em processo psicológico normal: produção de visualização emotiva imaginária durante o sono. A alternância periódica da consciência durante o sono pode, mesmo, ser necessária à manutenção de uma saúde normal, visto que, com poucos dias de privação do sono, resultarão em um exsudato de fenômenos alucinatórios, no estado de vigília.

em 1853, von Martius (1867), entre muitos outros que, posteriormente, tiveram contato com povos dessas regiões que utilizavam essa planta nas preparações da bebida com poderes alucinógenos. Segundo Rivers & Lindgren (1972), quando a *ayahuasca* é usada com propósitos médicos, é o xamã quem ingere a bebida. Durante o tratamento, o xamã, sob o efeito da bebida, traduz as visões que ele experimenta enquanto sob a ação da droga. Na interpretação de suas visões, ele aponta as causas da doença e trava uma luta simbólica. O xamã canta para o paciente, descrevendo a luta e o processo de libertação do mau espírito. Conforme o autor citado, com frequência essas cerimônias envolvem cantos cujas palavras refletem o que está sendo vislumbrado nas visões, podendo mesmo fazer contatos com pessoas mortas ou ausentes como, também, podendo ver serpentes e jaguares. Tudo que vêm é contado por meio das músicas cantadas (Cooper, 1987: 116).

Rivers & Lindgren (1972) fazem referência à semelhança nas preparações da bebida entre as tribos da Amazônia. São usadas 15 hastes da caapi (*Banisteriopsis spp*) esmagadas e picadas em pedaços de 10 cm, dispostas em camadas com folhas de chacrona (*Psycotria spp.*), até encher a vasilha onde se acrescenta água e se coloca a ferver por uma hora. Depois de frio, o decocto está pronto para ser consumido. Segundo Emmert (1998), em Bennett (1992), descrevendo como um xamã Shuar prepara a bebida, diz que este toma uma haste de 1 a 2 metros do caapi, pica em fragmentos pequenos e os coloca em uma vasilha com muita água, onde adiciona folhas[54] de *Diplopterys cabrerana* (Cuatrec.) B. Gates, *Herrania spp.*, *Ilex guayusa* Loes., *Heliconia stricta* Huber e "mukuyasku" (uma Malpighiaceae não identificada). A mistura é colocada a ferver até à evaporação da água e a bebida ganhar uma consistência xaroposa.

Fericgla (1994: 17,25) diz que, entre os Shuar e Achuara amazônicos, mais conhecidos como Jívaros, a liana ou cipó, como é conhecido esse vegetal no Brasil, é misturado com *Diplopterys cabrerana* (em shuar yági), a planta fornece o componente DMT visionário à mistura, com *Rinorea viridiflora*, para as visões serem mais duradouras, com manacá (*Brunfelsia grandiflora*), para produzir sensação de frio e ajudar a combater o entumecimento físico, por meio do tremor que afasta os espíritos. Este autor diz que o vômito causado pela ingestão da bebida *ayahuasca*, que leva em sua composição um componente com dimetiltriptamina (DMT), é o efeito buscado propositadamente, visto que o ato de vomitar semanticamente equivale a "limpiar los ánimos ya que los chefs de familia deciden que todo el grupo familiar consumirá ayahuasca cuando se dan situaciones de tensión grupal, que están durando mas que lo habitual"[55]. Mas, entre os Shuar do Equador, estes admitem que os vômitos não decorrem de disfunções do aparelho digestivo, mas têm, sim, uma origem psicossomática.

Pardal (1937: 311-320) diz que, em 1853, Spruce (1908: 414) foi quem identificou a planta. Percorrendo os afluentes do rio Negro, Uapé e Icaná, este pesquisador teve notícias da existência de uma bebida estupefaciente preparada com caapi, usada pelos índios dessa região. Spruce observou

---

54. O autor não menciona os nomes populares das espécies botânicas mencionadas.

55. "aliviar os ânimos, já que os chefes de família decidem que todo o grupo familiar consuma *ayahuasca*, quando da ocorrência de situações de tensão grupal, durando mais que o normal".

que era usada a parte inferior do talo ascendente, o qual era triturado com um pouco de água e sem ferver ou macerar, era filtrado e acrescentada água, a fim de poder beber o produto obtido. O efeito da bebida, disse Spruce, citado por Pardal (1937: 311), "comienza a producirse a los dos minutos de beberla. Primero produce palidez y temblor, después transpiración, agitación y delirio furioso; al cabo de diez minutos el bebedor se apacigua y se duerme"[56].

Pardal, fazendo referência a uma incursão de Spruce à parte alta do Orinoco, na Colômbia e Venezuela, comenta que os índios da região não só tomavam a infusão como, também, mascavam o talo seco da planta.

Cooper (1987: 116) acrescenta que a *Banisteriopsis* é empregada em bebidas consumidas em ritos xamanísticos ou mágico-religiosos com o fim de entrar em comunicação com os espíritos, buscando adivinhar, entre outras coisas, a origem das doenças e como curá-las. Neste sentido, admitimos estar esta prática inserida no rol daquelas adotadas pela medicina popular, com destaque para a influência da medicina indígena, originária da Região Amazônica e difundida pelo Brasil, cujo elemento primordial é o consumo da bebida *ayahuasca*, mola-mestra dos rituais.

Pereira (1979: 131), em pesquisa no Vale do Rio Negro no Estado do Amazonas, registrou o uso da *ayahuasca* não só entre indígenas de diferentes tribos, mas também entre os participantes do culto mina jêje de origem africana, em Porto Velho, capital de Rondônia.

Embora Pereira (1979: 131) e Fichte (1985: 245) façam referência à presença desta planta em cultos de influência africana, Van den Berg (1991: 494) contesta a presença de *Banisteriops caapi* em rituais da Casa das Minas, dizendo que "caabi", citada por Fichte em Ferretti (1986: 202), corresponde à espécie *Cabi paraensis*. Porém, dona Deni, da Casa das Minas em São Luís do Maranhão, diz que caabi é usada em sua casa na preparação de remédios, conforme foi relatado ao Prof. Dr. Sérgio Ferretti, antropólogo da UFM, em entrevista com dona Deni. Segundo a descrição que faz da planta, tudo sugere tratar-se de *Banisteriops caapi*, como registrou Fichte. Porém, Ducke (1946: 5), autor na identificação de *Cabi paraensis*, diz que cabi é o nome vulgar de *Banisteriops caapi* usado no Pará, enquanto no Amazonas é conhecida por capi. A informação de Fichte, citada por Ferretti (1986: 202), cremos estar correta, quando relaciona as onze plantas usadas em banhos para a feitoria das filhas na Casa das Minas de São Luís do Maranhão, citando cabi (*wasca* peruana), podendo, perfeitamente, ser a *Banisteriops caapi* (Spruce ex Grich) Morton. O próprio nome popular "wasca peruana" sugere seja realmente esta espécie botânica, corruptela de *ayahuasca*, nome pelo qual é conhecida no Peru, como menciona Ducke (1946: 5), em seu estudo sobre *Plantas de cultura precolombiana na Amazônia Brasileira*. Segundo este autor, o efeito da droga varia de pessoa a pessoa e de uma região para outra, além de serem acrescentadas outras plantas à bebida, tais como: espécies de *Psycotria spp*, e *P. viridis* da família Rubiaceae, contendo o poderoso alcaloide N, N-dimethyltriptamina (DMT), capaz de alterar o efeito da bebida, tornando-a mais potente, consumida em cerimônias religiosas cujos rituais se prendem à mitologia tribal.

---

56. "começa a produzir-se após dois minutos de ingeri-la. Primeiro, produz palidez e tremor; depois, sudorese, agitação e delírio furioso; após dez minutos da ingestão, o bebedor se apazigua e dorme".

O consumo da bebida conhecida por *ayahuasca*, aoasca, yaje, vegetal, santo-daime, caapi, cipó, no Brasil liga-se às incursões de seringueiros pelas regiões dos cursos superiores dos rios Madeira, Purus e Juruá, onde travavam contato com diversos grupos indígenas (notadamente os Caxinavá), com mestiços peruanos e bolivianos que também eram adeptos da bebida (Henman, 1989: 73).

O processo migratório dessa bebida ritual, conhecida por *ayahuasca*, para centros urbanos do Brasil e de outros países, vem ocorrendo sistematicamente, permitindo aos usuários pertencentes a diferentes grupos socioculturais respostas alucinatórias diferentes daquelas originariamente observadas no meio indígena, presas às suas crenças religiosas, como um caso citado por Amorín (1974: 26): "un brasileño que dijo que una vez que tomó una dosis completa de 'caapi', vio pasar rápidamente delante de sus ojos el panorama de todas las maravillas sobre las que había leído en *Las mil y una noches*"[57].

Todavia, lembramos que esta bebida, dada a psicoatividade das plantas que a compõem, originariamente empregadas em rituais, proporcionava aos adeptos das reuniões em seus estados de transe visualizações cênicas.

A bebida *ayahuasca*, na medicina popular, é usada como condutora ao reino sobrenatural. São essas práticas relacionadas a certos grupos que promovem reuniões, visando, por exemplo, à experiência "ayahuasqueira", reelaborada por indivíduos urbanos, que buscam, desde as experiências místicas e terapêuticas, até o psiconautismo, como aqueles que adotam a "juremahuasca", coerente com a nova religiosidade, conforme Grünewald (2005). Poderia ser a busca da cura de doenças psicossomáticas por meio do autoconhecimento.

Gomes (2009), relacionando DMT e neurociências, sobre a atividade farmacológica de N,N-dimetiltriptamina (DMT), alcaloide psicoativo presente nas bebidas *ayahuasca* e jurema, diz que:

> *deve se tornar o principal antidepressivo deste século, indicado para processos terapêuticos de mudança de hábitos, principalmente em tratamentos de dependência química, podendo ser, ainda, utilizado para estudos da mente e para o desenvolvimento humano. E, apesar desta substância só existir em plantas no Brasil e de sua patente científica ser discutida no âmbito internacional, ainda são poucas as pesquisas interdisciplinares realizadas sobre o assunto.*

2.7.3. Bebidas fermentadas de teor alcoólico

Importante lembrar que a psicoatividade das bebidas de que o ser humano se serviu em tempos antigos podia não ser necessariamente à base de plantas psicoativas, mas resultantes de processos fermentativos ocorridos durante certas preparações que, com o tempo, foram se aperfeiçoando.

---

57. "um brasileiro contou que uma vez que tomou uma dose completa de "caapi" viu passar rapidamente diante de seus olhos todas as maravilhas que havia lido em *As mil e uma noites*".

O uso do hidromel foi comum na primeira fase colonial, como diz Lima (1975: 127), referindo-se a Gabriel Soares de Sousa, no século XVI, ao fazer menção ao vinho de mel de abelhas misturado com água "assaz proveitoso para a saúde de quem o costuma beber".

Indígenas americanos conheceram muitas formas de preparar as bebidas à base de vegetais, por meio da fermentação alcoólica. A técnica de sacarificação pela amilase da saliva humana por meio da mastigação de grãos e raízes, realizada pelas mães primitivas a fim de insalivarem os alimentos como fator dulcificante sobre o amido, teria sido precursora das bebidas do grupo cauim brasileiro e da chicha andina, segundo Lima (1975: 152).

O significado da A-amilase, na sacarificação das substâncias amiláceas empregadas na tecnologia dos fermentados alcoólicos, está na enzima que transforma o amido em dextrinas no processo da fluidificação, enquanto a B-amilase conduz à degradação até maltose (Kreire, 1967).

O hábito de insalivarem os alimentos pela mastigação, a fim de nutrir os filhos, foi observado por Jean de Lery (1972), no século XVI, ao registrar mães alimentando seus filhos com farinha mastigada. Estes cuidados maternos com a insalivação das papas teria sido a etapa inicial para o emprego dulcificante da saliva sobre o amido.

A saliva foi fundamental no preparo das bebidas alcoólicas primitivas, pela mastigação de produtos amiláceos, a fim de fluidificá-los e sacarificá-los por ação da amilase salivar. Ela está vinculada à longa história da cerveja, na velha tradição popular do oriente europeu, quando se diz que a faz fermentar pela "espuma do urso", significando o papel da baba ou da saliva no fenômeno bioquímico. Porém, esta técnica foi sendo gradativamente abandonada na Ásia e Europa, permanecendo alguns grupos isolados, a exemplo de nativos de Formosa. Segundo Lima (1975: 197), as verdadeiras cervejas insalivadas que permanecem vivas ocorrem nas Américas. Sua preparação requer complicado processo de preparação que, além da insalivação dos grãos de milho, várias operações são empreendidas, tais como: malteação dos grãos, moagem, sacarificação, maceração, decantação, separação dos sedimentos, filtração dos líquidos em três estágios de fermentação, a fim de se obter três classes de chichas, a partir do segundo dia, terminando no décimo, conforme Cutler & Cardenas (1947: 33), citados por Lima (1975: 215).

Segundo Lima (1975: 127), citando Métraux (1930: 169-171), este pesquisador observou que os povos Gê geralmente usavam o hidromel e os botocudos do Rio de Janeiro preparavam uma mistura de água e mel, enquanto os Caingang do Paraná empregavam o processo da fortificação com produtos vegetais, preparando uma bebida generosa a que chamavam *aquiqui*, segundo Leitão (1910). Do mesmo modo, os *kamacan* faziam um cauim de mel, enquanto os *aweikoma* realizavam um trabalho de preparo de sua bebida de nome *mong-ma*, cuja elaboração ele esboça alguns pormenores, tais como:

> *Os trabalhos se iniciavam com uma lua de antecedência, pela feitura das urnas de fermentação, de troncos de cedro. Enquanto um grupo de índios se encarregava do trabalho penoso de escavar os troncos e impermeabilizá-los com cera, outros, em meio*

a grandes manifestações, iam à procura de mel. O produto recolhido era diluído com água, juntando-se em seguida o componente fortificante, o suco de xaxim[58] e folha de certa palmeira, deixando-se em fermentação durante duas semanas. De início, durante três dias, era o líquido aquecido diariamente com pedras abrasadas, deixando-se em repouso mais alguns dias, em fermentação.

2.7.3.1. Cauim de mandioca e de milho

Não só da raiz da mandioca (*Manihot esculenta* Crantz Euphorbiaceae) os indígenas preparavam seu cauim, mas, também, de outros tubérculos, tais como: cará (*Dioscorea alata* L. Dioscoreaceae), batata-doce (*Ipomoea batatas* Lam. Convolvulaceae), além de frutos de palmeiras, de banana, dentre outros frutos, considerando que as libações de cauim de mandioca ou de milho são de natureza mágico-protetora.

As primeiras referências ao vinho de milho nas Américas teria sido na 4ª viagem de Colombo, em 1502, ao acercar-se da área maia. Sobre estas cervejas escreveu Herrera (1601, Tomo II), sendo esta a única vez que se faz menção ao método da maltação de preparo da cerveja supostamente iucateca.

Na América do Sul, as cervejas de milho foram vinculadas às mais importantes culturas, desde os chibcha, do extremo norte aos araucanos, do sul. Comenta Gonçalves de Lima (1975: 215) que os "aimará" e "quíchua", na época pré-hispânica, tinham sua "acca", bebida sagrada presente nos banquetes místicos. A preparação da "acca", chamada posteriormente "chicha", presume-se ter sido comum entre todos os povos andinos, por época do descobrimento, como diz Lima (1975: 214). Este autor, à página 202, citando Hans Horkheimer (1960), diz ser voz antilhana que os espanhóis levaram a chicha para os Andes e aplicaram à cerveja congênere que ali produziam, chamada pelos povos quíchuas "aque", "acca" ou "asiva", e "khusa" pelos aymará ou kolla. E, segundo Palmer (1933), chicha correspondente ao *galibi huicu*, definida por Martius como "potio" e "granis maidis". Deve-se considerar que, em náhuatl, o verbo "chichia ni" significa "cuspir", segundo Garochi (1948) e Molina (1944), correspondendo à operação fundamental para preparar a bebida.

O preparo do cauim dos tupis e o da chicha dos quíchuas representam a cerveja primitiva, sobretudo a chicha, ocorrendo em uma faixa de extensão ao longo de uma zona climática temperada até a faixa tropical úmida, nas vertentes andinas e planícies. Lembram a técnica do preparo da cerveja primitiva do Velho Mundo, ou seja, da mastigação e esputo de grãos crus ou tostados, ou das tortas obtidas por moagem dos grãos de milho e do cozimento da massa em chapa (Lima, 1975: 154).

O cauim, por sua vez, sofria variações quanto à sua preparação pelos diferentes grupos indígenas espalhados pelo Brasil. Anchieta, em 1584, assim se refere ao cauim tupi:

---

58. Representante do gênero *Dicksonia* Dicksoniaceae (Joly, 1976: 173).

São muito dados ao vinho o qual fazem de raízes de mandioca que come, e de milho e outros frutos. Este vinho, fazem as mulheres, e depois de cozidas as raízes ou o milho, o mastigavam porque com isso dizem que lhe dão mais gosto e o fazem ferver mais. Deste enchem muitos e grandes potes, que somente servem disso e depois de ferver dois dias bebem quase quente, porque assim não lhes faz tanto mal nem os embebeda tanto ainda que muitos deles, principalmente os velhos, por muito que bebem, de maravilha perdem o siso, ficam somente quentes e alegres. Com o vinho de frutas que é muito forte se embebedam muito e perdem o siso, mas deste bebem pouco, e somente o tempo que eles duram: mas, o vinho comum das raízes e de milho, bebem tanto que às vezes andam dois dias com duas noites bebendo, e às vezes mais, principalmente nas matanças dos contrários, e todo esse tempo cantando e bailando. Este vinho, comumente, fazem grosso e basto, porque juntamente lhe serve de mantimento e quando bebem nenhuma outra cousa comem. E da mesma maneira quando comem não curam de ter vinho nem água para beber (…). (Rodrigues, s/: 136)

Conforme Lima (1975: 204), a descrição de Anchieta vem ao encontro da ideia de que as cervejas primitivas foram alimentos líquidos, "pães líquidos" ou sopas fermentadas. Tal fato remete ao beiju tupi, provavelmente uma variante do *mbeiu-quira* (beiju gordo), do Vale Amazônico, quando se substituía o suco de frutas pelo fermento do cauim. É possível que este beiju tenha sido o precursor da panificação por levedo, conforme lembra este autor.

Parece ficar claro que o caráter sacrificial das libações de cauim de macaxeira ou de milho é de natureza mágica, protetora. Destas mesmas virtudes mágicas como bebida cerimonial religiosa foi prezada a *acca* peruana, com sua obrigatoriedade nas festas e sacrifícios ao sol, como diz Gonçalves de Lima (1975: 219). Porém, este autor diz não ser possível no mundo mitológico do indígena americano, determinar a posição da saliva humana com relação às virtudes de purificação e de cura. Porém, há de se lembrar da importância do cuspe, quando o indivíduo está em jejum, principalmente do cuspe do fumante de cachimbo ou do mascador de fumo de corda. É difícil fugir à impressão de que neles estão presentes as mesmas virtudes excelsas atribuída à "baba do urso" na cerveja europeia, da saliva do cacique chibcha ou na baba da donzela tupi.

Martius (1979: 57), no século XIX, em suas andanças pelo Brasil, observou que as bebidas que os indígenas preparavam eram em parte fermentadas, em parte não. Dentre as fermentadas, a chicha, preparada com milho cozido, ocupava o primeiro lugar, tanto pelo sabor, semelhante à cerveja de trigo, como por sua qualidade embriagante. Comenta este autor que o modo de prepará-la é há muito conhecido no continente americano e ilhas adjacentes, onde o milho é cultivado. Para pôr em fermentação esse cozimento, as velhinhas mastigam os grãos de milho, cuspindo-os no decocto. Esta chicha mencionada por Martius devia ser o caxiri ou o cauim como o amazônico que nossos indígenas preparavam não só com o milho, como também com a mandioca (*Maniot esculenta* L.), cará (*Dioscorea spp* Dioscoreaceae) e batata-doce (*Ipomoea batatas* Lam.), banana (*Musa spp* Musaceae), frutos de palmeira, embora o mais tradicional resulte da elaboração a partir de beijus ou outro amiláceo amolecido em água fervente. E depois, mascado, depositado em cochos e misturado com água quente. Caxiri tem um grande destaque como bebida da região de maior influência aruaque – o rio Negro. É de se admitir que, na área amazônica, o vocábulo caxiri tenha sido usado para designar determinado gênero de bebida fermentada de mandioca e de batata, onde o milho era de uso restrito. (Lima; 1975: 232, 243, 298).

2.7.3.2. Cauim dos Guarani e dos Araweté

Os antigos Guarani usam o milho mole ainda verde para o preparo de seu vinho – o cauim – pelo processo da mastigação. Provavelmente não soubessem estes indígenas da presença de *Saccharomyces* presentes no milho, a levedura que transforma os açúcares do mosto em álcool, no caso, o etanol. O cauim preparado pelos Kaiová é bebido, também, no ritual de furação labial dos meninos. A "embriaguez da criança" visa a não deixá-los se tornarem violentos e nervosos. "É uma bebida que embriaga, mas os faz corretos e mansos. Este é um ritual de cozimento e resfriamento dos iniciados: a festa os 'faz frios' (*emboro'y*) e os prepara para viverem segundo o 'modo de ser frio' (*teko ro'y*) não violento" (Fausto, 2005).

Para efeito comparativo, citamos o preparo do cauim e os objetivos da cauinagem dos Araweté, povo Tupi-Guarani, caçadores e coletores, cultivadores de milho, que permaneceram na região Norte, no estado do Pará. Nas primeiras chuvas de novembro/dezembro, plantam o milho. A partir de abril/maio, as chuvas diminuem e se inicia a fase do processamento do milho maduro que fornece a paçoca, base da dieta da estação seca. De junho até outubro, ocorre a estação do cauim alcoólico. Para seu preparo, o milho é pilado, cozido e mastigado pelas mulheres e, finalmente, coado. Durante o período da fermentação alcoólica – mais ou menos 20 dias –, em todas as manhãs, há o consumo coletivo do bagaço, que é separado do líquido. Após este período, ainda, no auge da seca, acontece a cauinagem, época em que a bebida é consumida em várias noites de festins animados com danças. O cauim é bebido em várias rodadas, até a embriaguez, lembrando que é ponto de honra tomar de um só gole todo o conteúdo da cuia – meio litro. A embriaguez os leva a vomitar, a chorar, a proferir frases desconexas e a ter alucinações com espigas de milho a girar diante de seus olhos. Importante destacar que, durante a cauinagem, devem estar todos em jejum alimentar (Castro, 2002). Este autor compara os efeitos da cauinagem dos Araweté com a dos antigos Tupinambá, quando estes usavam seu cauim de teor alcoólico, preparado com raízes de mandioca (*Manihot esculenta* Crantz. Euphorbiaceae), remetendo à "prática guerreira, evocando os grandes festins que precediam as guerras". Conforme Fausto (2005), o cauim dos Tupinambá era consumido em seus festins canibais, para celebrar a morte do inimigo, tendo como principal referência a guerra.

A diferença entre as duas bebidas está em que o vinho dos Guarani da região Sudeste não os transforma em predadores ágeis e vorazes, mas os faz leves para se aproximar das divindades.

Bastante perceptível é a diferença existente entre os objetivos buscados com o consumo dos vinhos preparados com os grãos de milho fermentado dos Tupi-Guarani do Norte, e o dos Guarani do Sul e Sudeste do Brasil. Os efeitos da embriaguez requeridos por ambos os grupos indígenas podem se distinguir pelas fases de colheita e processamento dos grãos de milho empregados no preparo de seus vinhos. Lembramos que os Guarani empregam o milho verde na fase grão leitoso, enquanto os Araweté empregam o milho colhido na fase de maturação fisiológica e posto a secar.

A fim de avaliarmos as diferenças dos objetivos buscados por ambos os grupos indígenas, em função da atividade biológica dos vinhos preparados com milho colhido em fases diferentes, devemos considerar as condições de clima, solo e umidade relativa do ar, das regiões Sudeste e Norte, assim como as fases de desenvolvimento das plantas para colheita. Neste sentido, apesar do autor deste estudo não ter feito pesquisa direta com os Araweté, sabe-se, pela literatura consultada, que este grupo indígena usa armazenar o milho, condição esta que propicia desenvolvimento de fungos.

a) As diferenças na atividade biológica decorrentes do consumo de um e de outro cauim poderiam estar na qualidade dos grãos de milho – o milho Guarani isento de fungos e o milho Araweté contendo fungos.

b) A diferença na atividade biológica decorrente do consumo do cauim Araweté poderia estar nas inter-relações e interações estabelecidas entre os componentes químicos dos grãos de milho e os componentes dos fungos, capazes de desenvolver grande número de micotoxinas de atividades variadas.

2.8. Matriz portuguesa

A medicina no Brasil seiscentista era exercida pelos poucos cirurgiões barbeiros e aprendizes de boticário, quase todos cristãos-novos, de condição humilde, dotados de pouca instrução. Logo que Portugal ficou sob o domínio espanhol (1580-1640), o Santo Ofício estendeu-se até a colônia (1591-1595), punindo severamente os judeus, entre outros perseguidos acusados de heresia e apostasia. Assim, os cirurgiões barbeiros, que não "eram limpos de sangue", também foram denunciados junto ao tribunal, sofrendo severas punições (Santos Filho, 1947).

A medicina praticada por aqueles médicos de origem judaica, de melhor formação, era pautada nos ensinamentos de Hipócrates e Galeno. Como diz Herson (1996), a documentação sobre a medicina daquele período histórico é escassa, pois alguma coisa que sabemos se deve ao que relatavam os jesuítas em cartas que foram preservadas. Os médicos judeus, levando consigo a "mácula" ou a suspeita de cristão-novo, pertenciam, pelos valores do tempo, "à escória repelida da metrópole", citando Carvalho (1929). O que existe sobre os médicos judeus está relatado nos processos arquivados na Torre do Tombo em Lisboa, quando aqueles que se sobressaíram foram pegos pela Inquisição. Mesmo perseguidos, procuraram de algum modo continuar os estudos, vindo a gozar de boa reputação como médicos (Herson, 1996).

Durante a ocupação holandesa (1630-1654), aumentou o número de cristãos-novos de Portugal e da Holanda no Brasil. Teria sido Abrão do Mercado, físico e barbeiro, um dos que fundaram a comunidade judaica no Recife, onde viviam eminentes personalidades, oriundas de famílias importantes de Amsterdã, segundo Herson, citando Mello Neto (1947).

Guilherme Piso (1948) [1648], Jorge Marcgrave (1942) [1648], reuniram os primeiros elementos "das coisas médicas, na terra brasiliense, conforme diz Fernando São Paulo (1948), ao comentar o Livro primeiro: *Do ar, das águas e dos lugares,* e sobre o Livro segundo: *Das doenças endêmicas,* da obra de Piso, *História Natural do Brasil ilustrada,* publicada em Amsterdã em 1648. Piso estudou um número razoável de doenças e as respectivas terapêuticas adotadas à base de plantas medicinais de uso popular. Exemplo do "máculo", patologia comum entre os escravos negros, caracterizado por ulceração no ânus e reto, com descargas sanguíneas, acompanhado de febre e prostração. Como indicação para uso tópico, empregava a "pagimirioba", "mangerioba", "guabiraba", "tapiá" e "herva--moura", considerando as três primeiras como sinonímia da mesma espécie botânica, *Eugenia grandiflora* O. Berg. Myrtaceae, de origem americana (IPNI), e "tapiá", nome vulgar de *Crataeva tapia* L. Capparaceae, também americana. Piso também estudou o ar de estupor (paralisias por congestão, embolia ou hemorragia cerebral), a opilação (ancilostomíase), o tétano, o bicho-de-pé, o amarelão (afecções das vias biliares) etc.

Paralelamente àqueles médicos de origem judaica, atuavam na área médica os chamados barbeiros e iniciados, que, de certa forma, eram importantes, visto a escassez de profissionais nas regiões afastadas do litoral. Conforme Farina (1981), a medicina praticada por eles se baseava na trilogia terapêutica do tempo de Hipócrates: a purga, a sangria e o clister. "(…) queimam carnes e amputam gangrenas. Sangram, purgam e tornam a sangrar. Cabe-lhes o direito à sangria, à escarificação, à aplicação de ventosas e sanguessugas e às operações de pequena cirurgia, indignas de um físico ou cirurgião de qualidade". Eram termos usados para diferenciar as categorias de profissionais da área médica, embora pouca diferença houvesse, visto que aquelas supostamente entendidas como mais legítimas perante a sociedade pouco se diferenciavam em competência daqueles ditos entendidos ou curandeiros. Eram, na realidade, duas categorias de profissionais: uns poucos portadores de certo conhecimento; e outros, o que sabiam de medicina, foi transmitido oralmente de pai para filho.

Porém, os abusos foram tantos que no planalto de Piratininga se nomeou um juiz de ofícios dos físicos, o barbeiro António Rodrigues. Sem sua licença ou carta de examinação, ninguém podia curar e sangrar. Mesmo assim, leigos continuaram a exercer o ofício. Somente com a criação do Governo Geral é que, contratados pela Coroa, chegaram os profissionais "diplomados" ou "examinados", a fim de exercerem a medicina e cirurgia no Brasil. Eram em sua maioria os cristãos-novos ou meio-cristãos, os produtos de "coito danado", como diz Santos Filho (1947: 47,8). Acrescenta este autor que os profissionais não diplomados só conheciam de medicina reduzidos rudimentos. Quanto aos diplomados, estes entendiam mais de "portulanos", "cartas de marear" e astrologia, do que da ciência hipocrática.

Tresandando aos rançosos textos de Coimbra e Salamanca, os profissionais diplomados residentes no Brasil mereceram do desabusado bispo do Pará, Dom Caetano Brandão, aquela muito citada frase: "é melhor tratar-se a gente com um tapuia do sertão, que observa com mais desembaraçado instinto, do que com médico de Lisboa".

Conforme Rodrigues (s/d: 115-6), em sua obra *Anchieta e a Medicina*, os primeiros profissionais diplomados a chegarem no Brasil durante os três primeiros séculos eram de péssima formação, "Eram ignorantes e supersticiosos. Foram os primeiros charlatões diplomados, no Brasil". Citando *A medicina e sua evolução na Baia*, de Gonçalo Muniz, faz referência a Antonio Mendes, cirurgião que atuou no Brasil do século XVII, que "confiava nos efeitos de pescoço de galo torrado e pulverizado, dado em poção para a cura esquinência e na ação tópica dos vermes da terra como resolutivo dos panarícios".

Ainda em Rodrigues (s/d):

Ferreira da Rosa, que exerceu a medicina em Pernambuco no fim do século XVII, adotava a aplicação de pombos ou outras aves escaldadas vivas sobre as plantas dos pés ou outras partes do corpo, com o fim de "atraírem e resolverem como auxiliares revulsivos", o que, a acreditar-se na eficiência da medicação revulsiva, não deixa de ter sua tal ou qual justificativa.

Somente em 1773, o Marquês de Pombal ordenou que não mais se usasse a expressão "cristão-novo" em circunstância nenhuma, permitindo que os médicos descendentes de judeus recebessem melhor tratamento e consideração, podendo exercer a profissão com a dignidade que mereciam.

Até a chegada da corte ao Rio de Janeiro em 1808, a população era de analfabetos e a saúde era precária. Mesmo nas localidades mais importantes da costa não se encontrava um médico que tivesse feito um curso regular, segundo Gomes (2007: 164), baseando-se nos relatos de John Luccock, mencionado por Manuel de Oliveira Lima (1996). O mesmo Luccock (1942), comandante inglês que, a partir de 1808, passou a viver no Rio de Janeiro, em uma contagem para determinar o número de habitantes daquela cidade, dividiu a população em diferentes categorias, segundo as atividades e relacionamentos com a corte. No entanto, não relaciona um só médico. Este inglês associava ao calor e à falta de higiene os problemas na área da saúde, dizendo que o povo era muito sujeito a "febres, acessos de bile, ao que chamam de doença do fígado, à disenteria, à elefantíase", acrescentando que "a varíola quando surge, carrega multidões (...)".

Somadas às entidades mórbidas já existentes no Brasil na época de seu descobrimento, tais como bouba, disenterias, dermatoses, bócio endêmico etc., juntaram-se as outras entidades patológicas veiculadas pelos colonos a exemplo da varíola, tuberculose, maleita, lepra, sarampo, doenças venéreas. Somaram-se, ainda, as doenças trazidas pelos negros escravizados, como a febre amarela, ancilostomíase (amarelão), tracoma, máculo, entre outras.

Um levantamento das doenças endêmicas foi realizado pelo médico da Armada, Bernardino Antônio Gomes e outros profissionais da área médica, em 1798, a mando da Câmara do Rio de Janeiro, com o propósito de elaborar um programa para a erradicação de tais moléstias e combater as epidemias. Tal levantamento permitiu relacionar as seguintes moléstias endêmicas do Rio de Janeiro: sarna, erisipelas, impigens, boubas, morfeia, elefantíase, formigueiro, bicho-de-pé, edemas de perna, hidrocele, sarcocele, lombrigas, hérnias, leucorreia, dismenorreia, hemorroidas, dispepsia, vários efeitos convulsivos, hepatites e diferentes sortes de febres intermitentes, segundo Gomes (2007: 164), citando Luccock (1942: 35). Aconteceu, porém, que não havia no Rio de Janeiro, como em toda a Colônia, médicos formados em Universidades capazes de combater tais patologias. Por meio de uma forma rudimentar de medicina, eram os barbeiros quem as praticava. Eram tantas as barbearias no Rio de Janeiro, que chamou a atenção de Thomas O'Neill, tenente da marinha britânica que acompanhou D. João VI ao Brasil, chegando a dizer que "o símbolo dessas lojas é uma bacia e o profissional que aí trabalha acumula três profissões: dentista, cirurgião e barbeiro", conforme comenta Gomes (2007: 165).

2.8.1. Influência portuguesa na religiosidade da medicina popular

A partir da chegada dos jesuítas ao Brasil, em 1549, iniciou-se, com sua obra de catequese, a tarefa de incutir novos preceitos religiosos na mentalidade dos povos nativos, visando principalmente a destruir suas crenças. Lembramos que, até meados do século XVI, o contato interétnico ocorria somente entre os primeiros colonos portugueses e os indígenas, visto que negros só chegaram no fim daquele século.

A participação do colono português, no início do século XVI, foi também importante na introdução junto aos nativos de ideias vinculadas aos princípios religiosos próprios do catolicismo, então embutidas no consciente coletivo dos primeiros colonizadores. Porém, coube aos jesuítas o papel de reforçar a visão de mundo fundada naquele sistema de crenças, norteando as noções sobre doenças e curas, vigentes em Portugal, naquele longínquo século dos descobrimentos. A catequese foi arma coercitiva nas mãos dos religiosos para a introdução, entre os indígenas, das ideias religiosas centradas, principalmente, no batismo que a igreja impunha, como único meio de salvação da alma, garantindo-lhes vida eterna, ideias que se baseavam no princípio de que a doença era castigo de Deus e a morte a vontade de Deus (Herson, 1996).

Conforme Rodrigues (s/d: 115-6), em sua obra *Anchieta e a Medicina*, os primeiros profissionais diplomados a chegar ao Brasil durante os três primeiros séculos eram de péssima formação, ignorantes e supersticiosos. Em *A medicina e sua evolução na Baia*, de Gonçalo Muniz, há referência a Antônio Mendes, cirurgião que atuou no Brasil do século XVII, quando diz o autor: "(...) confiava nos efeitos de pescoço de galo torrado e pulverizado, dado em poção, para a cura de esquinências e na ação tópica dos vermes da terra, como resolutivo dos panarícios".

Este exemplo, entre outros, aponta o quanto as crendices populares continuaram a ganhar terreno no campo das curas. Vivaldo Coaracy (1988), em *Memória do Rio de Janeiro*, lá pelo ano de 1837, registra costume relacionado aos sentenciados condenados à pena capital, quando, após sua execução, antes de seu sepultamento, era recolhido de seus corpos os "untos que serviam para a preparação do *óleo humano*. Era esse óleo vendido nas boticas para fins terapêuticos. Os excretos tinham, também, prestígio na terapêutica dos séculos XVII e XVIII, conforme Malhado Filho em Andrade (1939). Refere-se este autor ao *Parnassus Medicalis*, afirmando que "se tendo urina de gente em casa, pode-se passar bem sem remédio de botica. Este autor comenta que o uso da urina estava nos livros de medicina divulgados pelo Dr. Francisco da Fonseca Henriques Trasmontano, médico de D. João V, nos quais indicava a urina do enfermo na cura do "mau-olhado", além do 'jasmim de cachorro' (excremento seco de cachorro), nas doenças mais fisiológicas". No Brasil, a medicina dos excretos teve grande prestígio e Mário de Andrade (1939) a estudou profundamente.

Por serem poucos os físicos e cirurgiões, proliferaram por todo o País mezinheiros, benzedores e curandeiros.

Lembramos que aqueles primeiros profissionais no exercício da medicina, mencionados acima, foram os poucos cirurgiões barbeiros e aprendizes de boticário, na maioria, cristãos-novos, fugidos da Inquisição, vindos em expedições dos donatários das capitanias. Eram todos de condições humildes e dotados de pouca instrução. Porém, tão logo Portugal ficou sob o domínio espanhol (1580-1640), o Santo Ofício estendeu-se até a colônia, de 1591 a 1595, punindo severamente os judeus, entre outros perseguidos acusados de heresia e apostasia. Assim, os cirurgiões barbeiros que não "eram limpos de sangue" também foram denunciados junto ao tribunal, sofrendo severas punições (Santos Filho, 1947).

Mesmo assim, existiam os chamados barbeiros e iniciados, que, de certa forma, eram importantes, tendo em vista a escassez de profissionais nas regiões afastadas do litoral.

2.8.2. Influência jesuítica

A catequese foi a arma coercitiva nas mãos dos jesuítas para a introdução, entre os indígenas, das ideias religiosas que a Igreja impunha, como único meio de salvação da alma.

Até a chegada ao Brasil dos jesuítas, em 1549, não havia escolas ou qualquer forma de ensino. Foram eles que organizaram aulas, ensinaram a ler e escrever, contar, rezar e cantar aos índios que iam catequizando e filhos de colonos (Santos Filho, 1947: 169).

Anchieta, quando de sua permanência em São Vicente e em Piratininga, relata em carta enviada a Portugal, que "serviu de médico, barbeiro, curando e sangrando índios (...)" (Leite, 1953, v. 2: 159-61), ficando, posteriormente, restrito às outras categorias de curadores, somente o ato de "purgar", significando este termo: defecar, vomitar, supurar, originar corrimento ou purgação, conforme São Paulo (1943: 302), acrescentando este autor:

> *Arcaismo respeitado pela própria classe cultivada; (...) ó cousa maravilhosa! Que no mesmo instante abriu a menina os olhos e a boca e após isso, purgando grandemente por baixo e por riba, se lhe começou a desinchar o corpo e dentro de um dia esteve sã como dantes (Diálogo das Grandezas do Brasil, 1930: 155)*

Anchieta se destacou entre seus pares como autor de milagres, conforme documentado por Simão de Vasconcelos (1943) em sua obra *Vida do venerável José de Anchieta*, editado em 1672, em Lisboa. Assim, todo o período da permanência daqueles religiosos no Brasil destacou-se a medicina praticada por Anchieta.

> *Médico, cirurgião, parteiro, higienista, legista, terapeuta, ginecólogo, psiquiatra, nosologista, naturalista, e observador, enfermeiro, padioleiro, coveiro, não houve ramo da medicina que não atraísse a divina intuição do padre Anchieta. (...) Mezinhou, operou, sangrou, partejou, pensou, exumou; curou feridas bravas, cancros, mordeduras, envenenamentos; assistiu a velhos e a infantes; moribundos e alucinados; combateu pestes, infecções, febres, epidemias, suicídios; sugestionou, persuadiu; aliviou aflitos e moribundos, inhumou aos mortos, finalmente, descreveu doenças e doentes, casos que são, hoje, a nosologia nativa, ordenada em depoimento das célebres cartas que escreveu de seus milagres, de suas abnegações e de suas obras medicas. Disse Anchieta: (...) Neste tempo que estive em Piratininga, servi de médico e barbeiro, curando e sangrando a muitos daqueles índios, dos quais viveram alguns de que se não esperava vida, por serem mortos muitos daquelas enfermidades. (Rodrigues, s/d: 247-9)*

Como o próprio Anchieta dizia, o crédito que os índios depositavam nele vinha, também, dos socorros corporais, como registrou o autor acima citado, à página 248-9:

> *(...) De maneira que os índios me tinham muito crédito, máxime por que eu lhes ocorria às suas enfermidades, e como alguém enfermava logo me chamavam, dos quaes eu curava a uns com o levantar a espinhela, a outros com sangrias e outras curas, segundo requeria a sua doença, e com o favor de Christo Nosso Senhor, achavam-se bem.*

O espírito de religiosidade presente na mentalidade do brasileiro quando ligado a assuntos de ordem médico-curativa, decorre, em grande parte, da influência da medicina monástica vigente em Portugal no século XVI. Período em que a medicina era praticada nos conventos, onde os tratados médicos eram compilados. Aquela medicina propiciou o desenvolvimento de forte sentimento de religiosidade entre colonos e indígenas, enquanto catequizados na fé católica e na obediência aos preceitos religiosos exigidos para o bom andamento das terapias aplicadas. Neste sentido, lembramos o papel desempenhado pelos jesuítas em seu trabalho junto aos catecúmenos, incutindo neles a ideia do valor do batismo para a obtenção de graças. Eram situações que se criavam propícias para a introdução de ideias voltadas às curas milagrosas pela intercessão de Jesus ou da Virgem Maria e de santos junto a Deus, obtidas por meio de orações, penitências e promessas. O próprio padre Anchieta realizou curas, tal como foi documentado em 1672 por Simão de Vasconcelos (1943) em *Vida e obra do venerável José de Anchieta*, citada acima, ao traçar a biografia deste jesuíta, relatando os inúmeros milagres atribuídos a ele. Seu profundo talento na arte da persuasão à adesão ao catolicismo junto aos colonos e indígenas e sua perspicácia na arte de curar, segundo ele próprio declarava, vão descritos na obra de Lopes Rodrigues (s/d: 247), *Anchieta e a medicina*. Era ele conhecido como o "Galeno jesuítico do Brasil" – médico, cirurgião, parteiro, higienista, legista, terapeuta, ginecólogo, psiquiatra, nosologista, naturalista e observador, enfermeiro, padioleiro, coveiro; não houve ramo da medicina que não atraísse a divina intuição do padre Anchieta, como diz Rodrigues:

> *A religião e a medicina se amparavam mutuamente, no exercício do postulado anchietano. A mistura de sangrias a confissões, batismo, orações, penitências, demonstra, a cada passo, que o amparo das aflições temporais realizava na ação médica do sacerdote uma continuidade à sagrada inspiração e aos compromissos implícitos do assistente das almas perdidas no caos do paganismo tapuio.* (Rodrigues, s/d: 250)

O tratamento de cunho religioso voltado às doenças, conforme Teles (2005: 2), "está presente na história da humanidade desde as primeiras faíscas de religiosidade do *Homo Sapiens* no Paleolítico Superior, passando pelas mais avançadas civilizações, ao relacionar o aparecimento de doenças aos espíritos do mal, que eram afastados ritualisticamente".

2.8.2.1. Devoção à Nossa Senhora

Teria sido José de Anchieta o precursor do modelo de catolicismo que, embora as alterações que os séculos foram nele imprimindo, sobrevive nas práticas dos curadores de hoje; aqueles que se apoiam em rezas e benzeduras, além das plantas de poder curativo, comuns em zonas rurais e urbanas de certas cidades, principalmente da região Sudeste. Teria ele escrito nas areias da praia os versos de sua inspiração, dedicados à Maria Santíssima: *De beata Virgine Dei Matre Maria*. Foi Anchieta e seus companheiros os divulgadores do culto a Nossa Senhora, difundido através dos séculos. Constata-se tal fato, por meio das inúmeras igrejas e capelas sob as invocações mais diversas, tais como: da Graça, do Carmo, da Boa Morte, do Bom Parto, do Ó", entre muitas outras, lembrando que "Nossa Senhora da Ajuda foi o primeiro orago de igreja fundada pelos jesuítas na Bahia, o que quer dizer, na América" (Diegues Junior, 1968: 17-8).

Diz o autor acima que não podia deixar de mencionar a Nossa Senhora do Rosário, ao tempo dos jesuítas. Havia nos colégios e aldeias o costume de recitar o rosário e cantar, aos sábados, a ladainha Salve Rainha. A esses cantos acorriam os índios. Narra Simão de Vasconcelos: "Os sábados à tarde acorrem à Igreja, e cantam devotamente o Salve da Virgem Senhora Nossa em canto de órgão, com seus círios nas mãos".

Ainda em Diegues Junior (1968: 18), no período do bandeirismo, lá pelos idos do século XVII, a devoção das Nove Velas, a qual consistia em acendê-las no altar de Nossa Senhora, para que os bandeirantes paulistas voltassem ilesos de suas andanças pelo sertão.

Sobre doenças nos inícios da colonização, segundo Camargo (2000) citando Simão de Vasconcelos [1672] (1943: 47), a primeira referência à cura de "cobreiro" liga-se à forma religiosa acrescida de medicação tópica indicada por Anchieta:

> (...) a doença perigosa, que alguns chamam de santo Antão, outros de cobrelo (...), mandou o irmão lavar-se com água-da-fonte milagrosa que ali está e acabado de lavar-se (cousa maravilhosa) de improviso ficou não só sem dor, mas sem sinal ou resto do mal que o molestava.

Água-da-fonte é mencionada nas receitas portuguesas do século XVI, conforme o médico Amato Lusitano (s/d, v 3: 12), para curar pleurite, também conhecida por "esquisita".

2.8.2.2. Devoção aos santos e as curas milagrosas

O culto aos santos, como diz Dantas, era elemento nuclear na religiosidade portuguesa, "herança cultural trazida nas caravelas, onde viajavam concepções de mundo, crenças e imagens de santos com que iam enchendo igrejas, capelas e oratórios que espalhavam-se pelo litoral e interior".

> Eram santos cultuados "por iniciativa particular ou através de grandes ritos coletivos organizados por irmandades e confrarias, associações religiosas leigas, que já no século XVII proliferavam, tornando-se no século XVIII as mais fortes formas de organização religiosa. (Souza, 1994: 59)

A medicina popular voltada às práticas religiosas ditadas pelo Cristianismo do século XVI, invocando santos protetores a fim de intercederem nas curas das mais variadas doenças, mantém ainda vivas tais práticas entre os brasileiros de hoje, não obstante, mantendo também vivo o ato de recorrer aos antecessores terrestres como diz Santos (1992): "(...) os feiticeiros, os bruxos, os próprios curandeiros – que ao uso de certos produtos naturais, manipulados com maior ou menor dose de perícia, juntavam benzeduras".

É possível admitir que os feiticeiros punidos pela Inquisição foram, posteriormente, substituídos no Brasil, pelas benzedeiras, rezadores negros e brancos, ao lado de indígenas, ocupando-se das relações com o sobrenatural, expulsando espíritos malignos causadores de doenças, ou curando com benzeduras, rezas, encantamentos, poções mágicas, pajelanças, entre outras práticas, com o apoio de entidades sobrenaturais.

Somada à devoção à Nossa Senhora estava a fé nos poderes da intercessão de santos junto a Deus na época do descobrimento da nova terra, que Portugal vivenciava intensamente. No século XVIII, eram 80 os santos, conforme foram mencionados em um catálogo elucidativo com males do corpo e do espírito, indicando um santo para cada caso (Santos, 1992). Sterpellone (1998: 7), em seu livro *Os santos e a medicina*, faz um levantamento criterioso sobre os santos taumaturgos protetores, separando-os por categorias:

1. Santos seguramente médicos.
2. Santos médicos, segundo a tradição.
3. Santos não médicos, mas que praticaram ativamente a medicina.
4. Santos que certamente não foram médicos, mas que são considerados tais.
5. Santos que protegem de doenças.

São muitos os santos aos quais se apela na medicina popular por meio de seus curadores, visto que a devoção a eles é assegurada pela crença na certeza da obtenção das curas. Esse é modelo de catolicismo que sobrevive em zonas rurais ou urbanas, comum do interior do estado de São Paulo, conforme observado pela autora.

Santa Luzia, sempre presente na memória do povo brasileiro, foi mártir, como tantos outros santos eleitos pela Igreja Católica Apostólica Romana. É crença popular a cura de doenças relacionadas aos olhos, por sua intercessão, conforme pesquisa exaustiva de Gutemberg Medeiros Costa (1997).

Araújo (1958: 65) registrou, no Vale do Rio São Francisco, a seguinte reza, ao destacar o ato de recorrer aos santos, a fim de lhes pedir intercessão junto a Deus todo-poderoso:

> *(fulana) sua mãe te teve*
> *sua mãe te há de cria*
> *quem quebranto te pois*
> *eu tiro com um*
> *com dois*
> *com treis hei de tirá*
> *o quebranto ou mau olhado*
> *e a minina (nome) fica sarada*
> *Si fô nos olhos da menina*
> *Santa Luzia é quem vai curá*
> *Si fô na cabeça da menina*
> *é São Pedro que vai tirá (...),*

Ou, ainda:

São bento
água benta
abri esses caminhos
que neles quero passá

Cáscia Frade (2006), em *Santo de casa faz milagre: a devoção a Santa Perna*, relaciona aquelas figuras que se perpetuaram pela sua santidade na memória coletiva em diferentes localidades brasileiras, a exemplo de Mãe Marcelina, negra, em Pedreiras, Maranhão; Santa Damasinha, morta pelo marido, em Angicos, Rio Grande do Norte; Santa Radi, que ensinava remédios, no alto Madeira, Amazonas; Mãe Valéria, parteira, morta por ordem do Governador e Capitão-General D. Francisco de Souza Coutinho, em Belém, Pará; Maria de Lurdes, morta por sevícias policiais, em João Pessoa, Paraíba.

Os exemplos citados são alguns dentre a infinidade de outras rezas e mesmo aquelas dedicadas aos santos que o povo elege, cujas imagens são veneradas em solo brasileiro, a exemplo, entre outros, de Santo Antoninho da Rocha Marmo, em São Paulo; Santa Izildinha, chamada Anjo do Senhor, de Monte Alto-SP e São Bom Jesus de Iguape-SP. Estes, dentre outros, são aqueles com quem seus devotos mantêm um relacionamento pessoal e cotidiano, não importando se o Vaticano aprova ou não essa relação. As romarias atestam essa devoção, visto que cada indivíduo ali presente leva consigo seu preito de gratidão pelos milagres recebidos.

Dentre os santos citados, destacamos a figura ímpar que representou, e ainda representa, padre Cícero Romão Batista no cenário da religiosidade popular do Nordeste. Conforme Araújo (2007: 87), nem bem tenha ele chegado a Juazeiro do Norte em 1897, em pleno Cariri cearense chegava à região o paraibano beato José Lourenço, arrendando o sítio Baixa d'Anta, de terra improdutiva, transformando-a, porém, em um verdadeiro oásis, um sítio de muita produção. Segundo este autor, por volta de 1913, padre Cícero, sabendo da dedicação deste beato para com os penitentes que, ao passarem por ali, pediam-lhe abrigo, "mandou para Baixa d'Anta, a fim de ser cuidado por José Lourenço, um boi zebu que recebera de presente". Por ter sido escolhido para cuidar do boi "Mansinho", o beato passou a ser conhecido como o homem de confiança do padre Cícero. Cuidado com esmero, o boizinho passou a ser visitado pelos romeiros, principalmente por saberem ser do padre Cícero. Quando de volta das peregrinações a Juazeiro, os romeiros paravam no sítio do beato José Lourenço para agradecer a hospedagem, aproveitando para fazer um agrado no boi Mansinho, resultando com o tempo em romarias ao boi do padre Cícero, ajoelhando e rezando diante do animal. Alguns romeiros chegavam a colher a urina, fezes e raspas dos chifres e cascos do animal, como amuletos e material para chás para curarem doenças. Acusado por estar incitando ao culto fanático do boi milagroso, foi determinada a apreensão do animal, seu sacrifício e a prisão do Beato José Lourenço, obrigado, também, a comer da carne do boi sacrificado, o que se recusou a fazer. A partir daí, a história do beato passa por vários meandros e desvios, narrados por vários pesquisadores, sociólogos, antropólogos, entre outros.

Importante, todavia, é destacar a prevalência do "discurso da salvação" pregada pelos seguidores do beato Lourenço, em nome do padre Cícero, em detrimento de outras causas do fanatismo religioso em torno das romarias, ao suplantar causas como: a seca e a extrema pobreza vivida por aqueles que migravam para a terra prometida – o Caldeirão – tal como é relatado por Silva (2009), em sua tese de doutorado. Isto faz denotar que a resignação pelos sofrimentos que a extrema pobreza proporcionava, tem como recompensa a salvação, desde que seguidos os preceitos ditados por um líder religioso. Esta é uma postura que coaduna com outros exemplos na história da religiosidade no Brasil, própria do discurso do catolicismo, já pregado pelos jesuítas, nos começos do Brasil, apontando a ponte de salvação, como já visto anteriormente. Todos os anos, naquele mesmo local, no último domingo de setembro, é rezada uma missa em louvação ao beato, para onde acorrem vaqueiros e indivíduos com vestimentas, lembrando os tempos de cangaceirismo, como mulheres vestidas, tal como fazia Maria Bonita, missa assistida e documentada por esta autora, em 2011.

Quanto à região Sudeste, onde mais se concentram nossas pesquisas, é marcante a devoção à Nossa Senhora, com menção para as cidades do entorno da capital paulista. Nessa região se destaca uma medicina, herança verdadeira de antigos caipiras, tipo étnico resultante do cruzamento do índio com o branco, que habitavam as várzeas do rio Tietê em tempos idos. Devido ao isolamento a que foram submetidas com a expulsão dos jesuítas em 1760, aquelas populações no entorno da cidade passaram a desenvolver modelos religiosos, culminando no que hoje podemos chamar de catolicismo rural, como destaca Seabra (2003).

Atuante na vida religiosa dos habitantes do município de Ibiúna-SP, nas proximidades da capital, área delimitada para a realização de nossas pesquisas, está São Gonçalo, reverenciado pelos devotos com a conhecida "Dança de São Gonçalo".

Dentre as diversas versões dessa dança existentes no País, cita-se a do mesmo município, onde, segundo o registro de Vendramini (1976), realiza-se predominantemente em pagamento de promessa a São Gonçalo, por graça de cura de "doença das pernas" e de reumatismo, alcançada mediante a intercessão deste santo. Segundo a autora, a coreografia consiste na movimentação de fileiras e de roda ("cururu" ou "caruru"), no decurso dos quais os participantes devem fazer "misura" – flexão reverencial do corpo para frente – diante da imagem de São Gonçalo violeiro, colocada em um altar instalado no espaço da dança especialmente para o evento.

Conquanto a herança ibérica esteja presente na música e instrumentos musicais empregados, a reza que precede a dança, ao lado da coreografia, também remete à catequese jesuítica. Integram-na orações e cantos do catolicismo tradicional, tanto em língua portuguesa como em latim, ambos modificados pela tradição oral.

A partir das suas observações, Vendramini relaciona essa versão da dança a outras danças atribuídas ao resultado da catequese jesuítica, na qual foram utilizados elementos da cultura indígena, dentre as quais da Dança de Santa Cruz, também verificada no entorno da capital. A propósito, cita Mário de Andrade: "(...) No cururu religioso dessas danças tradicionais, julgo ver uma tradição jesuítico americana permanecida por quatro séculos" (Andrade, 1965: 23 nota 1).

A Dança de Santa Cruz da Aldeia de Carapicuíba-SP, cuja coreografia ao som de música vocal e instrumental compreende movimentos de avanço e recuo dos participantes, na "saudação" e na "despedida". Partes às quais se intercalam na "roda", que se realiza diante da capela da Aldeia, e das cruzes plantadas diante das casas dessa localidade. Portanto, diante de um símbolo sagrado, tal como a Dança de São Gonçalo, que acontece defronte a um altar com a imagem deste santo.

Embora se trate de dança devocional de caráter coletivo, destinada a louvar e reverenciar a cruz de Cristo, a participação pode, eventual e individualmente, ocorrer para pedidos de graça, agradecimento por graças alcançadas ou mesmo o pagamento de promessa relativa à saúde, circunstância que a aproxima da dança ibiunense. Portanto, preservado ou modificado por processos aculturativos, o legado jesuítico, integrando música e dança cujas origens no Brasil datam do século XVI, permitiu a criação e desenvolvimento de práticas do catolicismo popular objetivando a recuperação da saúde.

Os detalhes narrados por Vendramini são importantes, à medida que ainda se destaca o legado jesuítico do século XVI na religiosidade que envolve a medicina popular, onde se denota o poder mágico da linguagem corporal, fazendo chegar ao santo o agradecimento pela graça alcançada.

Conforme Vendramini (1981: 48-59), os jesuítas também participaram da implantação e difusão do uso dos sinos no Brasil, bem como da criação de um repertório de toques para o atendimento de finalidades diversas, visto que, já no século XVI:

> (...) os sinos e campainhas despertavam a atenção dos índios e os estimulavam a atender ao chamado e às instruções dos catequistas (...), que convocavam para os acontecimentos religiosos e para a tarefa educacional, assim como para as orações e a reverência a Nossa Senhora, além de darem sinais diversos.

Acrescenta a pesquisadora que, ao longo dos séculos, esse repertório desenvolveu-se com a participação das diversas ordens religiosas e das culturas amalgamadas neste país, estendendo-se até a atualidade. Compreende um elenco de toques que inclui os executados para suscitar orações em favor de mulheres em dificuldade de parto ou para agonizantes, na intenção de que cada caso chegue ao melhor termo. Dessa maneira, nascimento e morte, a recuperação da saúde e a própria vida têm como recurso o toque de sino de igreja que, como objeto sacralizado, pode, por suas próprias vibrações, propiciar a solução almejada.

O espírito de religiosidade presente nas questões médico-curativas da cultura popular como as que foram apontadas encontra-se também da utilização das bandeiras do Divino Espírito Santo. Vendramini (1978), estudando a Festa do Divino em Mogi das Cruzes-SP, comenta que, durante o período de novena, realiza-se a "visita das bandeiras": um cortejo que, dentre outros participantes, inclui os devotos com as respectivas bandeiras e a folia do divino marcha pelas ruas da cidade, ao som de cantos e orações católicas, cumprindo um roteiro de presença aos diferentes locais que solicitam a visita. As bandeiras constituem o elemento de relevância neste item do programa da festa. Por serem bentas, adquirem a condição de objeto sacralizado que, além de proteger amplamente quem as possui (indivíduo, família), são portadoras de bênçãos e capazes de realizar a cura de males diversos. Dessa maneira, havendo um enfermo no local visitado, seu corpo permanecerá coberto por uma bandeira durante a cantoria da folia ou da reza, almejando-se a cura ou a minimização do sofrimento quando a cura não é possível.

2.8.2.3. Ex-votos

A mais significativa manifestação pública de gratidão às entidades veneradas por graças delas recebidas é o ex-voto, herança lusitana que, por sua vez, remonta ao mundo pagão de eras passadas, como vimos anteriormente. São peças esculpidas, moldadas, recortadas, pintadas em diferentes materiais, representando as partes do corpo afetadas lembrando o mal que as acometeu, além de quadros com cenários pintados remetendo aos momentos dos milagres ocorridos e suas respectivas datas.

Segundo Diegues (2004:49), inúmeras igrejas, capelas, santuários e, também, museus de Portugal, exibem seus ex-votos.

No Brasil, as salas de milagres junto a igrejas, depositárias de imagens de santos padroeiros que o povo venera, estão abarrotadas de ex-votos.

Julita Scarano (2004) estudou os ex-votos dos séculos XVIII e XIX em São Paulo e Minas Gerais e sua relação com as romarias. Para a autora, o ex-voto pode ser visto como uma celebração da vida. "Manifesta a alegria, o agradecimento pela graça que afastou a morte e trouxe a cura dos males. Possui, assim, ao mesmo tempo, um aspecto grave e festivo. Mostra a vitória das forças sobrenaturais sobre o mal que atinge os seres humanos".

2.8.3. A farmácia jesuítica

As terapias jesuíticas eram amparadas pela religião, visto que procedimentos de ordem religiosa se confundiam com remédios, sangrias e tudo o mais empregado para salvar o doente das doenças, assim como sua alma, instruindo-os na fé, caso a morte não pudesse ser evitada (Marques, 1997).

Até à expulsão daqueles religiosos do Brasil, em 1760, por ordem do Marquês de Pombal, os jesuítas praticaram medicina e mantiveram boticas junto a seus colégios, as quais se constituíam locais onde davam-se ou vendiam-se remédios. Compreendiam preparações à base de plantas que, a princípio, vinham da Europa. Com o tempo, os padres passaram a cultivá-las, visto constatarem que perdiam sua validade devido ao longo tempo exigido pelas viagens marítimas, iniciando, assim, o cultivo das espécies nativas da região mediterrânea, suas conhecidas, conforme Santos Filho (1947), tais como:

- **Alecrim** – *Rosmarinus officinalis* L. Lamiaceae.
- **Erva-cidreira** – *Melissa officinalis* L. Lamiaceae.
- **Boldo** – *Coleus barbatus* Benth. Lamiaceae.
- **Coentro** – *Coriandrum sativum* L. Apiaceae.
- **Losna** – *Artemísia absinthium* L. Asteraceae.

Também as plantas de origem asiática há muito já haviam sido introduzidas na Europa, lembrando:

- **Cravo-da-índia** – *Syzigium aromaticum* (L.) Merr. & l. M. Perry Myrtaceae.
- **Gengibre** – *Zingiber officinale* (L.) Merr. & Perry Myrtaceae.
- **Noz-moscada** – *Myristica fragrans Houtt.* Myristicaceae.
- **Alho** – *Allium sativum* L. Alliaceae.
- **Cebola** – *Allium cepa* L. Alliaceae.
- **Picão** – *Bidens pilosa* L. Asteraceae.
- **Capim-limão** – *Cymbopogon citratus* (DC.) Stapf. Poaceae.

Os jesuítas teriam sido os que mais contribuíram para o conhecimento das plantas medicinais nativas, aquelas por eles empregadas na manipulação dos remédios preparados nas boticas junto a seus colégios. Foi famosa a *Coleção de receitas medicinais*, conhecidas por *Purchas*, em 1625, do colégio da Bahia e de Olinda, de autoria de Manuel Tristão, natural dos Açores, aquele que teria sido o primeiro boticário farmacêutico da Companhia de Jesus, no Brasil (Camargo, 1975; 2011). Dentre aquela coleção estava a *Triaga Optima* da botica do Collegio Romano, *Triaga da Índia, Triaga contra lombrigas* e *Triaga Brasílica*. Esta, datada de 1766, com mais de 60 componentes, era considerada a mais importante farmacopeia jesuítica, estudada detalhadamente por Fernando Santiago dos Santos (2009: 46). Nesta triaga, como mencionada por este autor, já eram empregadas plantas nativas ensinadas pelos indígenas, dentre elas: jacarandá (*Bignoniacea spp* Bignoniaceae); copaíba (*Copaifera spp* Fabaceae); maracujá (*Passiflora alata* Ait, *P. edulis* Sims. Passifloraceae; *P. edulis* Sims.); jaborandi (*Pilocarpus spp* Rutaceae) (Joly, 1976; Rizzini & Mors, 1976). Santos acrescenta que a introdução das plantas nativas nas farmacopeias jesuíticas, citando Ferraz (1995), fez com que a matéria médica trazida pelos europeus às colônias americanas fosse profundamente modificada.

Triagas eram polifarmácias à base de vinho e mel, acrescidas de substâncias de origem vegetal, animal e mineral, conhecidas desde a Antiguidade. O termo, de origem grega – *Theriake* – e latina – *Theriaca* – inicialmente significava antídoto contra envenenamentos, exceto os corrosivos (Santos, 2009: 62). Ficou conhecida, no século II a.C., a Triaga de Mitrídates, rei do Ponto, antídoto contra envenenamento, formado de 54 componentes, a qual, depois, Andrômaco, médico de Nero, reformulou, dando como de sua autoria. Entre outras, está a Triaga de Galeno, tornando-se famosa por toda a Idade Média e o Renascimento, ganhando prestígio por toda Europa até o fim do século XIX, inclusive no Brasil (Santos, 2009: 62; Albarracin, 1993: 45).

Entendidas como panaceias de eficácia garantida, aquelas velhas triagas compreendiam "fórmulas secretas" que, com o tempo, várias substâncias não só foram sendo substituídas como outras acrescentadas, deixando de ser apenas antídotos contra envenenamentos, para atender, também, a várias enfermidades. As maneiras de preparar eram divergentes, como diz Marques (2003), assim como o tempo que se aguardava para serem consumidas. Vinho branco, xarope de limão e mel de abelha eram ingredientes básicos nas triagas antigas, usados para a dissolução de certas substâncias empregadas, tal como ocorria na preparação da *Triaga Brasílica*. Algumas triagas, depois de preparadas, eram mantidas em lugar escuro e fresco, por um período que variava segundo a determinação de quem a confeccionava. A *Triaga Brasílica*, por exemplo, contrariando tal procedimento, era mantida sempre "exposta ao sol, mexida diariamente pela manhã e à tarde, não devendo ficar ao relento", aguardando por seis meses até poder ser consumida, conforme Santos (2009: 159, 167-8), citando Serafim Leite (1953). Quando da expulsão dos jesuítas do Brasil, houve a intenção de se apossar da Botica e da *Coleção de receitas medicinais*, dentre as quais estava a *Triaga Brasílica*. Esta, não tendo sido encontrada na Bahia, foi mais tarde localizada no Arquivo Romano da Companhia de Jesus, na Itália, como parte da *Coleção de Receitas* (Santos 2009: 59).

A triaga, como fórmula medicinal de uso no Brasil, foi mencionada por Chernoviz (1890: 1073), como consta da 6ª edição de seu *Dicicionario de medicina popular e das sciencias accessorias. Para uso das famílias*, onde, fazendo referência à triaga composta de 71 substâncias, diz: "Este electuario antigo é empregado ainda hoje como calmante e contra as diarrheas, da dose de 4 a 16 grammas em clysteres ou em pílulas". Ainda em Chernoviz (1908: 879), na 18ª edição de seu *Formulário e guia médico*, diz o autor que a theriaga mencionada teria sido composta no ano de 64 por Andrômaco, a qual compreendia uma mistura de todas as drogas até então conhecidas. Tal assertiva nos faz crer que se admitia, naqueles tempos, que o poder de cura estava, exatamente, na reunião do maior número de substâncias curativas, capazes de atender a diferentes estados de doenças – cada componente era indicado para cada caso particular. Deduzimos daí que não havia necessidade de diagnóstico, visto que naquela composição estava garantida a cura de qualquer mal. Em seu *Formulário*, o autor acrescenta que os médicos que prescrevem a triaga "regulam-se pela quantidade de ópio que ella contem". Ao tratar das pílulas de ópio, diz: "Extrato de ópio 0,05 centigrammas. De 1 a 2 pílulas por dia. Calmante muito empregado". Da constante presença do ópio nas formulações, deduzimos também que as triagas representavam terapêuticas sintomáticas, visto que o ópio abrandava os estados dolorosos.

2.8.3.1. Das teriagas às garrafadas[59]

Das teriagas antigas, certamente podemos considerar as "garrafadas" como herdeiras, hoje circulando por todo o Brasil. São compostas de elementos de origem vegetal, animal e mineral, indicadas para vários fins, à disposição de usuários em mercados e feiras livre, assim como em ambientes religiosos onde ocorrem curas, cujos usos apresentam forte conotação religiosa.

Não se sabe quando o termo "triaga" foi substituído, no meio popular, por "garrafada", termo que para Fernando São Paulo (1943: 187) significa: "Mesinha grosseira. Medicamento de curandeiro ou de charlatão posto em garrafa". Possivelmente, tal mudança teria ocorrido por volta de 1640 quando, até então, só as boticas dos Colégios eram autorizadas a preparar remédios. A partir daquele ano, pessoas de fora dos conventos poderiam exercer o ofício de boticário. Porém, mediante autorização do físico-mor, em Lisboa, ou de seu representante, em Salvador, no Brasil. "Assim, muitos lavadores de vidros ou simples ajudantes das boticas jesuíticas requereriam exame perante o físico-mor e, uma vez aprovados, arvoraram-se em boticário" (Santos, 2009: 51). Deste fato, supõe-se que os padres fornecessem seus remédios em vidros, ou seja, em garrafas, tal como foi dicionarizado em Antônio Moraes Silva (1878, Tomo II: 80): "Garrafada: medicamento que vem da botica em garrafa". As garrafas de cerâmica ou vidro faziam parte do arsenal de objetos das boticas portuguesas, como constataram Leal e Ferreira (2006/2007: 97), entre os achados arqueológicos de uma comunidade monástica do século XVII, o Mosteiro de Santa Clara-a-Velha, de Coimbra.

A medicina popular, na preparação de remédios, desde os primeiros tempos da colonização, tal como ocorria em Portugal no século XVI, vem deixando evidenciar a influência da farmácia galênica em suas manipulações, tais como: chás (infusões e decoctos), emplastros, clísteres, banhos etc., incluindo as tão difundidas garrafadas mencionadas acima. Acrescenta-se, ainda, a adoção das ideias preconizadas pela medicina hipocrática sobre as qualidades: quente e frio, seco e úmido dos remédios, entendidas como benéficas ou danosas para a saúde humana. Importante seja lembrado que, com o passar do tempo, a medicina popular no Brasil bastou-se com o quente e frio, desprezando os elementos seco e úmido, segundo Santos Filho (1947). Conforme este autor, durante o período do Brasil colônia, os boticários orgulhavam-se de conhecer fórmulas secretas de teriagas e panaceias, herança da medicina greco-romana na qual os portugueses espelhavam-se e que vendiam por bom dinheiro, como: óleos, unguentos, águas medicinais e elixires de longa vida, entre outros.

---

59. Conferência apresentada no XXII Simpósio de Plantas Medicinais do Brasil, realizado em João Pessoa-PB, em 2010, publicado em *Dominguezia* (2011). (Vide bibliografia).

2.8.4. Denominação de doenças e partes do corpo humano na linguagem médica popular

A medicina popular apresenta sugestões e hipóteses de trabalho de grande importância para os estudos de linguagem popular. Os nomes que o povo dá às diversas doenças ultrapassam a simples denotação e envolvem uma rede de conotações.

Escapam aos nossos objetivos de pesquisas da medicina popular os aspectos linguísticos das designações das doenças. Visamos, no entanto, a esboçar o campo semântico de algumas delas, visto permanecerem na linguagem dos informantes, fato já observado em uma pesquisa em favela de São Paulo na década de 1970[60]. Citamos algumas delas, cujas sinonímias populares foram extraídas de obras de autores portugueses: *Diccionário da língua portuguesza* (1783), de António de Morais Silva; *Vocabulário portuguez e latino* (1712), de Raphael Bluteau; *Diccionario da língua portuguesa* (1877-1878), de Antônio de Moraes Silva, Fernando Pires de Lima e Alexandre Lima Carneiro (1943). Sobre a medicina popular no Brasil, entre muitos outros: Amadeu Amaral (1920), Gonçalves Fernandes (1938), Josa Magalhães (1966); Fernando São Paulo (1970), Mario de Andrade (1939).

Na medicina popular, há uma série de patologias que "só reza cura", cujos nomes que o povo lhe empresta envolvem uma rede de conotações. As várias designações que uma mesma doença recebe obedecem a uma mecânica em que operam elementos de natureza psicológica ligados a tabus, superstições e costumes, muitas vezes circunscritos a determinadas regiões ou contextos socioculturais ou, mesmo, a grupos sociais. Algumas designações surgem e desaparecem, e outras permanecem durante séculos (Camargo, 1978).

Tais patologias nos fazem lembrar o mau-olhado, exemplo clássico na história da humanidade. A experiência na arte de diagnosticar, somada ao histórico apresentado quanto ao aparecimento desta "doença", é logo apreendida pelo curador. Síndrome, sobre a qual Jimenez (1979) propôs chamar "síndrome cultural do mau-olhado", visto o quadro sintomatológico que a caracteriza variar de uma cultura para outra, de um para outro grupo social ou, de um país para outro. Trata-se de "patologia" universal, remontando a tempos muito antigos, como conta a história da medicina. Citamos outros exemplos, como: "doença do vento", "mal de sete dias" (síndrome policarencial em recém-nascidos), "doença de macaco" (também síndrome policarencial em recém-nascidos), "quebranto", "cobreiro" (herpes-zoster[61]), "espinhela caída" (prolapso do apêndice xifoide).

---

60. 1° Prêmio "Mário de Andrade", conferido a Maria Thereza Lemos de Arruda Camargo, com o trabalho *Medicina Popular em Favela de São Paulo* – Prefeitura Municipal do Município de São Paulo – Discoteca Municipal – 1972.

61. Pesquisa realizada pela autora do presente livro, publicado em *Antologia do Folclore Brasileiro* (1982: 129:-141) (Vide bibliografia).

Sobre doenças nos inícios da colonização, segundo Camargo (2000), citando Simão de Vasconcelos [1672] (1943: 47), biógrafo de Anchieta, a primeira referência à cura de doença menciona a de "cobreiro" acrescida de medicação tópica, indicada por este jesuíta:

> (...) *a doença perigosa, que alguns chamam de santo Antão, outros de cobrelo (...), mandou o irmão lavar-se com água-da-fonte milagrosa que ali está e acabado de lavar-se (cousa maravilhosa) de improviso ficou não só sem dor, mas sem sinal ou resto do mal que o molestava.*

Água-da-fonte é mencionada nas receitas portuguesas do século XVI, conforme o médico Amato Lusitano (s/d, v 3: 12), para curar "pleurite", também conhecida por "esquisita".

Para essas "patologias", cujas etiologias se prendem a ideias subjetivas, as terapias consistem em benzeduras e rezas e, eventualmente remédios à base de substâncias de origem vegetal, animal ou mineral. São tratamentos sintomáticos visando a suprimir os sintomas colaterais decorrentes da "doença", visto serem as rezas e benzeduras os agentes sacralizados que vão, na realidade, restituir ao doente o estado anterior à instalação do mal que o atingiu.

Porém, se tais síndromes fossem submetidas a uma correlação nosológica por parte da biomedicina, por meio da descrição detalhada dos quadros apresentados e das evidências etiológicas correspondentes, certamente seriam encontrados correlatos na linguagem médica científica, embora algumas já tenham sido identificadas cientificamente, como vemos na relação anterior.

A história aponta médicos que, atentos às expressões populares captadas em suas clínicas, nos diálogos com seus pacientes, coligiram uma série de termos comuns no linguajar do brasileiro, os quais remontam ao tempo dos colonos portugueses, nos primeiros séculos da dominação lusitana.

Tratando-se de vocabulário de transmissão exclusivamente oral, constitui uma das partes mais vivas da língua e, por isso, está em contínua mutação. Termos que se perderam, novos, que constantemente aparecem e muitos dos antigos que mudam de significado e adquirem nuanças em face do progredir do conhecimento médico popular.

Dentre os médicos que se preocuparam em fazer seus registros, estão os professores: Ullysses Lemos Torres (s/d), presumível em meados do século XX, sucessor de seu pai na Faculdade de Medicina da Universidade de São Paulo; Fernando São Paulo (1970), da Faculdade de Medicina da Bahia; e, mais recentemente, Iaperi Araujo (1981), professor da Faculdade de Medicina da Universidade Federal do Rio Grande do Norte.

Estes autores relacionam considerável número de termos e expressões do linguajar que o povo adota, como designativos de partes do corpo humano que, embora venham sofrendo mudanças em suas definições, os significantes permanecem no linguajar popular, tais como os exemplos abaixo:

- ◆ **Articulação** = junta.
- ◆ **Axila** = sovaco.
- ◆ **Cérebro** = bestunto.

- ◆ **Garganta** = guela.
- ◆ **Genitália, órgãos genitais** = vergonhas, partes.
- ◆ **Intestino** = bucho, tripa.
- ◆ **Nádega** = assento.
- ◆ **Nuca** = cangote.
- ◆ **Pênis** = membro.
- ◆ **Perna** = cambito.
- ◆ **Quadril** = anca.
- ◆ **Saliência da cartilagem tireoide** = gogó.
- ◆ **Testículo** = grão, semente.
- ◆ **Tíbia** = canela.
- ◆ **Tórax** = arca.
- ◆ **Útero** = madre.
- ◆ **Úvula** = campainha.

Estes termos foram empregados entre médicos mais eruditos do passado, tal como em São Paulo (1943:65), citando Antônio da Cruz em *Recopilaçam de Cirurgia* (1661:28), quando este diz: "A campainha está pendurada no meyo das amigdalas como um bago de usavas, & por isso se chama em latim uvea (…)". Em Herson (1996), o médico Francisco de Mello Franco, no século XVIII, condenava enfaixar bebês, quando dizia que: "apertando o peito, o bofe não se pode dilatar perfeitamente". Ainda no século XVIII, São Paulo (1943: 193) cita Curvo Semedo (1772: 177) em *Atalaya da vida contra as hostilidades da morte*, quando este diz:

> *Cazar com mulher donzella, não podem alguns pela frouxidão do membro, remédio para isso: cozereis hua onça de pimenta machucada em hua canada de excellentissimo vinho tinto, & com este banhareis muytos dias os grãos, & o membro viril, & observareis o effeyto desejado (…).*

Em *Pharmacopea lusitana* (1754:454), de D. Caetano de S. Antonio, está: "Serve este emplastro para as roturas, comprime e aperta as partes laxas; defende admiravelmente que as tripas não desção abaixo".

2.9. **Matriz africana**

Os primeiros negros africanos que chegaram ao Brasil na condição de escravos, a fim de trabalhar para os colonos portugueses, foram os de etnia banto, oriundos de Angola, Congo e Moçambique, cuja chegada teve início em fins do século XVI, perdurando até o século XIX, segundo Silva (1994), admitindo que estes se espalharam por quase todo o litoral e interior, principalmente de Minas Gerais e Goiás.

Em meados do século XVII, chegaram os sudaneses, originários da África ocidental, territórios hoje denominados Nigéria, Benin (ex-Daomé) e Togo. Eram eles:

- os iorubá ou nagô (subdivididos em Kêto, ijexá, egbá etc.);
- os jeje (ewe ou fon);
- os fanti-ashanti;
- os haussá, tapa, peul, fula e mandinga (nações islâmicas). (Silva (2007: 9)

Abstemo-nos nesta parte do livro dos detalhes da vida cotidiana do escravo sob o jugo de seus senhores. Porém, não pretendemos apagar de nossas memórias as injustiças sociais e a desumanidade exercidas pelos dirigentes de nosso País em tempos passados, as quais deixaram marcas indeléveis em nossa história, já que somos parte dela. Submetidos a sevícias de toda sorte, provocando-lhes mutilações dentre outros horrores, este foi assunto bastante detalhado por Gilberto Freyre (1963: 217), em *O escravo nos anúncios de jornais brasileiros do século XIX*. A partir das observações deste autor, podemos deduzir como teria sido o trato dispensado a esses indivíduos, desde os primeiros séculos da colonização até quando a imprensa já podia denunciar as atrocidades.

> *Restavam-lhes deformações de corpo do homem da mulher e do menino. Deformação por excesso de trabalho, por doença, por tatuagem, por condições anti-higiênicas de vida, e talvez de alimentação em certas senzalas. Também, cicatrizes de açoites e de ferro quente. (...) São numerosos os casos de negros rendidos e quebrados; de pretos com veias estouradas ou calombos no corpo; os de escravos de andar cambaio ou banzeiro; vários os de negros fugidos com máscaras ou mordaças de flandres na boca: máscaras algumas, deformadoras das fisionomias dos negros. Às vezes máscaras ou mordaças fechadas com cadeado. Essas mordaças seriam menos castigo que medida profilática: contra o chamado vício de comer terra. As máscaras se usavam – informa em artigo nos "Anais Brasilienses de medicina" o médico Gama Lobo – contra a voracidade por toda a espécie de frutas, até verdes, dos escravos sofrendo oftalmia a que denominou de "brasiliana". Doença que seria causada pela má alimentação em certas fazendas do Império.*

Em 1823, Maria Graham, inglesa e amiga da Imperatriz Leopoldina, descreve o que vê em Valongo, o mercado de escravos no Rio de Janeiro.

> *(...) depósito de negros ativos. (...) Os navios negreiros que chegam ao Brasil apresentam um retrato terrível das misérias humanas. O convés é abarrotado por criaturas apertadas umas nas outras tanto quanto possível. Suas faces melancólicas e seus corpos*

nus e esquálidos são o suficiente para encher de horror qualquer pessoa não habituada a esse tipo de cena. Muitos deles, enquanto caminham dos navios até o depósito onde ficarão expostos para a venda, mais se parecem com esqueletos ambulantes, em especial as crianças (…). (Gomes 2007: 240)

As dificuldades de adaptação dos negros em solo brasileiro refletiram mais exatamente na manutenção de suas práticas religiosas e de cura, em que as plantas representavam elementos essenciais. Porém, com o tempo, foram encontrando soluções para suas dificuldades, ao buscarem os sucedâneos que a nova terra oferecia para as espécies suas conhecidas na África. Tal fenômeno de adaptação deveu-se à proximidade com indígenas das áreas em que se fixaram.

Em solo brasileiro, o conhecimento das plantas por parte dos negros somaram-se aos ensinados pelos indígenas, os quais apontavam as plantas também, de poderes mágicos, usadas em seus rituais, permitindo-lhes o contato com o sobrenatural.

Nas religiões de origem e influência africana que, com o tempo, foram se firmando na sociedade brasileira, percebe-se a presença marcante da troca de bens culturais, principalmente no tocante ao das plantas medicinais, podendo admitir-se terem sido elas um dos importantes elos entre as culturas europeias, indígenas e africanas na formação das religiões Umbanda e Candomblé.

Um exemplo de mescla de culturas na religiosidade brasileira é a figura do caboclo (entidade mais reconhecida na umbanda, mas presente também no candomblé angola), fumando cachimbo – objeto universal usado tradicionalmente na África – com o tabaco do indígena brasileiro (*Nicotiana tabacum* L. Solanaceae).

2.9.1. Negros banto

Foram os primeiros negros a chegar ao Brasil e, por terem sido arrancados de seu solo pátrio para viver em terras estranhas, certamente se sentiram desprotegidos do ponto de vista religioso, ao deixarem para trás seus objetos de culto: seus ancestrais e a natureza africana. Assim, aqueles primeiros negros que se fixaram em novo solo, onde tudo lhes era novo, ao se aproximarem de grupos indígenas, com os quais passaram a manter algum contato, tenham estes lhes trazido algum alento, pois encontraram nos nativos ideais religiosos semelhantes: o culto aos ancestrais e à natureza. Laplantine (1998: 78), a respeito do tráfico de escravos para o Brasil, diz:

Um dos mais gigantescos empreendimentos da desculturação de toda a história foi, incontestavelmente, a deportação de milhões de negros para a América do século XVI ao século XIX. Consideradas como gado humano, as diferentes populações que foram arrancadas da África não chegam por etnias, porque os negreiros não compram por lotes, mas selecionam os mais belos garanhões e as mais belas fêmeas, já nos portos africanos de embarcação. Depois, essa seleção é fragmentada uma segunda vez na chegada, quando os compradores escolhem, separando maridos, esposas e filhos.

Prandi (1996: 59) faz referência à forma com que os bantos recriaram um panteão próprio em terras brasileiras ao adotar, como objeto de culto, os ancestrais já cultuados da nova terra. Este autor faz referência ao candomblé de caboclo como uma modalidade do angola, centrado no culto dos antepassados indígenas, citando Ferretti (1994) em *Terra de caboclo*, e acrescentando outras nações menores de origem banto, tais como congo e cabinda, hoje, quase inteiramente absorvidas pela nação Angola.

A cosmovisão médica dos bantos se prendia fundamentalmente às ideias religiosas, das quais originaram várias manifestações no Brasil, com início no final do século XVI (Silva, 2007), a partir de seu encontro com o catolicismo trazido pelo colono português e com as crenças dos diferentes grupos indígenas com os quais mantiveram contato nas diferentes regiões brasileiras.

Sua medicina era fetichista e mística, por meio de feiticeiros, os intermediários entre os agentes sobrenaturais e os mortais, cuja terapêutica se resumia em feitiços. A comunicação com as entidades sobrenaturais fazia-se através do transe. Seus clientes, a princípio, foram os compatriotas africanos, negros escravos que os procuravam para pedir solução para questões de várias ordens. Eram tidos como embusteiros (Santos Filho, 1947: 38).

Segundo Santos Filho, o negro feiticeiro desempenhou importante papel na divulgação das plantas medicinais, imputando a elas seu valor mágico. O colono português aderiu à medicina por ele praticada, mesmo sabendo serem exímios conhecedores das plantas venenosas, possíveis de ser usadas contra eles. Os negros feiticeiros atendiam a toda sorte de problemas, fossem de ordem física ou moral, atribuindo sempre a eles causas de ordem sobrenatural, tal como ocorria em Portugal, desde 1441, quando lá já estavam escravos africanos trabalhando em várias atividades, inclusive em trabalhos domésticos, conforme diz Calainho (2001). Segundo este autor, esses indivíduos vivenciavam sua religiosidade de várias maneiras, fossem nos matos, nas casas de seus senhores, em encruzilhadas, atrás de igrejas, ao dedicarem seus cultos para diversos fins: cura de doenças, adivinhação, vingança, sedução amorosa, proteção contra o escravismo no reino, acompanhados de orações, evocando Jesus e Maria, práticas de magia que admitiam eficazes. Todas as manifestações da religiosidade negra sofreram perseguições por parte da Inquisição, criada em 1536 em Portugal.

A visão de mundo de cunho médico daqueles africanos se prendia a ideias religiosas, das quais se originaram várias manifestações no Brasil, com início no final do século XVI (Silva, 2007), a partir de seu encontro com os nativos das diferentes regiões brasileiras e com o catolicismo trazido pelo colono português.

Todavia, devemos lembrar que a cultura religiosa dos bantos no século XVI, considerando a vasta extensão territorial do continente negro por onde transitaram por séculos, era resultante de trocas. Artur Ramos (1961: 341) apresenta os três grandes grupos de povos banto: meridional, ocidental e oriental. No campo religioso, o culto a uma divindade suprema era comum aos três grupos, assim como o culto aos ancestrais e a espíritos vários como diz Ramos (1961: 349). Por muito tempo já vinham ocorrendo em solo africano, lembrando Silva (1992: 193, 307), ao tratar da dispersão desses negros nos primeiros séculos de nossa era, pela costa do mar Índico. Este autor, nesta sua importante obra, traz à tona detalhes, dentre outros, do trânsito do povo africano em solo pátrio, assim como de povos procedentes de países asiáticos e mesmo das ilhas da Indonésia, pela mesma costa do Índico, vindo a ocupar Madagascar muitos séculos antes dos navegadores ibéricos. Lembra o autor que teriam sido esses povos que introduziram:

- ◆ **Bananeira** – *Musa spp* Musaceae.
- ◆ **Coco** – *Cocos nucifera* L. Arecaceae.
- ◆ **Inhame** – *Dioscoreae alata* L. Dioscoraceae.
  _____ – *D. bulbifera*.
  _____ – *D. esculenta*.

Estes vegetais teriam sido levados pelos bantos até o interior da África, para áreas de clima e solos propícios para seu cultivo. No entanto, para a banana, já se propôs outro etrinerário, segundo Silva, pois teria vindo do sudeste da Ásia através do Oriente Médio e do Alto Nilo.

Quanto aos inhames conhecidos dos bantos, segundo Maestri Filho (1978: 99), são originários da África ocidental, admitindo ser este tubérculo um dos produtos de base da agricultura africana.

2.9.2. Plantas que os bantos conheciam na África

Difícil precisar as espécies nativas e exóticas que os bantos conheciam naquela vasta região que abrangia Congo, Angola e Moçambique, seus locais de origem, visto que asiáticos já conheciam a costa oriental africana muito antes da expansão do século XV, segundo documentos levantados por Devisse & Labib (1981). Estes autores comentam que, no século XII, até Moçambique já existia intensa atividade comercial com a Índia, de onde recebiam ferro, ouro e marfim, enquanto lá chegavam plantas que facilmente se aclimatavam. Comentam os autores que os muçulmanos não seguiram em sua exploração pela costa, por acreditarem estar lá o "fim do mundo", do qual pouco sabiam.

Segundo Maestri Filho (1978: 40-46), Angola era uma região inóspita. Seu povo procurava se adequar às regiões próximas de rios, lagoas, vales, ilhas lacustres, locais esses onde foram se organizando em sociedades complexas como as do Kongo, Ndongo, ou concentrações humanas, como Mbanza de São Salvador, já com alta concentração populacional, nos séculos XVI e XVII.

Com a chegada dos portugueses, estes vão disputar com os africanos essas terras, acrescentando Maestri Fillho que o governo de Fernão Souza, chegado a Luanda em 1624, já começa a distribuição das melhores terras controladas pelos portugueses, passando a desenvolver atividades agrícolas com a escravização do africano.

Conforme Conde de Ficalho (1947: 17-29), em sua importante obra *Plantas úteis da América portuguesa*, de 1884, diz:

> *(...) as navegações entre Ásia e África se faziam, principalmente, entre Arábia e a África do nordeste é fato histórico. Eram fáceis as comunicações entre a costa de Oman e a do Malabar. Certamente os povos da península abriram cedo esse caminho marítimo e por certo conservaram uma espécie de monopólio com a Índia, pois na época dos Lágidas os produtos indianos se encontravam só nos mercados da Arábia. Quanto à África oriental do sul, sabemos que os antigos navegadores se não circunscreviam nos apertados limites do mar Vermelho, saíam pelo estreito, dobravam o cabo Aromas e alongavam as suas viagens pela costa oriental até talvez as proximidades do atual Zanzibar. Aí se julga ter estado colocado a antiga cidade de Rapta de que fala Ptolomeu, empório comercial daquelas regiões, sujeira ao domínio de influência dos habitantes da Arábia.*

Estava, pois, aberto o caminho para a África das plantas úteis asiáticas, caminho mais fácil que o Egito; primeiro, porque, do litoral para o interior, estendiam-se as férteis terras dos negros, sem zonas desérticas intermédias; porque as espécies introduzidas, provindo da parte quente da Ásia, podiam prosperar na África tropical.

Continuando em Ficalho, quando Vasco da Gama, em 1497, visitou a costa oriental africana, encontrou árabes por toda parte, onde já haviam introduzido muitas plantas asiáticas.

> *(...) Quando os portugueses no século XVI se estabeleceram por aquelas paragens, pouco lhes restava a fazer sob o ponto de vista especial que nos ocupa. É possível que eles introduzissem uma ou outra planta, útil, asiática, que houvesse escapado à ação dos árabes; é possível que eles fizessem penetrar culturas no interior, iniciando-as nas suas estações mais internas da Zambézia, ou Rios de Sena. Em todo caso, a sua influência não é dominante, e nessa parte da África unicamente completaram o que havia começado e quase levado a cabo pelos seus antecessores. O mesmo se pode dizer das relações que muitos anos antes tiveram com os negros da costa norte-ocidental. As populações do Senegal e do Geba, a gente do resgate de Cantor, dos súditos do Budomel, os falofos e os mandingas, tinham já, quando os nossos os visitaram, recebido a influência semítica vinda do norte pelo interior do continente, estando em contato com o Sonrai, Meli e outros impérios populosos.*

Ainda em Ficalho (1947: 29), no século XVI,

> *(...) a África adquiriu pela mão dos portugueses plantas americanas de grande importância na sua agricultura, na alimentação e no comércio, entre elas o milho (Zea mays*

L. Poaceae), a mandioca (Manihot esculenta *Crant. Euphorbiaceae), urucum* (Bixa orellana *L. Bixaceae) e tabaco* (Nicotiana tabacum *L. e N. rustica L. Solanaceae).*

Como já mencionado anteriormente, segundo Orta (1892: v. II: 20), "(…) as plantas introduzidas na África estavam divididas em dois grupos: grupo das espécies da Ásia ou em geral do velho mundo e o grupo das espécies da América. Sobre o primeiro grupo, sabe-se que é muito antiga a cultura no Egito nos ricos aluviões do seu celebrado rio Nilo".

Com o exposto acima, deduz-se que os negros banto já conheciam no século XVI, não só as plantas de suas regiões de origem como as brasileiras levadas pelos portugueses para pontos da costa africana, onde instalavam feitorias, inclusive em Angola nos séculos XVI e XVII, como pesquisou Maestri Filho (1978), sobre as plantas nativas e as introduzidas. Segundo este autor, a África, que a princípio era pobre em plantas alimentícias, melhorou nesse setor a partir do momento em que ia recebendo da Ásia e da Europa novas plantas. A partir do século XVI, recebeu as espécies do Novo Mundo, levadas pelos navegadores e colonizadores portugueses, conforme abaixo relacionadas, adiantando que são mencionadas apenas as que apresentavam identificações botânicas.

Abaixo, a relação de plantas, tal como relacionadas por Maestri, foram apenas acrescida das regiões de origem:

- **Aliconte** – *Adansonia digitata* (África).
- **Cana-de-açúcar** – *Saccharum offinicarum* L. (Ásia).
- **Arroz** – *Orysa sativa* L. (Ásia).
- **Ananás** – *Ananas comosus* (L.) Merril (América).
- **Alecrim** – *Rosmarinus officinalis* L. (Europa).
- **Abóbora** – *Cucubita pepo* L. (África).
- **Araçazeiro** – *Psidium litorale* Raddi (América).
- **Alho** – *Allium sativum* L. (Ásia).
- **Amendoeira** – *Amygdalus communis* L. (Ásia).
- **Acelga** – *Beta vulgaris* (Europa).
- **Ameixeira** – *Prunus domestica.* (Europa).
- **Bananeira** – *Musa spp* (Ásia).
- **Beldroega** – *Portulaca oleraceae* (América).
- **Batata-doce** – *Solanum tuberosum* (América).
- **Caju** – *Anacardium occidentale* L. (América).
- **Castanheira** – *Castanea sativa* Miller (Europa).
- **Canafístula** – *Cassia fistula* L. (América).
- **Cebola** – *Allium cepa* L. (Ásia).
- **Cenoura** – *Daucus carota* L. (Europa).
- **Cevada** – *Hordeum vulgare* L. (Ásia).
- **Chicória** – *Cichorium spp* (Europa).

- **Cidreira** – *Citrus medica* L. (Ásia).
- **Coentro** – *Coriandrum sativum* L. (Ásia).
- **Coleira** – *Cola acuminata* (Beauv.) Schott (África).
- **Couve** – *Brassica aleraceae* L. (Europa).
- **Figueira** – *Ficus carica* L. (Europa).
- **Gengibre** – *Zingiber officinale* L. (Ásia).
- **Goiabeira** – *Psidium guajava* L. (América).
- **Grão-de-bico** – *Cicer arietinum* L. (Europa).
- **Hortelã** – *Mentha viridis* L. (Europa).
- **Inhames** – *Dioscorea alata* L. (África).
- **Laranjeira** – *Citrus sinensis* (L.) Osbeck (Ásia).
- **Limeira** – *Citrus aurantifolia* Swing. (Ásia).
- **Limoeiro** – *Citrus limon* Burm. (Ásia).
- **Linho** – *Linum usitatissimum* L. (Europa).
- **Malagueta** – *Capsicum frutescens* L. (América).
- **Mamoeiro** – *Carica papaya* L. (América).
- **Mandioca** – *Manihot esculenta* Crantz. (América).
- **Manjericão** – *Ocimum minimum* L. (Ásia).
- **Melancia** – *Citrullus vulgaris* Schrad. (Ásia).
- **Meloeiro** – *Cucumis melo* L. (Ásia).
- **Milho** – *Zea mays* L. (América).
- **Moboca** – *Strychnos spinosa* Lam. (Ásia).
- **Mulolo** – *Annona arenaria* Thonn. (América).
- **Nquefu** – *Piper guineense* Schum. (África).
- **Nkasa** – *Canavalia ensiformis* DC. (América).
- **Oandu** – *Cajanus cajan* Drace (África).
- **Pitangueira** – *Eugenia michelii* Lam. (América).
- **Quiabo** – *Hibiscus esculentus* L. (África).
- **Rabanete** – *Raphanus sativus* L. (Europa).
- **Romanzeira** – *Punica granatum* L. (Ásia).
- **Salsa** – *Petroselinum hortense* Hoffm. (Europa).
- **Segurelha** – *Satureja hortensis* L. (Europa).
- **Tabaco** – *Nicotiana tabacum* L. (América).
- **Tamba** – *Coleus dazo* Chev. (África).

A relação acima é importante, à medida que poderemos localizar no tempo e no espaço as plantas com as quais o africano de Angola, possivelmente, já convivia, por ocasião da vinda para o Brasil dos primeiros escravos de etnia banto, procedentes daquela região. O conhecimento e o uso por parte daqueles africanos, em suas terras de origem, das plantas ora relacionadas, certamente são fatores que nos fazem crer nas razões da incorporação de várias delas em suas práticas religiosas no Brasil, mesmo considerando as dificuldades de manterem vivas suas tradições. Tais dificuldades deviam-se às condições impostas pelos senhores de escravos, corroboradas pelos jesuítas que lhes cerceavam o direito de praticá-las, visando a abolir as idolatrias, em favor da catequese. O conhecimento e o uso das plantas acima mencionadas por parte dos bantos, em suas terras de origem, certamente são fatores que nos fazem crer nas razões dos usos de muitas delas, hoje, em rituais de umbanda e candomblé.

2.10. **Negros sudaneses**

Recordamos que, em meados do século XVII, chegaram os negros sudaneses ao Brasil, procedentes da África ocidental, territórios hoje denominados Nigéria, Benin (ex Daomé) e Togo. Eram eles:

- ◆ os iorubá ou nagô (subdivididos em Kêto, ijexá, egbá etc.);
- ◆ os jeje (ewe ou fon);
- ◆ os fanti-ashanti; e
- ◆ os haussá, tapa, peul, fula e mandinga (nações islâmicas). (Silva (2007: 9))

Estes negros foram capturados ou comprados diretamente pelos europeus em regiões de comércio de escravos, como o Golfo do Benin, conhecido como Costa dos Escravos, segundo Silva (1994), acrescentando que dentre eles estavam negros islamizados provenientes da costa oriental africana. Trata-se, segundo este autor, de negros prisioneiros de tribos inimigas ou pertencentes a facções rivais dentro de suas próprias tribos. Conforme documentado, no século XVIII, uma rainha do Daomé, Angotimé, mulher do rei Agonglo, derrotado por seu rival Aandozan, foi vendida como escrava e trazida para São Luís do Maranhão, onde teria difundido o culto aos voduns, deuses da família real daomeana, citando Verger (1990).

Com esses africanos "(...) estavam os valores e tradições culturais que os negros trazidos da África tentarão conservar a todo custo, como seres dotados de um passado que a brutalidade do cotidiano não pode apagar" (Silva, 1990).

"Calundu, batuque e batucajé eram os nomes mais comuns para as religiões de origem africana no Brasil, até o século XVIII". Eram "(...) danças coletivas, cantos e músicas acompanhados de instrumentos de percussão, invocação de espíritos, sessão de possessão, adivinhação e cura mágica" (Silva, 2007). A princípio, segundo o autor, eram realizadas periodicamente em espaços domésticos e, com a abolição da escravatura em 1888 e a proclamação da República, consolidou-se como religião.

"A família de santo foi a forma de organização que estruturou os terreiros onde africanos e seus descendentes se reuniam, estabelecendo vínculos entre si, baseados em laços de parentesco religioso", diz Silva. Acrescenta este autor ser pela iniciação que a pessoa passa a fazer parte da família de santo, momento em que recebe um nome religioso africano, devendo assumir um compromisso com seu deus pessoal e seu pai ou mãe de santo. Passa a ser um filho espiritual de seu iniciador, parentes unidos por vínculos sagrados, cultuando suas divindades. Das centenas delas que eram cultuadas pelos sudaneses em terras africanas, poucos passaram a ser cultuados em terras brasileiras, prevalecendo os seguintes: Exu, Ogum, Oxossi, Obaluaiê, Oxumaré, Ossaim, Xangô, Oxum, Logunedé, Iansã, Oba, Nana, Iemanjá, Oxalá, Erê.

Segundo Prandi (1996), no candomblé de tradição iorubana, tudo que se faz depende da consulta aos orixás por meio do oráculo, sendo o mais importante o oráculo de Orunmilá ou jogo de opelê-Ifá, atribuição religiosa dos sacerdotes de Orunmilá, os babalaôs. Porém, os orixás também são consultados por meio do jogo de búzios e do lançamento dos frutos obi e orobô. Segundo o autor, o jogo de adivinhação no candomblé passou a ser atribuição de pais e mães de santo, dispensando, assim, o babalaô. Com relação à atividade destes, voltada ao atendimento a clientes necessitados de soluções para problemas, entre outros, de saúde, estes sacerdotes utilizam o jogo de búzios, dos quais se obtém a decifração religiosa do problema do cliente e o caminho para sua solução. No jogo, cada combinação de búzios abertos e fechados corresponde a um odu (resultado de um jogo de adivinhação). Para cada odu, o sacerdote conhece um número de lendas e formas de poema. Segundo Prandi, no Brasil este método, juntamente com os poemas do oráculo, foi esquecido, conservando-se os nomes das 16 principais divindades associadas a cada um e o significado premonitório em seu sentido geral, sinais que podem ser nefastos ou benéficos, prenúncio de morte ou vida longa, saúde ou doença. O autor afirma, ainda, que a forma de leitura do jogo de búzios, baseado na leitura do odu, foi perdida, passando a depender quase exclusivamente da capacidade intuitiva do pai ou mãe de santo. Um rito aprendido, como diz aquele autor, foi substituído por um dom inato.

2.10.1. Plantas conhecidas dos sudaneses na África

Como ocorreu com os bantos, as plantas que os sudaneses conheciam em suas regiões de origem por ocasião de sua vinda para o Brasil já não eram as genuinamente nativas mas, também, europeias e asiáticas, introduzidas em solo africano em tempos anteriores.

Os portugueses já comercializavam com as nativas do Benin, a exemplo da pimenta-malagueta que vendia muito bem, chegando a substituir, por um tempo, o ouro, em fins do século XV, até perder sua competividade, ao chegar ao mercado a pimenta asiática (*Piper nigrum* L. Piperaceae) (Devisse & Labib, 1981).

Afrânio Peixoto (2008), em sua *História do Brasil*, fazendo referência ao comércio de Portugal com a África no século XV, menciona entre outros produtos trocados a "malagueta da costa da Malegueta, concorrente da pimenta indiana". Esta era, na verdade, a cobiçada pimenta-do-reino

(*Piper nigrum* L. Piperaceae) asiática, levada para lá pelos árabes, em tempos anteriores. A malagueta e a pimenta-do-reino eram de uso corrente no Benin, segundo Devisse & Labib (1981).

Lembramos que muitas plantas da costa ocidental africana foram introduzidas no Brasil e, dentre elas, o dendê (*Eaelis guyneensis* L), planta com muito significado na cultura afro-brasileira, mormente no âmbito da gastronomia religiosa.

Em Lody (1992: 2-3), o dendê "trazido da Costa d'Africa espalhou-se pela costa da América, da Bahia para o Norte, dando com exuberância seus fartos cachos negro caboclo que chegam a um metro de comprimento, a trinta quilos de peso, a oitocentos cocos às vezes", citando Afrânio Peixoto (1980).

Em fins do século XIX já era possível se conhecer as plantas nativas e as exóticas na África portuguesa, tais como as relacionadas pelo Conde de Ficalho (1947) em sua obra *Plantas úteis da África portuguesa*, especificadas abaixo com indicação da origem, lembrando que são apresentadas somente as espécies identificadas cientificamente.

- **Algodoeiro** – *Gossypium barbadense* L. (América).
- **Beldroega** – *Portulaca oleraceae* L. (Europa).
- **Cajazeira** – *Spondias mombin* L. (Ásia).
- **Erva-de-santa-maria** – *Chenopodium ambrosioides* L. (América).
- **Fedegoso** – *Cassia occidentalis* L. (Regiões tropicais).
- **Feijão-guandu** – *Cajanus cajan* (L.) Mill. (África).
- **Goiabeira** – *Psidium guajava* L. (América).
- **Guaxima, malva-roxa** – *Urena lobata* L. (Ásia).
- **Jaqueira** – *Artocarpus intergrifolia* L. (Ásia).
- **Jequiriti** – *Abrus precatorius* L. (América).
- **Maconha** – *Cannabis sativa* L. (Ásia).
- **Mamoeiro** – *Carica papaya* L. (América).
- **Mamona** – *Ricinus communis* L. (Ásia).
- **Mangueira** – *Mangifera indica* L. (Ásia).
- **Melão-de-são-caetano** – *Momordica charantia* L. (Ásia).
- **Obi, noz-de-cola** – *Cola acuminata* (Breuv.) Schott e Endl. (África).
- **Pimenta-da-costa** – *Xilopia aethiopica* (Dunal) A. Rich. (África).
- **Pinão-roxo** – *Jatropha curcas* L. (América).
- **Quiabo** – *Hibiscus esculentus* L. (África).
- **Tabaco** – *Nicotiana tabacum* L. (América).
- **Tamarindo** – *Tamarindus indica* L. (África).
- **Urucum** – *Bixa orellana* L. (América).

Conforme Verger (1995), o sistema de classificação das plantas entre os iorubas ou nagôs da costa ocidental africana obedece a critérios próprios. Um só nome comum pode corresponder a mais de uma espécie botânica. Para a nomeação das plantas, "levam em conta seu cheiro, sua cor, a textura de suas folhas, sua reação ao toque e a sensação provocada por seu contato, entre outras, como pode haver o inverso, ou seja, a pluralidade dos nomes comuns para um só nome científico". Segundo o autor, foram levantados 3.529 nomes iorubás, correspondentes a 1.086 nomes científicos. Contudo, admitimos que, dentre as espécies nomeadas cientificamente, nem todas são genuinamente africanas, visto que o autor aponta, também, plantas de origem estrangeira.

Plantas de propriedades psicoativas usadas entre os iorubas são mencionadas por Verger (1966). Este autor relaciona plantas de atividade tranquilizante e estimulante empregadas em receitas, embora não ateste a eficácia destas para os fins a que se destinam. Dentre elas, estão: *Cannabis sativa* L., *Datura fastuosa* L., *Garcinia kola* Heckel, *Afromomum melegueta* Schum., entre outras.

2.10.2. Novas plantas aprendidas com indígenas

Ao conhecimento das novas plantas por parte dos negros, somaram-se as ensinadas pelos indígenas, dentre elas as de poderes mágicos usadas em suas práticas médicas e em seus rituais religiosos, aquelas que lhes permitem o contato com o sobrenatural. São as novas espécies nativas, hoje fazendo parte dos rituais de origem e influência africana no Brasil.

Gilberto Freyre (1967:48), em *Nordeste*, chama atenção pelo fato de o brasileiro das terras do açúcar nada conhecer das plantas nativas da região em que vive. "A cana separou-o da mata até esse extremo de ignorância vergonhosa".

> *Quase que só o cabolclo, o descendente de caboclo, do índio, do nativo, ou então, do quilombola em matas como a de Catucá – o negro fugido, que se fez íntimo da natureza da região, pelos mistérios dos restos da floresta do Nordeste, dando-nos a conhecer pelo nome – o nome indígena, em grande número de casos – cada árvore que nos chame a atenção; o valor de cada pé de pau para a medcina caseira, para a serraria, para os ninhos de aves.*

Neste sentido, importante é o trabalho de Luís da Câmara Cascudo (1951), em *Meleagro*, quando faz um levantamento das plantas usadas no Catimbó, relacionando as exclusivamente brasileiras. Dentre as 62 plantas mencionadas na referida obra, 30 são nativas brasileiras, sendo que 17 já eram usadas pelos indígenas por ocasião dos primeiros contatos destes com os negros. Estes dados acham-se referidos na edição crítica de *Meleagro* realizada pela autora, *As plantas no catimbó em Meleagro de Luís da Câmara Cascudo*[62] (Camargo, 1999).

---

62. Prêmio "Câmara Cascudo" com o trabalho *As Plantas no Catimbó em "Meleagro" de Luís da Câmara Cascudo*. Universidade Federal do Rio de Janeiro – Centro de Letras e Artes – Escola de Música – 1989.

Abaixo a relação das 17 plantas referidas:

- **Barbatimão** – *Stryphnodendron barbadetiman* (Vell.) Mart.
- **Batata-de-purga** – *Operculina convolvulus* Manso.
- **Carimã** – *Manihot esculent (Crants).*
- **Catuaba** – *Anemopaegma mirandum* DC.
- **Fedegoso** – *Cassia occidentalis* L.
- **Ipecacuanha** – *Cephaelis ipecacuanha* (Brotero) Rich.
- **Jurubeba** – *Solanum paniculatum* L.
- **Liamba** – *Vitex agnus-castus* L.
- **Mamão** – *Carica papaya* L.
- **Manacá** – *Brunfelsia uniflora* D. Don.
- **Mastruz** – *Chenopodium ambrosioides* L.
- **Mucuna** – *Mucuna urens* DC.
- **Mulungu** – *Erythrina verna* Vell.
- **Paricá** – *Anadenanthera peregrina* Benth.
- **Pega-pinto** – *Boerhavia hirsuta* L.
- **Pinhão** – *Jathropha curcas* L.
- **Tauari** – *Couratari tauari* Berg.
- **Vassourinha** – *Scoparia dulcis* L.

A falta de dados suficientes na bibliografia consultada quanto ao conhecimento dos índios, sobre todas as plantas nativas citadas em *Meleagro*, foi a causa de serem destacadas apenas as 17 espécies acima relacionadas. As obras posteriores a Cascudo que tratam do catimbó dão ênfase ao tabaco (*Nicotiana tabacum* L) e à jurema (*Mimosa hostilis* Benth. Fabaceae), com a qual preparam o "vinho da jurema", sendo esta última, já tratada no item 2.7, no seu uso em contextos religiosos de influência indígena e será abordada mais adiante.

2.10.3. Negros e índios em quilombos

Desde o século XVI, colonos nordestinos também mantinham índios escravizados nos primeiros engenhos, conforme Aldemar Fiabani (2005), o que permite presumir terem sido eles negros banto, visto que nesse século os sudaneses ainda não tinham chegado ao Brasil. Este autor, citando Funari (1996), faz referência à possível presença de indígenas na Confederação de Palmares, comentando que a documentação produzida pelos escravizadores atesta a presença de nativos, caburés, crioulos, desertores etc. nos quilombos, destacando que este fenômeno foi produto do trabalhador e não exclusivo do africano escravizado. Fiabani menciona Genovese (1981), quando este diz: "a cultura que surgiu nessas bases combinava elementos africanos, europeus, ameríndios e provenientes da senzala, de maneira complexa, inovadora e variada".

Santos (2004:45) comenta sobre a proliferação de comunidades quilombolas a partir de fins do século XVII, quando trata da resistência indígena e escrava da região de Camamu, Capitania de Ilhéus, depois Bahia, ao referir-se à probabilidade de indígenas e africanos terem, efetivamente, se aliado durante a revolta de Camamu, em 1691.

Tratando-se de Norte, Roger Bastide (1974) diz ter encontrado na Amazônia tribos de índios, tendo como chefe supremo ou por sacerdotes mágicos negros fugitivos. Acrescenta que no Nordeste o catimbó ou cachimbo é uma realidade indígena, assim como a pajelança que, ao receber contribuição negra, criou outra pajelança, chamada "linha africana".

Fiabani (2005) diz que há fortes indícios do cruzamento ocasional de índios e negros também em Goiás, assim como Clovis Moura (1959), ao apurar que no Mato Grosso os negros fugidos se aliavam aos índios da região, vivendo aquilombados por muito tempo.

Maria Inês Ladeira (1989) comenta que o longo período de ausência de dados na literatura etnográfica, a partir do século XVI sobre remanescentes dos índios Guarani, favoreceu a divulgação da crença de que todos aqueles da costa brasileira poderiam ter sido dizimados ou misturados à população branca, como, também, poderiam ter se refugiado pelo interior adentro. Porém, segundo a autora, só no início do século XX a literatura etnográfica começa a registrar a presença de "remanescentes Guarani no litoral sudeste, entre Ribeira de Iguape e a bacia fluvial do rio Conceição".

Pesquisas recentes apontam na região do Vale do Ribeira, em áreas distintas, aldeias de índios Guarani e comunidades de quilombolas (Santos, 2006). Tal fato nos leva a levantar a hipótese de que, com o passar do tempo, os grupos de negros e de índios tomaram rumos distintos. Os Guarani, dominando toda a região, foram se fixando em áreas que, além de estratégicas, lhes permitiam manter as tradições ancestrais, principalmente em relação às práticas agrícolas, conforme foi estudado por Camargo (2007:27) ao tratar da cultura do milho. Neste sentido, Felipim (2001), ao tratar dos Guarani Mbyá no Sudeste do Brasil, diz que, com uma constante movimentação, visavam dar aos movimentos migratórios o caráter político religioso, ao ocupar locais onde poderiam ser reconhecidos sinais de passagem de seus antepassados, a fim de viver segundo os fundamentos mítico culturais Mbyá.

Em meados do século XVII, começavam a chegar ao vale do rio Ribeira de Iguape os tapanhunos ou negros de Guiné, assim denominados em oposição aos indígenas, que eram chamados "negros da terra". Aqueles negros representavam mercadoria lucrativa. Chegavam em navios negreiros aos milhares, oriundos das terras mais longínquas, notadamente Angola, Moçambique e Guiné. Comercializados em praça pública, isso quando já não haviam sido encomendados pelos abastados senhores do ouro e do arroz, atestavam a sua presença na opulenta Iguape portuária de então, conforme Santos (2006). Esta autora diz que grande parte dos cativos ficava na Vila de Iguape, enquanto outros eram levados para outras localidades do Vale do Ribeira. Comenta, ainda, que, com a descoberta das Minas Gerais, a atividade mineradora do Vale foi se extinguindo, fazendo com que muitos proprietários de minas se deslocassem para Minas Gerais. Alguns deles levaram seus escravos; outros, os abandonaram nas áreas de minas, propiciando a formação de aldeamentos de escravos fugidos ou alforriados, desenvolvendo atividade mineradora.

Como solução para a decadência da mineração naquela região, o arroz tornou-se uma opção de cultivo que, a princípio, servia à subsistência familiar, para mais tarde, transformar-se no principal produto local, exportado para outras regiões. Seguiu-se ao arroz a cultura de chá por imigrantes japoneses, usando como mão de obra os próprios familiares ali assentados, possivelmente descartando a mão de obra dos remanescentes descendentes dos primeiros habitantes da região: índios e negros. Tal fato pode justificar estarem os descendentes dos escravizados sobrevivendo na marginalidade, nos quilombos remanescentes, mantendo roças de subsistência e atuando como mão de obra barata para empreendimentos particulares, como diz Santos (2006).

Ferretti (2008: 1), estudiosa da presença negra nos sistemas de crença no Maranhão, comenta sobre

> (...) *a hipótese da existência de uma matriz africana para a atividade de curadores e pajés negros, de terreiros da capital e de outros contextos urbanos do Maranhão, passou a ser formulada com mais ênfase a partir da descoberta e publicação do Processo Crime de Amélia Rosa, presa em São Luís, com 12 pessoas de seu grupo, em 1877, e condenada com várias delas a severas penas.*

Este assunto já foi tratado em Ferretti (2004), quando a autora se refere à prisão da referida escrava Amélia por realizar em casa ritual de uma nova religião denominada "pajé", cuja notícia foi divulgada pelo Diário do Maranhão, em 1876. Segundo Assunção (1999: 457), citado pela autora em nota de rodapé, o termo pajé foi usado no século XIX no Maranhão de forma pejorativa, como sinônimo de feitiçaria, não devendo ser interpretado como de influência indígena. Neste sentido, estudos realizados pela linguista Yeda Pessoa de Castro (2002: 133-142), mencionada em Ferretti (2004: 28), mostraram que os termos cura e pajé, usados por negros maranhenses desde o tempo de Amélia, têm etimologia africana.

Esta atividade, exercida por mulher denominada pajé, evidentemente com nova roupagem, tem seu espaço ainda hoje tal como foi noticiado pelo *Jornal do Brasil* de 04/11/2001: "'Pajé' branca dá chá contra alcoolismo". Trata-se de uma descendente de italianos e de índios guarani que mantém em sua chácara chamada Aldeia da Terra, nas proximidades de Brasília, uma espécie de centro de tratamento contra o alcoolismo para índios da região. Adota o uso da *ayahuasca* para curar índios e brancos do alcoolismo.

2.11. Sucedâneos das plantas africanas conhecidos de bantos e sudaneses

As plantas, sempre acompanhando o ser humano em suas práticas religiosas e de cura, foram sendo submetidas a substituições devido às diferenças naturais impostas pelas regiões de deslocamento dos indivíduos, principalmente dos negros que já na própria África conviviam com este problema.

Plantas conhecidas de bantos e sudaneses na África foram no Brasil substituídas por aquelas aprendidas com os indígenas, que também as empregavam nas práticas médicas e em rituais de cunho religioso. Foram elas também levadas para a África com os negros que, posteriormente, retornaram à pátria mãe ou mesmo pelos portugueses que, desde o começo da colonização, transitavam com elas para baixo e para cima do continente africano.

Lépine (1982: 37) refere-se ao ori usado em oferendas a Oxalá. Esta, na África, é uma "manteiga branca tirada das amêndoas do fruto da árvore africana – "emi" –, enquanto Cacciatore (1977: 205) diz tratar-se da espécie africana (*Butyrospermum parkii* (G. Don.) Kotschy Sapotaceae) usada nas oferendas a Oxalá. Sobre esta espécie, Bezpaly (1984) diz ser conhecida na África por "karité" ou árvore da manteiga, onde existem três variedades: *mangifolium, poissoni, noloticum*. Acrescenta o autor que, de acordo com o porte da árvore, distinguem-se dois tipos de karité: "borodon" e "boro-boro", sendo que este é o mais rico em óleo, utilizado na África desde o século XIV. Esta planta foi substituída no Brasil pela espécie do gênero *Orbignia*, o babaçu, de onde se extrai uma substância gordurosa branca, considerada fria e pertencente a Oxalá", por ser de cor branca, usada em lugar do dendê, este de cor amarela, não aceito por Oxalá.

Passar ori no corpo faz parte de ritual afro-brasileiro, conforme narrado por Verger (1981), ao tratar de um bori[63], na Bahia.

Levi-Strauss (1987), tratando dos alimentos silvestres nos trópicos, referindo-se aos frutos comestíveis conhecidos dos índios, cita o "uaguassu" (bagaçu, babaçu) ou noz de pindoba, do gênero *Orbignya*, rica em óleo. O mesmo autor, à página 33, diz que os índios costumavam untar o corpo com o óleo extraído do coco babaçu. Os negros, provavelmente por terem tomado conhecimento de tal uso, passaram a adotá-lo em lugar do karité africano, por ser este difícil de ser obtido. Em nossa pesquisa de campo pela região do Cariri cearense, mais particularmente na Chapada do Araripe, região onde essa palmeira é nativa, não registramos seu uso na alimentação.

Importante destacar que as regiões de ocorrência dessa palmeira compreendem extensões consideráveis do Piauí, chegando ao oeste do Ceará pela serra de Ibiapaba. Mas sua maior presença se dá no Maranhão, embora ocorra também ao norte de Mato Grosso, Goiás e Rondônia (Ferri, 1974: 80). Todavia, há uma ocorrência de babaçu a milhares de quilômetros de seu centro natural, ocasionalmente no Estado de São Paulo, próximo à cachoeira de Emas, nas imediações de

---

63. Cerimônia de candomblé que significa "dar de comer à cabeça". Tem por finalidade fortificar o espírito do crente para suportar as repetidas possessões, ou por estar por elas enfraquecido. É usado como profilático e terapêutico (Cacciatore, 1977: 69).

Pirassununga, próxima à estação denominada Baguaçu. A explicação para essa ocorrência se deve aos indígenas que teriam trazido a planta em épocas remotas, devido à sua importância na vida tribal. Esta hipótese assenta-se no fato de ser considerado sítio arqueológico, devido à ocorrência de vestígios de cultura indígena, remontando a tempos muito antigos. Levantamos a hipótese de que os negros que ali se fixaram aprenderam com os indígenas a obtenção da gordura branca extraída dessa palmeira, aquela de que necessitavam também para seus rituais, ou seja, passar essa gordura branca no corpo, reverenciando Oxalá, ou em outras situações ritualísticas.

Citamos outro exemplo de sucedâneo de planta usada na África pelos sudaneses: o "incenso". Tal exemplo é aqui mencionado devido a ter sido alvo de pesquisa da autora deste livro, em um terreiro de candomblé na cidade de São Paulo, *Ilê axé ewe fun mi* (Camargo, 1989: 64). Possivelmente esta planta usada em ritual Keto receba esse nome por influência do catolicismo. Quanto à espécie botânica empregada em cultos católicos, segundo a literatura especializada, há a indicação da *Aquilaria agallocha* Roxb. Thymelaeaceae, originária do Sul da China e norte da Índia. Entretanto, a espécie usada no candomblé pesquisado é *Aloysia virgata* Ruiz & Pav. Verbenaceae, originária da América do Sul. Acrescenta-se que a própria Igreja Católica fez este tipo de adaptação no Brasil, quando o padre Anchieta substituiu a mirra ou o incenso (*Commiphora abyssinica* (Berg.) Engl. Burseraceae), originária da Arábia, Abissínia e Somália, pela umburana, *Bursera leptophloes* Mart. Burseraceae, além de espécies do gênero *Protium*, chamadas "almacega" ou "icica", ambas, também, da família Burseraceae. Essas plantas, quando cremadas, exalam um aroma que, segundo Anchieta, atendia às necessidades dos cultos. Este caso chama a atenção por ter Anchieta buscado na mesma família botânica o sucedâneo (Camargo, 1989: 68), muitas vezes plantas de aspectos morfológicos externos diferentes. Essas diferenças podem estar na altura da árvore e principalmente na coloração das flores, variando do amarelo ao vermelho e nos detalhes destas. No entanto, entre os iorubá, Verger (1995: 654) indica a espécie *Commiphora africana* (A. Rich.) Engl. Burseraceae. Verger (1995: 40) enumera algumas espécies nativas que os negros adotaram, tais como o milho (*Zea mays* L. Poaceae) "àgbàdo", introduzido recentemente na África, segundo Verger (1995: 41). No entanto, em Bezpaly (1984: 74), o milho é cultura muito antiga na África, desde quando foi introduzido na Europa e, em seguida, no norte da África; portanto, no século XV. No século XVII, o milho já estava em Angola, conforme diz Maestri Filho (1978: 88,107), cultivado, com a mandioca, às margens do rio Cuanza, onde se desenvolvia uma atividade agrícola considerável.

Ficalho (1947: 29) diz que, no século XVI, a África adquiriu pela mão dos portugueses plantas americanas de grande importância na sua agricultura, na alimentação e no comércio, dentre elas o "milho" (*Zea mays* L.) e a mandioca (*Manihot esculenta* Crantz).

Segundo Verger (1995: 45), entre os iorubá, todas as partes dessa planta desempenham importantes papéis:

- As folhas do milho – *ewé àgbàdo* – são empregadas para trazer boa sorte e para obter favores das feiticeiras – *ìyónú ìyàmi*.
- A espiga inteira – *odidi àgbàdo* – é usada em receita para ajudar a mulher em trabalho de parto.

- O sabugo – *pòpórò àgbàdo* – é empregado em trabalho para se sair vitorioso de uma luta.
- A palha – *hárihá* – é usada em receita para ajudar mulher grávida a sentir o corpo leve.
- Os grãos torrados – *àgbàdo súnsun* – usados em trabalhos para fazer um processo judicial cair no esquecimento. "Ou sejam o processo na justiça não irá progredir da mesma forma como os grãos não podem germinar depois de torrados".

Ainda em Verger (1995: 45), o milho disseminou-se na África iorubá a partir da seguinte história:

> *Conta-se que o primeiro proprietário do primeiro campo onde as sementes foram plantadas vendeu o produto de sua colheita apenas depois de torrado, para que ninguém mais pudesse cultivá-lo. Um de seus empregados, porém, conseguiu enganá-lo: alimentou algumas galinhas com milho cru e as enviou a fazendeiros de outros lugares. Estes, imediatamente as destriparam e plantaram as sementes contrabandeadas. Dessa maneira, o cultivo do milho pôde se espalhar por toda a terra iorubá.*

2.12. Plantas medicinais e as religiões afro-brasileiras

Conhecidas por plantas rituais afro-brasileiras (Camargo, 1998), estão presentes em todos os momentos da vida religiosa dos sistemas de crença de influência e origem africana, a exemplo da Umbanda e do Candomblé, sistemas estes que têm como característica básica o desenvolvimento da mediunidade e a estreita relação das plantas com as divindades cultuadas:

> ➤ *Inquices: nome genérico das divindades nos terreiros de rito angola, de origem banto.*
> ➤ *Orixá: nome genérico das divindades do rito nagô ou queto (origem sudanesa).* (Silva, 2007)

Nesses ambientes religiosos a espiritualidade e a religiosidade, somados à crença nos poderes da mediunidade, permitem a seus adeptos a comunicação com o sobrenatural. E é nessa comunicação, quando em contato com as entidades invocadas, que se buscam as soluções para os problemas ligados a questões de saúde física, mental e espiritual.

As doenças, nestes ambientes religiosos, ganham dimensões que diferem do pensamento médico-científico. O mal que atinge o corpo ou desorganiza a mente está, geralmente, ligado à causa sobrenatural, assunto muito bem tratado por Paula Monteiro (1985), quando trata das fronteiras entre "doença material" e "doença espiritual", assunto ao qual voltaremos a tratar na Parte III deste livro.

É muito importante o papel das religiões nos sistemas de cura de diferentes males de ordem física, mental e espiritual. Para entendê-lo, basta nos atermos aos significados imputados ao caráter da intangibilidade que norteia qualquer expressão de espiritualidade. Significado aquele que vai dar sentido à vida (Saad *et al.* 2001), considerando ainda que a cura buscada repousa na ideia da volta ao estado anterior do aparecimento do mal que aflige o indivíduo.

Plantas que combatem o cansaço e a insônia, ou anulam a sensação de fome, que estimulam o apetite sexual, ou o anulam, provocando depressão e euforia, ou permitem visões e previsões, já conhecidas desde épocas pretéritas.

Espécies vegetais com tais propriedades, ingeridas, fumadas, cheiradas ou passadas sobre a pele sã ou escarificada, com o *status* de sagradas, desde um passado perdido no tempo, têm sido popularizadas em ambientes religiosos ou não, do mundo todo.

Muitas plantas, principalmente as psicoativas usadas pelos adeptos das religiões afro-brasileiras, emigraram de rituais religiosos de origem indígena, principalmente das regiões Norte e Nordeste, conforme estão relacionadas no item 2.5.3. Incluídas neste processo migratório estão as espécies botânicas historicamente ligadas ao ritual da *ayahuasca*: (*Banisteriopsis caapi* e *Psicotria viridis*). Estas plantas, tendo migrado para centros urbanos com os cultos sincréticos do Santo Daime, os quais, influenciados pela Umbanda, vêm proporcionando aos usuários da bebida ritual que as leva como componente básico um transe de incorporação de espíritos de caboclos e pretos velhos, como narrado por Dawson (2012). Lembramos que, genuinamente, em suas origens na região Amazônica, tais plantas, dada sua psicoatividade, proporcionavam estados alterados de consciência caracterizados por visualizações cênicas inexistentes e nunca a incorporação de espíritos.

Lembramos não fazer parte de nossos propósitos discorrer sobre usos e efeitos das plantas psicoativas *ayahuasca* (*Banisteriopsis caapi*) e chacrona (*Psychotria viridis*), ditas também enteógenas, componentes da bebida sacramental Santo Daime, cujo papel terapêutico vem sendo cumprido em outra esfera das atenções médicas populares. A bebida seria o veículo para alcançar a experiência mística, a qual faz desencadear na psique o caminho para o autoconhecimento.

Conforme Verger (1966: 1), na África iorubá, as plantas psicoativas usadas em rituais religiosos podem ser assim classificadas, segundo seus papéis:

- "excitantes", aquelas que "agem sobre as divindades" ou proporcionam a possessão (ou levam a ela), por meio do transe;
- "tranquilizantes", que abrandam, visando a alcançar o equilíbrio necessário para o momento da possessão.

A psicoatividade das plantas faz desencadear os significados culturais que, ao provocar efeito, abre as portas da visão e da comunicação, e os campos mentais podem, então, conhecer e curar, ver e dizer a verdade. Curam problemas e resolvem problemas, diz Montiel (1988: 47-53).

2.12.1. Candomblé

Conforme Albuquerque (1997: 30), citando Monteiro (1979), "(...) a caracterização de uma doença não define por si só o tratamento; a pertinência nosográfica não é definida basicamente pela sintomatologia, mas pelo agente patogênico". Dessa maneira, segundo Albuquerque, para definir o agente patogênico, consulta-se os espíritos para saber se os sintomas são de fundo material ou causa espiritual. Segundo o autor, as formas de medicina espiritual e material se completam, proporcionando ao doente a cura e o bem-estar.

Pode-se admitir que o dom inato da capacidade intuitiva do pai ou mãe de santo decorra de serem eles donos de profundo conhecimento da alma humana, assim como da arte da perspicácia que os anos de atividades no âmbito da adivinhação lhes outorgaram (Camargo, 2003). Nos diálogos com os clientes, são eles capazes de formular perguntas de forma a corrigir a estrutura semântica das respostas (França, 2002: 49), conduzindo-os à crença na verdade do significado premonitório enunciado. Esta ideia corrobora o que diz Prandi (1996: 98) quanto à eficácia do diagnóstico e da terapia prescrita pelo jogo de búzios. Segundo ele, dependem em grande parte do prestígio e do carisma do pai ou mãe de santo.

Sobre esse assunto, acrescentaríamos outros fatores da eficácia, tal como: o poder mágico-religioso do qual se investe pai e mãe de santo, capazes de transferir ao cliente segurança quanto à magia de seus poderes, fazendo-o crer no oráculo dos odus. Segundo Mauss (1974), a magia é por definição objeto de crença. Só se procura o mágico porque se crê nele, além do fator consenso expresso pelo grupo religioso liderado pelo pai ou mãe de santo, sobre seus poderes transcendentais, ao transmitir total confiança ao cliente, quanto ao alcance da cura almejada.

Segundo Prandi (1996), nasceu na Bahia o candomblé de caboclo, para se tornar variante dos candomblés iorubanos e do tambor de mina no Maranhão. Acrescenta que os candomblés bantos passaram a cultuar também os orixás dos iorubás, além de, por volta dos anos 1930, incorporarem o oráculo de 16 búzios e outras fórmulas nagôs de adivinhação. Comenta ainda que o culto aos orixás invocando nomes de inquices (deuses dos bantos) é conhecido por candomblé angola.

2.12.2. Umbanda

No contexto mágico-religioso do Brasil contemporâneo, está a umbanda, religião essencialmente brasileira, difundida por quase todo o País, congregando adeptos não só afro-descendentes como indivíduos das mais diferentes origens e credos.

Como culto organizado, o candomblé teve início no começo do século XIX, quando o kardecismo, chegado ao Brasil em meados daquele século, atraiu adeptos que já adotavam práticas religiosas afro-brasileiras. Foi no Rio de Janeiro principalmente que teria nascido a Umbanda, onde já existia a "Cabula", cujo chefe se chamava embanda, possivelmente de onde teria originado o nome da religião (Silva, 1994: 106). Como diz Silva, cargos e elementos litúrgicos da Cabula permaneceram na umbanda, tais como: cambone – auxiliar do chefe do culto –, pemba – pó sagrado usado para limpar o ambiente. Acrescenta que as origens da umbanda remontam ao culto às entidades africanas, aos caboclos (espíritos ameríndios), aos santos do catolicismo popular e, finalmente, às outras entidades que a esse panteão foram sendo acrescentadas pela influência do kardecismo.

Segundo o autor citado acima, é difícil determinar quando começaram "baixar" nas sessões espíritas karcecistas entidades dos cultos afro-brasileiros, assim como quando estes começaram a absorver valores kardecistas. Em Silva (1994: 111), citando Brown (1985), tudo teria começado quando muitos do grupo de fundadores eram kardecistas insatisfeitos. Estes, ao visitar centros de "macumba" nas favelas do Rio de Janeiro, começaram a preferir os espíritos e divindades africanas presentes na "macumba", por considerá-los mais competentes do que os evoluídos espíritos kardecistas na cura de doenças, entre outros problemas.

O kardecismo, que a princípio pertencia à classe alta da sociedade, atinge a classe baixa dos brancos até chegar à classe baixa dos negros, onde vai se modificar, passando a encarnar espíritos pertencentes ao mundo dos índios ou dos negros, conforme Bastide (1971: 434), apontando ainda o caráter médico do espiritismo, além da passagem do espiritismo para o animismo.

Roger Bastide (1973: 196), ao tratar da macumba paulista, comenta que, no século XIX, as casas onde os negros se reuniam para celebrar os cultos chamavam-se "batuque". Porém, este termo por influência do Rio de Janeiro foi, em São Paulo, substituído por "macumba". Este autor diz também que teria sido em fins do período escravagista que a mistura de elementos místicos africanos, cristãos e espíritas se deu, lembrando que os negros paulistas eram, na maioria, bantos.

Concone (1987: 55), tratando de umbanda, faz referência à influência indígena, embora lembrando "índios de cinema". Acrescenta que, se a macumba corresponde a essa superposição de influências, sua passagem para os quadros da umbanda poderia sugerir a busca de uma ascensão social de classes menos favorecidas. A autora, citando Bastide (1957), diz que a macumba dos estados do Sul, inclusive a carioca, teria sido resultante da introdução do culto dos orixás na cabula, de origem banto, assim como influências indígenas e do catolicismo popular. Já Bastide (1969) acrescenta a influência do espiritismo à macumba do Rio de Janeiro, enfatizando influência banto.

Podemos considerar que uma das mais marcantes características da umbanda, segundo Silva (1994: 111), seria a ênfase ao culto às divindades africanas e indígenas "e a depuração desse culto para que elas pudessem baixar e trabalhar na umbanda". Eram caboclos e pretos velhos, representando índios e escravos, tornando-se as figuras centrais da nova religião, a qual procurou manter a ideia kardecista do carma, da evolução espiritual e comunicação com espíritos, aderindo às formas populares de culto africano.

Quanto ao uso da bebida alcoólica, esta se explicava pela sua ação e "vibração anestésica e fluídica" devido à evaporação, propiciando descargas, entendidas como limpeza das pessoas e objetos carregados de fluidos negativos, conforme Silva (1994: 112), citando Ortiz (1978: 155).

Na hierarquia religiosa, o pai ou mãe de santo são os líderes espirituais que têm como auxiliares o pai e mãe pequena, cambonos e tocadores de atabaques, além do corpo de médiuns, os filhos de santo ou filhos de fé.

As entidades sobrenaturais na umbanda são concebidas dos deuses africanos do candomblé e os espíritos dos mortos do kardecismo, classificados estes pela teoria das linhas, compreendidas de sete linhas dirigidas por orixás principais, sendo que cada linha é composta de sete falanges ou legiões. Exemplo: linha de Oxalá, linha de Iemanjá, e assim por diante. Completam sete linhas, além de poderem se juntar a estas a Linha do Oriente, da qual fazem parte os ciganos, a Linha das Almas, entre outras. Dentre os menos evoluídos estão os espíritos, herança do kardecismo, como os caboclos, representando os indígenas, e os pretos velhos, representando o negro escravo idoso, como deixa demonstrado em sua postura arcada. Além destes espíritos, estão os intermediários, os espíritos das trevas que, incorporados nos médiuns, buscam a evolução espiritual, a exemplo da Pombagira, como versão feminina do Exu, muito solicitada para resolver problemas amorosos ou sexuais. No mesmo plano dos exus e pombagiras estão aqueles um pouco acima na evolução espiritual, a exemplo do Zé-pelintra, dos marinheiros, boiadeiros, ciganas, geralmente aludindo aos segmentos marginalizados da sociedade, como diz Silva (1994: 124).

Segundo Prandi (1996: 158), o sincretismo de Exu e Pombagira com o demônio católico tem uma importância secundária. "Quando um devoto invoca Exu e Pombagira, dificilmente ele tem em mente estar tratando com divindades diabólicas que impliquem qualquer aliança com o inferno e as forças do mal". Muitas vezes são referidos carinhosamente como "os compadres".

Conforme o autor acima citado, nos terreiros que cultuam Exu, a concepção mais generalizada é a de Pombagira, por se tratar de uma entidade que se assemelha com os seres humanos. Por ter tido uma vida passada próxima da prostituição, foi-lhe conferido um total conhecimento sobre a vida sexual e o relacionamento humano fora dos padrões aceitos e recomendados pela sociedade. O culto de Pombagira, conforme Prandi (1996), revela de modo muito explícito esse lado "menos nobre" da concepção popular de mundo e de agir no mundo entre nós, o que é muito negador dos estereótipos de brasileiro cordial, bonzinho, solidário e pacato. "Com a Pombagira guerra é guerra, salve-se quem puder".

Prandi (1996: 162) enumera os pontos básicos fundantes da umbanda:

1. Interesse pela ética cristã.
2. Constituição de um panteão africano e ameríndio.
3. Concepção de um mundo mágico, porém salvacionista.
4. Valorização do outro desconhecido pela prática da caridade.
5. Idealização do código escrito como testemunho do valor do exercício intelectual.

Acrescenta o autor que a estes itens se somam conteúdos esotéricos, uma mitologia de origem e a concepção kardecista de religião como serviço mágico-religioso e outras variações, quando se pode admitir ou não a dança, o uso ou não do atabaque, assim como com sacrifício de sangue ou sem ele.

2.12.2.1. Doença e terapia na umbanda

A medicina umbandista procura dar novo contorno à medicina popular praticada pelos curadores, conhecedores dos poderes curativos das plantas, para atuar no campo do simbólico, emprestando a elas uma força mística, cujos poderes se prendem a raízes míticas que, legitimadas por meio de ritos próprios, ganham poderes que superam quaisquer princípios ativos de ação farmacológica que possam encerrar.

Os males físico e mental ganham dimensões que diferem do pensamento da biomedicina. As doenças não definem por si só o tratamento; a pertinência nosográfica não é definida basicamente pela sintomatologia, mas pelo agente patogênico, segundo Albuquerque (1997: 30), citando Monteiro (1979). Assim, é pela consulta aos espíritos sobre se as manifestações orgânicas são de fundo material ou de causa espiritual que são definidas as terapias a serem aplicadas.

Quando as doenças são consideradas materiais, por resultarem de perturbações orgânicas, o doente será encaminhado a médicos ou o tratamento se fará por meios espirituais e fitoterápicos.

Como as doenças na umbanda são subjetivamente interpretadas, os procedimentos médicos tratam exclusivamente de desativar o agente causador do mal, de forma a devolver à pessoa o estado anterior à instalação da doença. As doenças podem ser caracterizadas por certos desajustamentos, os quais podem estar relacionados a uma mediunidade mal desenvolvida ou mau uso dela. Determinadas as causas, os procedimentos posteriores podem incluir banhos de descarrego preparados com plantas de poderes mágicos, visando à expulsão das forças maléficas e à atração de fluidos benéficos, agindo como purificador ou limpeza do corpo. Além destes procedimentos, estão as infusões ou decoctos, agindo simbolicamente como forma de transferência para o doente das forças vitais presentes nas plantas.

Paralelas às práticas "terapêuticas", estão as obrigações para com as entidades protetoras, representadas pelas oferendas como forma de agradecimento, colocadas em locais sacralizados por ritos próprios, como nos assentamentos dedicados a diferentes orixás ou outras entidades cultuadas: na mata, nas cachoeiras, na praia, onde estes habitam. Quando os agradecimentos são dirigidos aos caboclos, pretos velhos, as oferendas ficam dentro das próprias casas de culto. Há também oferendas destinadas a anular o efeito dos feitiços, que são obrigações dirigidas a exus, os quais são comumente colocados em encruzilhadas e em portas de cemitério.

2.12.3. A jurema no universo sacralizado da prática médica umbandista

Sem dúvida, a jurema, como planta psicoativa, a partir de sua composição química e atividade farmacológica, como já tratado anteriormente, vem a favorecer uma relação com a oralidade no diálogo curador/paciente e da linguagem com a produção de imagens mentais e reações comportamentais.

A ação das plantas psicoativas, quando em uso por pessoas ligadas a rituais de cura, pode propiciar condições especiais quando da comunicação com os doentes, como linguagem verbal. Tais plantas, tidas como mágicas, podem fazer despertar naqueles que vão desempenhar o papel de curador uma verbosidade e fluência oral capaz de induzir o doente a crer em suas palavras e em seus poderes sobrenaturais de realizar curas.

Quanto aos efeitos produzidos com a absorção pelo organismo de preparados à base da jurema, considerando a espécie botânica *Mimosa hostilis*, visto haver outras plantas conhecidas por jurema pertencentes a espécies diferentes, tais efeitos podem produzir estados emocionais por parte do doente quando diante da fala daquele que vai curá-lo, enquanto sob efeito da jurema, permitindo-lhe experimentar a sensação de segurança quanto à cura buscada. "A palavra pode se tornar remédio potente para curar, principalmente se forem 'feridas simbólicas'", como diz Quintana (1999: 11), já que elas estão no nível das representações mentais – de onde a "palavra" vem – ou de onde são elaboradas as ideias expressas oralmente (França, 1999: 68-70).

Tomando o pensamento de Montiel (1988: 49), podemos dizer que as plantas psicoativas têm um valor medicinal de efeito físico-químico-biológico, de natureza mágico-espiritual, e uma psicoatividade causal que faz despertar a consciência.

Devemos considerar que a psicoatividade de uma planta varia segundo sua composição química e a maneira de prepará-la para o consumo, podendo atingir de maneiras diversas as regiões do SNC. À categoria de plantas com esta atividade, cabe o papel de estabelecer uma relação entre as reações biológicas decorrentes de seus princípios ativos e a comunicação com o sobrenatural, admitindo-se que lá estão as respostas quanto às causas das doenças e as orientações de cura. Para que essa relação seja estabelecida, deve levar-se em consideração como são consumidos os preparados, visto que as substâncias ativas contidas na plantas são absorvidas pelo organismo por diferentes meios, tais como:

a) Inalação – pela fumaça obtida da planta cremada em incensórios, cigarros, charutos e cachimbos.

b) Aspiração – pelas narinas, de plantas reduzidas a pó (rapé, por exemplo).

c) Uso tópico por meio de banhos e aplicações sobre a pele sã ou escarificada (incisões corporais feitas tanto em rituais de cura, como em iniciações das religiões afro-brasileiras).

d) Ingestão.

Lembramos que muitas plantas psicoativas usadas em banhos rituais podem ter também sua ação nos centros nervosos, devido à sua absorção pela pele, a exemplo de plantas do gênero *Datura spp* Solanacee (Vieira, 1976), conhecidas por figueira-do-inferno, trombeteira, zabumba, que provocam distúrbios neuropsíquicos (Scavone & Panizza, 1981). A ação central se dá ao atingir de imediato a corrente sanguínea.

2.13. As plantas nativas e a participação de viajantes e naturalistas para o seu conhecimento

Importante recordarmos que teria sido Anchieta o primeiro naturalista preocupado em descrever os recursos naturais da nova terra conquistada, registrando tudo que viu na região de São Vicente e Piratininga como aves, animais de vários gêneros e espécies, assim como os representantes da flora local, principalmente as medicinais; assunto sobre o qual já nos reportamos com detalhadas informações na Parte I deste livro, no item 1.12.

Foram muitas as investigações científicas ocorridas no Brasil de 1777 a 1808. Entre este ano e 1822, outras viagens científicas foram encetadas em terras brasílicas empreendidas por naturalistas e viajantes, em busca do conhecimento dos produtos naturais. Dentre elas, cita-se a de João da Silva Feijó, no Ceará e no Rio de Janeiro, e a de Joaquim Veloso de Miranda, em Minas Gerais (Pataca & Pinheiro, 2005).

Segundo os autores acima, em 1779, Domingos Vandelli redigiu um manuscrito que seria uma espécie de instrução para os membros daquelas que ele chamaria "Viagens Filosóficas". Essas viagens tinham como alvo o Brasil, visando ao estudo da cochonilha, do anil, da quina, do cacau, entre outras plantas, com o objetivo, sobretudo, de abastecer o Real Museu de Ajuda em Portugal.

Continuando em Pataca & Pinheiro (2005), seguindo instruções de Vandelli, Alexandre Rodrigues Ferreira encetou viagem à Amazônia, onde permaneceu de 1783 a 1792, culminando com a produção de importante obra – *História Natural do Pará*.

Domingos de Almeida Martins Costa, em 1877, em *Progresso Médico*, ao apresentar a obra de Alexandre Rodrigues Ferreira, essa importante figura da história da medicina naqueles rincões da Amazônia brasileira, diz:

> *Apesar de não ser médico, o autodidatismo de Alexandre Rodrigues Ferreira permitiu-lhe dominar na medicina de sua época, o que viria a ser mais tarde a Medicina Tropical. Colheu ensinamentos em Bontius e Piso que divulgavam as noções mais recentes sobre doenças tropicais e subtropicais. Notáveis conhecimentos sobre Nosografia, Patologia e Patogenia das doenças endêmicas, na vastíssima região amazônica, bem como soluções atinentes à sintomatologia, diagnóstico, prognóstico, terapêutica, são reveladas na sua monografia, até então inédita em sua íntegra.*

> *Este naturalista dedicou parte de sua obra a questões relacionadas a febre, que as classificava, segundo costumes daquela região percorrida por ele, em: contínuas simples e contínuas ordinárias, febre podre, febre ardente, maligna, maligna nervosa, intermitentes ou sezões e maleitas, terçã e remitentes. Em cada tipo de febre ele desdobra o assunto em: causas, sintomas ordinários, prognóstico, curativo médico: europeu e americano, subentendendo usos na Europa e no país Brasil, neste caso os costumes com o uso da flora medicinal local. Exemplo:*

(…) febre podre – Tem o seu princípio na depravação dos humores que tem a alkalescência; e se termina por huma depuração, que na frase de Sydenham, lhe dá o nome de febre depuratória. Não he logo uma verdadeira putrefação, a que se pretende significar pela palavra podre, como entendem muitos, e principalmente o vulgo; he sim huma disposição para ella. A mortificação que dão ao olfato, as urinas, os suores, e o hálito daquelles que se tira pela sangria; a gangrena, que acompanha esta febre, a inchação, que immediatamente diffundem os cadáveres, e outras pertencidos segnaes de huma verdadeira corrupção, são communs a outras muitas enfermidades a onde ella se não suppõem. Também só quem a entende, he capaz de a distinguir algumas vezes da Maligna, com que a equivóca a maior parte de seus synptomas, porém, a affecção dos nervos, e do cérebro que he inseparável da quella, he transitória na podre.

Curativo – Consiste em rigorosa abstinência de carne, por via de dieta e em copiosas bebidas de cordiais, e xaropes ácidos, e refrigerantes, de Maracujá, de Limão, de Laranja, e de Cidra. Bebe-se a água de coco, os succos, a que chamão vinhos de Cação, de Acaju de Ananás, e come-se o mesmo coco molle, com igual proveito ao com que se comem diff° fructas: (1) romã, a Pitanga, a Mangaba, o Araçá, o Jamacaru, o Mamão, o Jaracatiá, o Genipapo, o Marmelo, o Araticu, a Fruta do Conde, a Sorva, a Banana de São Tomé, e a Abóbora.

Para a Expedição Botânica a ser encetada no Rio de Janeiro, foi indicado para comandá-la frei José Mariano da Conceição Vellozo. Com mais de 40 homens transitaram em setembro de 1788 entre a Ilha Grande e a cidade de Santos. No final da expedição em 1790, Vellozo voltou a Lisboa, para preparar sua grande obra – *Flora fluminensis* – na qual foram descritas e desenhadas 1.400 espécies botânicas. A sistematização dos dados constantes dessa obra foi realizada no Real Jardim Botânico da Ajuda e Museu, em Lisboa, sob a orientação de Vandelli, assim como os dados para a obra de Alexandre Rodrigues Ferreira, mencionada acima.

Contudo, devemos recordar que, durante a invasão napoleônica a Portugal, comandada por Junot, fato que motivou a fuga para o Brasil da família real, em 1808, a mando do ministro do Interior da França, deveriam ser saqueados do Jardim Botânico e do Museu todas as produções naturais que faltassem no de Paris, incluindo manuscritos mais raros e cartas geográficas das Colônias, entre outras coisas. Tal material saqueado deveria de ser entregue a Geouffre de Saint-Hilaire, professor de História Natural do Museu de Paris e cunhado de Junot. Com a restauração da Coroa Portuguesa, a saída do produto saqueado foi embargada e, ao passar por negociações diplomáticas com a participação de Domingos Vandelli, então diretor do Real Jardim Botânico e Museu, foram para a França somente as floras peruana e fluminense, hoje depositadas no Museu de História Natural, em Paris.[64]

---

64. (on line) www.triplov.com/hist_fil_ciencia/vandelli/biografia/bios1808.htm [20/5/2011].

Por meio do Instituto Histórico e Geográfico Brasileiro, criado em 1838, formou-se em 1856 a Imperial Comissão Científica com os objetivos de explorar o interior das províncias brasileiras menos conhecidas, algumas já exploradas pelos viajantes europeus, a fim de coletar material para o Museu Nacional e promover pesquisas científicas no País. Tal tarefa – que caberia a naturalistas brasileiros – coube a Francisco Freire Alemão de Cisneiros (1797-1874) para dirigir a Seção Botânica, através do qual lhe foi possível, com Emílio Joaquim da Silva Maia, recuperar e organizar para publicação os manuscritos de João da Silva Feijó (Pataca & Pinheiro, 2005).

Segundo os autores acima, em 1856, Freire Alemão criou a Sociedade Vellosiana, com o objetivo de reunir naturalistas para discutir suas produções e as dos naturalistas do passado, criando novas linhas de investigação.

A Vellosiana buscou criar uma tradição científica brasileira por meio do resgate de sua história, conforme comenta Maria Margaret Lopes (1993).

Freire Alemão, em sua viagem ao Ceará, como verdadeiro etnobotânico que foi, procurou relatar em seu diário de viagem os usos e costumes das regiões por onde passava, apontando as plantas medicinais usadas pelas pessoas com as quais mantinha contato. Fez referência, por exemplo, ao manacá (*Brunfelsia spp.* Solanaceae) que, segundo informante, era excelente remédio para febres. O chá de suas flores com aguardente, indicado para a ocasião do acesso, "cura milagrosamente; se não têm flores, a casca da raiz cozinhada e bebida com aguardente faz muito efeito", diz um informante. Registrou na cidade de Crato-CE as doenças endêmicas, tais como as dos olhos, comentando que não havia asseio com os doentes e todos da casa se lavavam na mesma bacia. Segundo lhe informaram, havia a incidência também da tísica, hemoptises, reumatismo e sífilis. Em Baturité, as famílias queixam-se de ter sempre doentes em casa. À época, reinava ali a febre amarela a que davam o nome de icterícia, e havia já feito algumas vítimas (Damasceno & Cunha, 1964).

2.13.1. Naturalistas estrangeiros

Dos naturalistas estrangeiros que estiveram no Brasil no século XIX, muitos não tinham experiência para empreender tais viagens e muitos nunca tinham viajado. Para as empreender, eram treinados jardineiros-coletores, desenhistas, pintores e preparadores dos animais que os acompanhavam. Alexander von Humboldt acreditava que as impressões estéticas vivenciadas pelo viajante faziam parte da atividade científica e não podiam ser substituídas por descrições ou amostras destacadas dos lugares de onde foram tiradas (Slusarski, 2004).

Conforme o autor acima, dentre outros viajantes que assim pensavam estavam Karl Friederich Philipp von Martius e Saint-Hilaire, que optaram por "ver com os próprios olhos" e assim fazer ciência *in loco*, podendo deixar importante contribuição científica ao registrar, além do material botânico, o ambiente, a história e os costumes dos brasileiros.

Outro naturalista que, na condição de cônsul da Rússia no Brasil, permaneceu de 1813 a 1820, foi Grigori Ivanovichi Langsdorff, incumbido de organizar uma expedição científica, da qual resultou a formação de um herbário com 60.000 exemplares, levado para São Petersburg, atual Leningrado (Slusarski, 2004). Essa expedição reunia, entre outros, os pintores Moritz, Rugendas, Hercules Florence, Adrien Taunay, falecido durante a tentativa de atravessar o rio Guaporé a nado. Foi uma expedição que terminou com seu dirigente vitimado por febres tropicais e a perda total da memória. Todo o material coletado contido em caixas foi enviado à Rússia, onde permaneceu por 100 anos em suas embalagens originais, em uma sala do jardim Botânico de São Petersburgo. Ao ser reencontrado na década de 1930, surpreendeu pela boa conservação do material, valendo pela sua grande importância. Essa expedição percorreu, de 1821 a 1829, cerca de 17 mil quilômetros, desde o Rio de Janeiro até o Amazonas, passando por Minas Gerais, São Paulo e Mato Grosso

Carl Friederich Phillip von Martius, nascido na Baviera em 1794, veio integrando a comitiva de sábios para acompanhar D. Leopoldina que vinha para se casar com Pedro I, chegando ao Brasil em 1817. Tendo percorrido todo o Brasil durante três anos, pôde reunir precioso material, o que veio a possibilitar a realização da grandiosa obra – *Flora Brasilliensis* – onde estão descritas 20.000 espécies, sendo 6.000 desconhecidas na época, e mais de 3.000 estampas, contando 130 fascículos reunidos em 40 volumes *in-folio*. Segundo Slusarski (2004), dessa coleção, grande parte do material foi fornecido pelo botânico alemão Sellow que, tendo conhecido Humboldt e Langsdorff, veio para o Brasil e, com recursos dos dois amigos, desenvolveu suas pesquisas.

Muitos outros estiveram no Brasil com expedições, entre eles o inglês George Gardner que esteve, em 1837 explorando as matas da Tijuca e Serra dos Órgãos; Regnell, sueco que participou de expedições de Loefgren e Lindman (Slusarski, 2004).

2.13.1.1. Plantas medicinais em Saint-Hilaire

Augustin François Cezar de Saint-Hilaire, nascido e falecido em Turpinière – França (1779-1853), em 1816, veio para o Brasil na companhia do Duque de Luxemburgo, então indicado para embaixador no Rio de Janeiro. Aportou nesta cidade, onde permaneceu até junho de 1822, depois de percorrer Minas Gerais, São Paulo, Santa Catarina, Rio Grande do Sul, até a Província das Missões, então, Paraguai.

Damos destaque a esse botânico francês, dentre aqueles estrangeiros que percorreram o Brasil no século XIX, devido ao seu interesse em destacar as plantas medicinais de uso entre os brasileiros, deixando, entre outras, a importante obra *Plantes usuélles des brésiliens*[65] (1822-5). Nela, o botânico trata de 70 espécies medicinais, acompanhadas de seus respectivos desenhos.

---

65. Obra traduzida pela equipe do Banco de Dados e Amostras de Plantas Aromáticas, Medicinais e Tóxicas, da Universidade Federal de Minas Gerais (DATAPLAMT – UFMG), em colaboração com o Museu Nacional de História Natural da França (Paris) e da Fundação de Amparo à Pesquisa do Estado de Minas Gerais (FAPEMIG).

Outro motivo de nosso interesse em destacar esse eminente botânico deve-se ao fato de ele ter se preocupado em buscar conhecimentos sobre os recursos naturais do Brasil antes de encetar viagens por terras brasílicas. Chamou sua atenção uma carta de Anchieta ao Padre Diego Laynes, de 31 de maio de 1560 em Roma, em que faz um relato sobre a fauna e a flora de São Paulo.

Assim, em homenagem ao jesuíta, Saint-Hilaire, nomeou entre as plantas por ele relacionadas, a espécie *Anchietae salutares* St. Hil. Violaceae, conhecida hoje por cipó-suma.

Quanto à identificação do gênero e espécie dessa planta, Saint-Hilaire, referindo-se ao padre Anchieta, assim se justifica: *"J'ai imprunté le nom de cette plante de celuì du fameux père Anchieta qui a écrit une lettre fort curieuse sur l'histoire naturelle de la province de Saint-Paul"*[66].

A denominação vulgar "cipó-suma" possivelmente esteja relacionado a uma lenda de São Tomé. Esta se deve a uma história contada pelos jesuítas no século XVI, conforme foi mencionada na carta de Manoel da Nóbrega ao padre Simão Rodrigues em Lisboa, enviada da Bahia, em 15 de abril de 1549 (Vasconcelos, v. I: 17, 1954):

> *Também me contou pessoa fidedígna que as raizes de que cá se faz pão, que São Tomé as deu, porque cá nom tenhão pão nenhum. E isso se sabe da fama que anda entre elles, "quia patres eorum nuntia a verunet eis". Estão daqui perto humas pegadas figuradas em huma rocha que todos dizem serem suas. Como tivermos mais vagas, avemo-las de ir ver.*

Em nota de rodapé, está: "As pegadas chamadas de São Tomé, Nóbrega já as tinha visto pessoalmente em agosto seguinte (*Informações das terras do Brasil*)", constante da obra de Serafim Leite, referido acima, no v. I: 153-4.

O nome desse apóstolo que, segundo conta a lenda, viera ao Brasil mostrar aos índios a planta da mandioca, cuja raiz se comia, passou a ser grafado de várias maneiras, entre elas: çume, çumé, suma, sendo, possivelmente, o último, derivação do nome vulgar dessa planta, usado hoje: cipó-suma.

Um dos fatos relevantes do trabalho de Saint-Hilaire foi o de ter localizado cinco espécies botânicas conhecidas vulgarmente por quina, possivelmente devido às semelhanças no sabor amargo e usos populares:

- ◆ **Quina** – *Evodia febrífuga*.
- ◆ **Quina-da-serra** – *Cinchona ferruginea*.
- ◆ **Quina-do-campo** – *Strychnos pseudoquina*.
- ◆ **Quina-do-mato** – *Cinchona vellozii*.
- ◆ **Quinquina-de-remijo** – *Exotema cuspidatum*.

---

66. "Tomei emprestado o nome desta planta ao famoso padre Anchieta, que escreveu uma carta muito curiosa sobre a história natural da província de São Paulo."

Também registrou cinco espécies conhecidas por poaia, talvez por razões semelhantes às anteriores:

- **Poaya** – *Cephaelis ipecacuanha*.
- **Poaya-da-praia** – *S. ferruginosa*.
- **Poaya-do-campo** – *R. scabra*.
- **Poaya-do-campo** – *Richardsonia* rósea.
- **Poaya-do-campo** – *Spermacoce poaya*.

Importante lembrar, também, outra planta citada pelo botânico francês: *Calyptranthes aromatica* – craveiro-da-terra – que Saint-Hilaire encontrou em franco uso entre os brasileiros. Esta planta já havia sido descrita em *Memória para a Academia Real das Sciencias de Lisboa*, em 1801, por Bernardino Antônio Gomes (1972), higienista, químico, botânico e médico cirurgião da Armada Real portuguesa, como sendo *Murta caryophyllada* Jacq. Porém, sem meios de comparação com as descrições anteriores feitas por Jacquim, por faltar alguns detalhes, Saint-Hilaire teve dúvidas quanto a essa identificação, dizendo:

> (...) *que na descripção delle faltem algumas particularidades, como a divisão dos pendúnculos, as quaes por tanto se não podem confrontar; ainda assim, se as mencionadas differenças, que alguns talvez queirão attribuir à diversidade do clima, e terreno, não constituem a Murta falso cravo uma espécie differente da* Murta caryophyllada, *trazem-na huma variedade bem diversa. Na dúvida pareceo-me melhor da-la por huma nova espécie, do que faze-la huma variedade das espécies estabelecidas; porque em geral as novas espécies excitão mais attenção que as verdadeiras, e por isso não dão tanta occasião a introduzirem-se erros na Botânica.*

Dizia o eminente cientista português que, no Rio de Janeiro, costumavam colher as bagas verdes e guardá-las, para, depois de secas, usar para temperar comidas, como se faz com o cravo-da--índia, devido à semelhança de sabor.

As dúvidas foram, finalmente, sanadas por Saint-Hilaire, conforme está em *Plantes usuelles des brasiliens*, publicado em 1824, a partir do qual passou a ser identificada como sendo *Calyptranthes aromatica* St. Hil., da família Myrtaceae. Saint-Hilaire[67], "on trouve cette plante dans les bois vierges de la province de Rio de Janeiro, particulierment au bord de la riviére d'Hytu, pres l'habitacion de Benfica ou José Gonzalo, appelé Caminho da terra"[68].

---

67. Para um conhecimento amplo das plantas identificadas por Saint-Hilaire quando de sua viagem ao Brasil, recomendamos: *História da Plantas mais notáveis do Brasil e do Paraguai*. (Organização de Martia das Graças Lins Brandão Christophe Wulliam Faggl) Belo Horizonte, MG: Fino Traço; 2011. E *Plantas usuais dos brasileiros*. Organização de Maria das Graças Lins Brandão e Mac Pignal. Belo Horizonte: Código Comunicação; 2009.

68. "esta planta é encontrada nas matas virgens da província do Rio de Janeiro, particularmente nas margens do rio Itu, próximo da morada de Benfica ou José Gonzalo, chamado Caminho da Terra".

Parte 3

As plantas, o sagrado, a medicina popular no Brasil

3.1. Etnofarmacobotânica e medicina popular

Considerando tratar-se de um desdobramento da Etnobotânica, a Etnofarmacobotânica visa a regatar de grupos humanos os saberes sobre as plantas medicinais e seus usos a partir dos remédios simples e compostos e as respectivas indicações terapêuticas.

A relação existente entre a Etnofarmacobotânica e a medicina popular está na importância que esta representa para os estudos de Botânica Médica. Sabemos estar nos trabalhos etnográficos, voltados ao saber médico popular, os primeiros passos na escalada das investigações científicas, em busca de novos fitofármacos e, quiçá, chegar à síntese de princípios ativos de interesse da indústria farmacêutica. Somente e tão somente por esses meios que os estudos etnofarmacobotânicos avançam em direção ao conhecimento de novas plantas. Porém, em tempos atuais há grande preocupação por parte de órgãos oficiais, no sentido de definir estratégias de proteção do saber médico popular voltado às plantas, postura bastante oportuna, de forma a dar respaldo a esse patrimônio, não só das plantas propriamente ditas, como dos conhecimentos a elas ligados.

Lembramos que, no século I, o grego Dioscórides, etnobotânico de sua época, percorreu grande parte da região mediterrânea e parte da Ásia ocidental, para estudar *in loco*, por meio de informantes, os usos das plantas que vinham sendo até então empregadas na medicina. Eram plantas conhecidas já no Neolítico, 3000 a.C, como se encontram registrados seus usos nos primeiros escritos sumérios e egípcios. De Dioscórides, arrojado pesquisador, recebemos como legado sua importante obra, a *Matéria médica*, da qual se serviu Galeno para desenvolver a não menos famosa "farmácia galênica", cujas técnicas de preparação encontram-se nas forma medicinais indicadas por curadores na medicina popular de hoje. São os chás (infusos ou decoctos), os unguentos, os emplastros, os colutórios etc. à base de muitas daquelas plantas descritas por aquele grego, as quais teriam chegado ao Brasil no século XVI, pelas mãos dos colonizadores portugueses. Qual brasileiro não se lembra do alecrim, da melissa, da erva-doce, da losna, entre muitas outras plantas manipuladas desde gerações passadas nas cozinhas das casas brasileiras, a fim de resolver problemas de saúde – uma herança portuguesa, com certeza!

A Etnofarmcobotânica, na historiografia da medicina popular no Brasil, foi ponte para o conhecimento das raízes da medicina que Portugal nos deixou como legado no século XVI. Destacam-se as plantas que desempenharam em tempos idos e em distantes regiões papéis importantes nas terapêuticas e que, atravessando séculos e lugares, se juntaram às espécies nativas, para comporem o arsenal farmacêutico conhecido dos curadores em sua arte de curar.

3.1.1. As plantas e o sagrado

Entendendo a medicina popular como uma medicina sacralizada, devido a seu envolvimento com diferentes sistemas de crença, as plantas tornam-se, por sua vez, seres sagrados. Como mencionado na introdução deste livro e valendo, aqui, repetir: a ideia do sagrado voltado às plantas, adotada por nós, é orientada pelo pensamento de Durkheim (1989) quando este, ao se referir aos seres sagrados diz, serem os mesmos, por definição, seres separados de seu contexto natural, e as coisas sagradas são aquelas que os interditos isolam e resguardam da vida profana. Assim, as plantas se tornam sagradas quando de seu deslocamento para outro sistema, diferente ao de sua origem – o do contexto vegetal propriamente dito – e da imputação a elas de um valor sacral.

Consideramos que, em rituais de cura, se tornam sagrados, ao ser investidos de poder todos os procedimentos adotados que compõem o conjunto ritualístico presente, compreendido de elementos materiais e imateriais, como: plantas medicinais, remédios, objetos de várias ordens, benzeduras, passes, bênção, banhos, movimentos corporais envolvendo mãos, pernas, braços, tronco, cabeça, induzidos por estímulos sonoros – percussão de atabaques ou outros instrumentos musicais –, acompanhados de cantos, palmas e danças. Citamos ainda as plantas medicinais empregadas em chás, unguentos, xaropes, garrafadas e plantas usadas cremadas em cigarros, charutos, cachimbos e incensórios, aos quais são atribuídas propriedades que transcendem as classificações taxonômicas, fórmulas químicas e análises farmacológicas. Para o curador, outras propriedades são tão ou mais importantes que os aspectos materiais (Oliveira, 2002) dos elementos de que compõem o conjunto ritualístico de cura.

Lembramos que o emprego de plantas psicoativas em rituais religiosos de cura, cujo uso se vincula geralmente ao elemento mágico, é o sustentáculo das práticas religiosas que as utilizam como veículo para alcançar o mundo sobrenatural. O emprego dessa categoria de plantas permite estabelecer uma relação entre as atividades biológicas decorrentes dos princípios ativos que encerram e as crenças no sobrenatural, por meio da qual são determinadas as causas das doenças e as orientações de cura.

É do contato com o universo mágico que as plantas investidas de poderes curativos têm seus papéis bem definidos nos rituais de cura de doenças físicas, mentais e espirituais onde atuam os protagonistas da arte de curar:

- ◆ Raizeiros.
- ◆ Curandeiros.
- ◆ Benzedeiras.
- ◆ Rezadores.
- ◆ Pais e mães de santo.
- ◆ Mestres catimbozeiros.
- ◆ Pajés urbanos e pajoas.
- ◆ Juremeirós, entre outros.

Plantas que provocam estados alterados de consciência cumprem, em contextos religiosos, o papel de intermediárias entre o ser humano e o mundo sobrenatural, onde se depararam com representações simbólicas codificadas e interpretadas, segundo o pensamento religioso nos diferentes sistemas de crença envolvidos. Neste sentido, lembramos Wasson (1992), quando diz que a ideia de divindade tenha surgido do resultado dos efeitos psicofarmacológicos provocados pelo uso de certos vegetais.

Do emaranhado de ideias religiosas e de práticas médicas provenientes das matrizes – portuguesa, indígena, africana – foram se organizando, desde os primeiros séculos da colonização portuguesa, sistemas de crença, deixando evidenciar aqui e acolá a predominância de traços culturais desta ou daquela matriz influenciadora. Nesse emaranhado, têm destaque as plantas medicinais em seus papéis litúrgico e curativo. Guerra (1982) apresenta a seguinte argumentação: se, desde períodos pré-históricos, as doenças decorrem de processos sobrenaturais, as plantas psicoativas estariam desempenhando, por sua vez, um poder mágico, podendo ser tanto uma planta como qualquer outro objeto. Neste sentido, lembramos o papel simbólico dos ramos verdes empunhados por benzedeiras durante o ato de benzer e os chocalhos indígenas usados nas pajelanças.

Diante de todo material aqui exposto, embora sucintamente historiado, foi-nos possível encontrar respostas às nossas inquietações no que diz respeito aos porquês da presença das plantas psicoativas ou não e de seus papéis nos conjuntos ritualísticos de cura, seja em meio a esse ou aquele sistema de crença envolvido. Foi-nos possível verificar como se deram as idas e vindas das plantas entre os continentes: europeu, asiático, africano, americanos e entendermos de que forma elas foram se adaptando aos comandos dos doutores na arte de curar, donos de um saber que se arrasta desde períodos que se perdem no tempo, como detalhado na Parte I e Parte II deste livro.

Para ilustrar como se deu o trânsito das plantas por aqueles continentes e como elas se encaixaram nas trocas culturais entre as matrizes portuguesa, indígena, africana, no Brasil, encetamos uma pesquisa sobre a procedência das espécies botânicas empregadas em rituais religiosos afro-brasileiros: candomblé e umbanda; casas de culto que procuram manter costumes de seu passado histórico ligado às divindades e outras entidades cultuadas, locais onde também ocorrem práticas de cura, como vimos na Parte II deste livro, ao tratamos da influência da matriz africana na medicina popular de hoje.

Recordamos o valor mítico ao qual se ligam todas as plantas no universo mágico-religioso das religiões afro-brasileiras, em seus vínculos com as divindades, os orixás. No começo dos tempos, todas as plantas pertenciam a Ossaim, orixá das folhas, "aquele que domina o ritual detonando o axé das folhas, pois sem folha não há orixá (Kosi ewe, kosi orixá). Mas, com um sopro de Iansã, as folhas se espalharam e cada orixá pode ter as suas próprias, imprimindo nelas suas marcas, cujas propriedades e usos foram ensinados por Ossaim" (Verger, 1981: 122).

Porém, devemos considerar que o panteão das religiões de origem e influência africana reúne deuses das várias etnias de origem dos negros, além da crença de todos no ser supremo – Olodumarê – entre os iorubás; Mavu e Lissa entre os jejes e Zambi entre os bantos (Silva, 1994).

Importante lembrarmos que, em se tratando do Candomblé, o uso ritualístico das plantas varia segundo a origem das casas de culto, visto que os ofícios religiosos são desenvolvidos conforme os ditames da nação de procedência à qual elas se ligam: nagô, jeje, mina, angola, congo, entre outras.

As nações seriam modelos de ritos, em uma alusão significativa de que os terreiros, além de tentarem reproduzir os padrões africanos de culto, possuem uma identidade grupal (étnica), como nos reinos da África, citando-se o rito jeje-nagô e angola (Silva, 1994). A escravidão fez com que todos os indivíduos pertencentes a reinos, clãs e linhagens fossem retirados de seus contextos na África para viverem em terras distantes e desconhecidas, onde procuraram a todo custo manter seus valores culturais, conforme cita este autor.

Entendemos que, nos sistemas de crença afro-brasileiros, a ação das plantas capazes de provocar estados alterados de consciência não depende somente de suas propriedades intrínsecas, mas da presença de forças sobrenaturais de caráter sacral que a planta incorpora em específicos momentos ritualísticos.

Voeks (1990: 121), num estudo etnobotânico sobre plantas rituais empregadas no candomblé no Brasil, comenta: das 94 plantas coletadas e identificadas, 35% são de origem no Velho Mundo, 49% são do Novo Mundo e 16% pertencem a um grupo de plantas pantropicais, que tiveram no passado sua ampla dispersão por várias regiões, não sendo possível a identificação de suas origens. Lembramos que plantas do Velho Mundo foram sendo introduzidas no Brasil com propósitos religiosos, citando o ákòkó (*Newboldia laevis*), espada-de-ogum (*Sansevieria zeylanica*) e pèrégún (*Dracaena fragrans*). Assim, pode-se admitir que os encantamentos recitados para cada planta foram se adequando às novas espécies legitimadas dentro das casas de culto afro-brasileiras.

Em um estudo comparativo por nós realizado em 2000, sobre a origem das plantas de uso comum em casas de culto afro-brasileiros e as usadas na África iorubá, registradas por Verger (1995) em *Ewe – O uso das plantas na sociedade iorubá*, foi-nos possível quantificar as espécies botânicas de uso comum em casas de culto no Recife-PE, em um total de 82 plantas, conforme Albuquerque & Chiappeta (1994-1997), em casas de culto jêje-nagô de Salvador-BA, em um total de 120 espécies, segundo Barros (1983) e em terreiros de umbanda do Rio de Janeiro, perfazendo 39 plantas, segundo Guedes *et al.* (1985). Considerando tratar-se das plantas de uso comum nas casas de culto do Recife, Salvador, Rio de Janeiro e África iorubá, das 82 espécies, apenas 49 eram comuns nos ambientes apresentados pelos autores consultados.

Abaixo a relação das plantas e respectivas origens:

a) **20 espécies americanas:**
   ◆ **Algodão** – *Gossypium barbadense.*
   ◆ **Pega-pinto** – *Boerhavia difusa.*
   ◆ **Bonina** – *Mirabilis jalapa.*
   ◆ **Bredo** – *Amaranthus viridis.*
   ◆ **Carrapicho** – *Acanthospermum hispidum.*

- Goiabeira – *Psidium guajava.*
- Guiné – *Petiveria alliaceae.*
- Juá branco – *Solanum sisymbriifolium.*
- Língua-de-sapo – *Peperomia pelucida.*
- Mamão – *Carica papaya.*
- Mastruz – *Chenopodium ambrosioides.*
- Mentrasto – *Ageratum conysoides.*
- Milho – *Zea mays.*
- Olho-de-pombo – *Abrus precatoriius.*
- Pinhão-de-purga – *Jatropha curcas.*
- Pinhão-roxo – *Jatropha gossypiifolia.*
- Pitangueira – *Eugenia uniflora.*
- Sensitiva – *Mimosa pudica.*
- Urucum – *Bixa orellana.*
- Vassourinha – *Scoparia dulcis.*

b) 13 espécies asiáticas:
- Alho – *Allium sativum.*
- Cajazeira – *Spondias mombim.*
- Capim-limão – *Cymbopogon citratus.*
- Cebola – *Allium cepa.*
- Colônia – *Alpinia zerumbet.*
- Folha-da-costa – *Bryophyllum pinnatum.*
- Jaqueira – *Artocarpus integrifólia.*
- Maconha – *Cannabis sativa.*
- Mamona – *Ricinus communis.*
- Mangueira – *Mangifera indica.*
- Melão-de-são-caetano – *Momordica charanthea.*
- Picão – *Bidens pilosa.*
- Tamarindeiro – *Tamarindus indica.*

c) 9 espécies africanas:
- Cola – *Cola acumina.*
- Dendezeiro – *Elaeis guineensis.*
- Erva-tostão – *Eclipta alba.*
- Feijão-guando – *Cajanus cajan.*
- Gladíolo – *Gladiolus X portulanos.*
- Lágrima-de-nossa-senhora – *Coix lacryma-jobi.*

- ◆ **Maraca** – *Crotalaria retusa.*
- ◆ **Obi** – *Garcinia kola.*
- ◆ **Pimenta-da-guiné** – *Xylopia aethiopica.*

d) 3 espécies europeias:
- ◆ **Alfazema** – *Hyptis pectinata.*
- ◆ **Arruda** – *Ruta graveolens L. Rutaceae.*
- ◆ **Beldroega** – *Portulaca oleraceae.*

e) 6 espécies cosmopolitas:
- ◆ **Amor-do-campo** – *Desmodium adscendens.*
- ◆ **Capim-de-burro** – *Cynodon dactilon.*
- ◆ **Erva-de-santa-luzia** – *Pistia stratioides.*
- ◆ **Malva-branca** – *Sida cordifolia.*
- ◆ **Malva-branca** – *Sida rhombifolia.*

f) 2 espécies pantropicais:
- ◆ **Dracena** – *Dracaena fragrans.*
- ◆ **Crista-de-galo** – *Heliotropium indicum.*

Depreendemos, da relação acima, que as práticas religiosas dos negros no Novo Mundo tiveram de ir se ajustando ao uso de espécies novas para eles. Porém, temos de admitir que as plantas trazidas pelos conquistadores no século XVI já compreendiam, além das europeias, também as asiáticas. Estas, sobejamente conhecidas dos portugueses, devido à sua introdução na Península Ibérica desde tempos muito antigos, mesmo antes da chegada dos árabes no século VIII àquela região, como visto detalhadamente na Parte I deste livro.

Acrescentamos ainda que, do encontro de escravos negros fugitivos com indígenas, também fugitivos, enquanto escravizados no início da colonização portuguesa no Brasil, assunto bastante trabalhado na Parte II deste livro, houve trocas culturais. Nestas trocas, certamente vieram à tona resquícios de crenças supersticiosas envolvendo plantas, ditas protetoras contra malefícios e mesmo doenças. Comumente, vemos à entrada de locais públicos como: bares, lojas, e mesmo de residências, as bem conhecidas dos brasileiros de norte a sul do país: espada-de-são-jorge (*Sansevieria spp* Agvaeae), comigo-ninguém-pode (*Dieffenbachia picta* Araceae), arruda (*Ruta graveolens* L. Rutaceae), guiné (*Petiveria alliaceae* L. Lodd. Phitolacaceae), alecrim (*Rosmarinus officinalis* L. Lamiaceae). Nelas embutido estava o conhecimento das plantas nativas por parte dos negros, os quais as incorporam em seus rituais como sucedâneos das espécies usadas na África. Muitas delas, curiosamente, são das mesmas famílias botânicas, a exemplo do "mulungu", planta que vale aqui recordar.

3.1.1.1. Mulungu

Muitas plantas usadas nos rituais afro-brasileiros apresentam em sua identificação algum traço da cultura negra, particularmente dos negros banto. Dentre elas, certamente estavam várias espécies do gênero *Erythrina spp.* Fabaceae, a que os negros deram o nome de "mulungu" (Camargo, 1996). Esta planta, com esta denominação popular, foi referida no século XVI por Gabriel Soares de Sousa (1974) [1587], lembrando que aqueles negros eram da etnia banto, procedentes de Angola, Congo, Moçambique, os primeiros daquelas regiões a chegar ao Brasil na segunda metade do século XVI. Sobre este gênero botânico, assim se refere aquele autor: "comedoi (tupi), que significa para os indígenas: cuman + oi = o feijão que, por si mesmo se solta", ao tratar da espécie botânica *Erytrina verna* Velloso, antes identificada por *E. mulungu* Mart., devido ao nome "mulungo" dado pelos negros. O *Dicionário Português-Umbundo* apresenta o verbete "mulungu" como o mesmo que "mulungo" e equiparado ao "muave", e que se emprega em provas judiciais como prova de veneno, "ombuloungo". Muave, planta venenosa conhecida por pau-dos-feiticeiros, üfila-nganga.

Em Cascudo (1980), citando Ferreira (1962), o termo "mulungu" é empregado para designar o Ser Supremo em 25 línguas e dialetos do Leste africano, desde o Baixo Zambese até o lago Vitória, e da costa até o rio Luanga. Esse Ser Supremo é popularmente tido como Criador, sendo associado ao trovão, ao relâmpago e à chuva. Arthur Ramos (1961: 343), ao tratar dos bantos orientais, faz referência ao grande deus Mulungu, cuja união com a Terra produziu todas as coisas deste mundo.

Da ampla dispersão de negros banto pelo Brasil, muitos traços de sua cultura religiosa foram mantidos não só entre eles e seus descendentes, mas também entre os negros sudaneses oriundos de regiões acima do Equador que, em meados do século XVII, desembarcaram nas regiões açucareiras da Bahia e Pernambuco. Do encontro dessas duas etnias surgiram trocas de bens culturais, hoje perceptíveis nas maneiras de pensar e praticar suas religiões, a exemplo do uso corrente da planta "mulungu", tanto em candomblés de origem sudanesa como em umbandas, onde predominam traços da cultura banto.

Podemos admitir que os negros banto tivessem conhecido as espécies nativas de *Erythrina*, em solo brasileiro, com grupos indígenas espalhados pelo País, visto haver referências de tais espécies, em diferentes regiões brasileiras. Exemplo da *Erythrina corallodendro* L. na Amazônia, *Erythrina verna* Velloso, no centro e sul e *Erythrina speciosa* Andr, com distribuição desde a Bahia até Santa Catarina. Estas são consideradas as espécies mais empregadas na medicina popular e em rituais afro-brasileiros. Na África, a espécie botânica que os bantos conheciam com o nome popular "mulungu", segundo a literatura consultada, é a espécie *Erythrina abssinica* Lam. O que nos chama a atenção é o fato de as espécies do gênero *Erythrina* apresentarem diferenciações principalmente na morfologia das inflorescências e em sua coloração, que vai do amarelo ao vermelho, o que não impediu aos negros reconhecerem nas espécies brasileiras os sucedâneos de seu mulungu africano. Mas, com o nome "mulungu", conheciam também, na

África, as espécies: *Croton macrostachys* Hochat., *Mitragyna stipulosa* O. Ktze. E. Fagara deremensis Engl., entendidas como tóxicas, exatamente espécies das regiões de onde procederam os negros banto. (Watt & Breyer-Brandwijt, 1962).

Segundo os autores acima citados, na África o nome "mulungu" está associado ao "muave", planta usada em decisões judiciais, cuja espécie botânica não corresponde ao gênero *Erythrina* e, sim, à *Erythrophleum guineense* G. Don. O papel desta planta em provas judiciais vai depender de seu efeito sobre o réu, podendo ser um simples vômito, anunciando ser ele inocente, e a ocorrência de óbito, quando ele é declarado culpado, cabendo aos familiares o cumprimento das penas. Porém, "muave", entre os bantos das regiões abaixo do Equador, está relacionado ao gênero *Erythrina*, sem termos encontrado na literatura consultada qual referência ao uso em questões judicias, necessitando, neste sentido, de busca mais aprofundada.

3.2. Religiosidade na medicina popular

Historicamente, sabemos que, resultante das inter-relações culturais entre as três principais matrizes influenciadoras – portuguesa, indígena, africana – na formação do *ethos* brasileiro, a medicina popular, como parte integrante desta identidade desenvolvida no Brasil a partir do século XVI, vem se mantendo como uma medicina de contorno essencialmente mágico-religioso. Tal fato resulta, certamente, de seu vínculo com elementos doutrinários de diversas origens: catolicismo, pentecostalismo, kardecismo, entre outras, razão de poder entendê-la como uma medicina sacralizada, controladora das forças sobrenaturais, como vimos na Parte II deste livro, quando tratamos separadamente das três matrizes, tais como apresentavam-se no século XVI, bastante explicitada logo na introdução deste livro. É na medicina popular que o ser humano, preso a um estado de espiritualidade, vai buscar por meio de ritos de caráter mágico-religiosos soluções que possam amenizar sofrimentos, sejam de ordem natural ou sobrenatural.

Notamos nestes procedimentos a forte influência exercida pelo catolicismo introduzido no País desde o período colonial, observado nas rezas empregadas pelas benzedeiras ou rezadores, louvando a Virgem Maria, Jesus e santos católicos na busca de sua intercessão junto a Deus. Este modelo de catolicismo que foi se popularizando permanece arraigado na mentalidade do brasileiro, como nos hábitos rotineiros com o uso de expressões como: "se Deus quiser" e "graças a Deus", como se tudo que desejamos dependesse de sua aquiescência. Estas são atitudes que podem ser interpretadas como temor a Deus, capazes de despertar sentimento de culpa por pecados cometidos e certeza do castigo divino, impondo doenças.

Para Saad *et al.* (2001: 18-23), "espiritualidade é um sentimento pessoal, que estimula um interesse pelos outros e por si, um sentido de significado da vida capaz de fazer suportar sentimentos debilitantes de culpa, raiva e ansiedade". A crença em aspectos espiritualistas "pode mobilizar energias e iniciativas extremamente positivas, com potencial ilimitado para melhorar a qualidade de vida da pessoa. A prece parece oferecer benefício subjetivo àquele que ora", citando Maugans (1996).

Desde tempos imemoriais, o ser humano é levado a vagar por um universo sacralizado que, não existindo no concreto, ele crê existir, pois herda culturalmente do grupo familiar, social e religioso, nele buscando o sentido à vida. Assim, admitimos a espiritualidade em sua relação de parentesco com a religiosidade, visto permitir à pessoa disciplinar suas ideias sobre o intangível universo de seus pensamentos voltados ao sagrado, obedecendo a doutrinas e regras. E são essas doutrinas e regras que vão dar sustentação aos sistemas de crença que congregam adeptos para, unidos pelos mesmos anseios e princípios, desempenharem um papel social além da participação restrita no ambiente religioso. Esta foi uma das preocupações de Durkheim (1989), enunciadas em sua obra *As formas elementares da vida religiosa*, buscando compreender a natureza da religião e sua importância para a vida social.

A espiritualidade, em seus diferentes matizes de religiosidade, confere à medicina popular seu caráter sacral. Condições que fazem alimentar no ser humano e no grupo social ao qual pertence, a crença nos "poderes" sobrenaturais do curador, detentor do saber médico popular, capaz de interpretar doenças, indicar terapias e preparar remédios, aos quais se admite de eficácia garantida. Podemos admitir ter sido a partir das práticas de cura desenvolvidas pelas bruxas medievais e renascentistas, detentoras do conhecimento das plantas na arte de curar, nos países que vivenciaram a caça às bruxas, as práticas de cura desenvolvidas por curandeiros, benzedeiras e outros protagonistas da medicina popular que conhecemos atualmente. Foram conhecimentos que, passados de geração a geração, abriram caminho aos cientistas, incitando-os a desvendar os porquês de seus poderes curativos. Foi quando, no início do século XVIII, iniciou-se a pesquisa em caráter científico, para a identificação dos agentes responsáveis pela ação medicinal das plantas, aquelas que, desde antanho, já vinham sendo usadas pelos doutores na arte de curar eleitos pelo povo.

Podemos admitir que as determinantes etiológicas e tratamento das doenças por parte dos curadores, cada um a seu modo, edificam-se sobre os mesmos postulados e obedecem aos mesmos princípios gerais, nomeadamente: o mito – que envolve os ritos praticados –, e o ambiente – o cenário terapêutico (Carvalho (2004: 56). Nesse sentido, relembramos Aranda (2007: 48), ao se reportar à medicina na antiga Grécia, após a revolução das ideias médicas aventadas pelos filósofos que antecederam a Hipócrates e sacramentada por este, buscando separar a arte médica do sagrado, embora sobrevivessem os templos para onde acorriam doentes em busca de curas, quando o autor acima, citando Pergola *et al.* (1986: 107), diz: "(...) fator mais importante na eficácia das curas no templo, era a fé no deus curador, reforçada pelo ambiente místico e ricamente sugestivo".

Foi na Idade Média que o cristianismo recuperou a noção de doença como punição dos povos da Mesopotâmia, 3000 anos a.C., com a ideia de que a doença marca o pecado, a exemplo da lepra, doença que aparece nos Evangelhos como estigma da impureza das pessoas, ideia que permaneceu por toda a Idade Média como símbolo do pecado, segregando os portadores deste mal em leprosários (Carvalho, 2004). Eram exigidos dos doentes que ingressavam aos hospitais medievais, a confissão e a comunhão, para a remissão dos pecados e a obtenção da harmonia com Deus, como condição para o êxito da ação terapêutica e não ocorrência de morte.

As ideias religiosas veiculadas pelos jesuítas em seu trabalho de catequese, calcadas nas ideias medievais que ainda vicejavam naquele Portugal seiscentista, desempenharam papel fundamental na formação da mentalidade brasileira do ponto de vista religioso, ao ligar a doença ao castigo divino e a morte à vontade de Deus. Tais ideias foram se fixando na mentalidade dos colonos e indígenas catequizados, ao se perpetuarem até hoje nas práticas de muitos curadores que se apoiam em rezas e benzeduras, além de pregarem a devoção a santos católicos como intercessores junto a Deus na obtenção de curas (Rodrigues s/d; Santos Filho, 1947, parte IV, capítulo 25).

Dessa maneira de pensar a doença, a cura e a morte, foram se desenvolvendo práticas piedosas: orações, promessas a santos protetores, penitências, procissões, peregrinações a santuários, usos junto ao corpo de objetos benzidos, como terços, medalhas, escapulários etc., assim como agradecimentos por curas através de ex-votos depositados em salas de milagres (Scarano, 2004) e, sobretudo, o uso dos remédios milagrosos. "Sem fé não há cura", *slogan* comum entre os curadores.

A associação "doença"-"remédio divino"-"cura milagrosa" perdura no pensamento médico popular dos curadores de hoje, como herança da cultura religiosa portuguesa apregoada pelos jesuítas, ao admitirem que as enfermidades do corpo e da alma somente poderiam ser curadas por intervenção divina (Marques, 1997).

Segundo os curadores de modo geral, as doenças encerram causas espirituais, cujos sintomas podem se assemelhar às doenças materiais, manifestando-se também no corpo físico, a exemplo do mau-olhado e do quebranto, além de males provocados por terceiros ou espíritos maléficos e das "patologias" conhecidas por: espinhela caída, mal de sete dias, cobreiro, entre outras, cujos sintomas podem ser perceptíveis aos olhos dos curadores. São estas "patologias" entendidas como síndromes culturais, visto que os agentes causadores se prendem a ideias de caráter subjetivo, circunscritos em grupos sociais que se articulam em seus próprios campos semânticos, cujos significantes e significados ficam restritos a seus membros e cujas terapias adotadas são essencialmente mágicas. É neste terreno que atuam benzedeiras ou rezadores, entre outros curadores, agindo simbolicamente sobre o doente por meio de rezas e utilização de palavras e gestos, visando a desativar o poder sobrenatural responsável pelo mal ocasionado. Seu campo de ação geralmente gira em torno de determinadas doenças que "só reza cura", a exemplo das citadas anteriormente, cujos distúrbios orgânicos e históricos da evolução da doença os curadores admitem ter o dom de perceber. Porém, podem também atuar em perturbações orgânicas determinadas como: mal dos rins (dor nas cadeiras), do fígado (cor amarelada, amargor na boca), do pulmão (chiado no peito), verminoses, lesões causadas por ferimentos e acidentes em geral, AVC, entre outros, além de distúrbios provocados por quebra de tabus alimentares. Podem enquadrar-se no campo das doenças os portadores de deficiências físicas, mulheres em trabalho de parto no momento de parir, assim como aqueles com perturbações mentais de vários níveis. Estão geralmente associados a estes últimos, fatores de ordem subjetiva voltados a crenças em forças maléficas ou demoníacas. Nestas, os processos de evolução da doença obedecem a estágios que vão do estado de tentação pelo espírito maléfico, passando pela obsessão até atingir a possessão, momento em que se admite a incorporação de tais espíritos ou mesmo do demônio. Tais estados geralmente levam os doentes e familiares a se entregarem a orações, à proteção de santos, percorrendo igrejas para se submeterem a vários sacramentos, até mesmo a exorcismos ou outras formas mágicas, a fim de afastar o mal que os atormenta. Sobre este assunto não podemos deixar de colocar em destaque a obra de João Carvalhal Ribas (1964), *As fronteiras da demonologia e psiquiatria sobre "endemoniados"*, a partir dos históricos apresentados pelos familiares. Trata o autor dos estágios da evolução da doença – tentação, obsessão e possessão –, traçando um paralelo entre estas fases e a evolução das neuroses às psicoses.

Porém, as terapias adotadas paralelamente às benzeduras e rezas, além de outros recursos usados, estão indicações de remédios, cujos preparados podem levar em suas composições elementos de origem vegetal, além de mineral e animal. Herança da farmácia jesuítica que, por sua vez, foi herdada da farmácia galênica do século I, a exemplo das garrafadas, difundidas por todo o País, antes conhecidas por teriagas, conforme tratado detalhadamente na Parte II do presente livro.

Da análise que Laplantine (2004: 215, 218) faz das histórias da medicina, às quais teve acesso, depreende-se, seguindo observação do autor, que todas elas descrevem o percurso que vai do obscurantismo pré-hipocrático ao surgimento da ciência médica. Esta, fundamentada na objetivação de desarranjos do corpo, admitindo que

> (...) *para alguns historiadores (a maioria dos historiadores da medicina e quase totalidade dos médicos), essa trajetória tem seu ponto de partida na libertação das crenças mágico-religiosas (as superstições) e conquista de sua maioridade, a partir do momento em que triunfa a "objetividade", ou seja, a abordagem centrada no corpo.*

Entretanto, nem mesmo quando das ideias médicas difundidas por Hipócrates, buscando separar a medicina do sagrado, no próprio *Corpus Hyppocaticum*, escritos datados de 420-350 a.C., atribuídos a ele e a seus seguidores, há menções ao divino (Saura, 1996: 185). Este autor, buscando os paralelismos entre a *Ilíada* de Homero em seus aspectos médicos e o *Corpus Hyppocraticum*, menciona a "Doença sagrada" inserida neste, a qual diz respeito à epilepsia, assim se explicando: "En nada me parece que sea algo mas divino ni mas sagrado que las otras, sino que tiene una naturaleza propria, como las demás enfermedades"[69].

Devemos refletir sobre o que diz Saura (1996), comentando que em todo o período hipocrático não havia rivalidade entre a medicina e os inúmeros templos curativos, comuns nas cidades gregas mais importantes. Diniz (2006: 61,171) aponta o quanto a ideia do divino está presente no *Corpus Hyppocraticum*, ao comentar sobre o poder médico que não precisava recorrer à religião nem invocar divindade para definir a gênese das doenças ou para proporcionar a cura; mas, "somente nos casos em

---

69. Em nada parece-me que seja algo mais divino ou mais sagrado do que outras, mas tem uma natureza própria, como outras doenças.

que classifica como desesperador é que aceita o apelo divino, acrescentando que a responsabilidade pelo doente chegar a esse estado deve-se a ele mesmo". Sobre o livro *Dieta*, inserido no *Corpus Hyppocraticum*, continua Diniz: "(...) dice que ante ciertos sueños de mal agüero conviene invocar a los dioses"[70]. Admitimos estar a medicina hipocrática daquele tempo a utilizar o poder das divindades como suporte para os êxitos das práticas de cura. O mesmo ocorre na medicina popular no Brasil, embora esta medicina utilize de um suporte paralelo, ou seja, do aparato técnico-científico oferecido pelas políticas públicas de saúde (SUS), a todos os brasileiros, na confirmação dos diagnósticos dos curadores, embora saibam – curador e doente – que a cura vai depender do beneplácito das divindades. Lembramos ainda, quanto à clínica médica de hoje, ela tem nos laboratórios de análises e exames de imagens, entre outros recursos tecnológicos, o suporte para firmar seus diagnósticos e poder obter êxito nas terapias a serem aplicadas. Tais posições denotam as incertezas e dúvidas que norteiam as práticas médicas, tanto no sistema médico popular como no sistema médico hegemônico.

Disse Ulisses Lemos Monteiro (1981: 137,138), insigne professor de medicina:

> *Em se tratando de ciência do homem não devemos dizer como Aristóteles: "É assim", mas falar como Platão: "É possível que isto seja tal como acabo de explicar-lhe, porém, Deus sabe se realmente é assim". (...) A medicina é ciência do relativo, das possibilidades e sua aplicação parte do bom senso. Aqui aprendemos a nos defender dos perigos da excessiva especialização, tendo sempre em vista que nos ocupamos do Indivíduo na sua multiplicidade de reações e interações e que ao focalizar aspectos de seu todo, uno, indivisível, cuja própria essência desconhecemos; a visão total do ser humano deve ser mantida. Quando um órgão adoece, toda a unidade sofre. Toda ela deve ser examinada, ela toda deve ser tratada. Corpo e espírito, pois o corpo adoece, também pelo espírito e o espírito pelo corpo.*

Porém, nas áreas das Neurociências estão surgindo meios que possam vir a desmistificar a auréola mágica envolvendo a medicina popular, que tem no sobrenatural todo o seu suporte. São as novas visões científicas buscando explicar os mecanismos de ação no Sistema Nervoso Central dos indivíduos enquanto oram, ou em outras mais situações de recolhimento espiritual, tal como tratou, com muita nitidez, o insigne neurocirurgião Raul Marinho (2005), em sua obra *A religião do cérebro*. É inegável a importância dos avanços científicos visando a conhecer o ser humano em suas dimensões biomédicas e psicológicas, ao buscar explicar os mecanismos de ação de medicamentos ou outros procedimentos médicos para justificar as curas. Porém, negar importância à subjetividade que norteia o pensamento médico popular é o mesmo que não considerar a dimensão do papel da fé religiosa gerando confiança nas curas almejadas. Entendendo essa fé como um fenômeno social, não podemos dissociá-la da medicina, visto esta se apresentar "como reveladora da relação entre a doença e a sociedade", fator este analisado por Laplantine (2004: 225):

---

70. "diz-se que, ante certos sonhos de mau agouro, convém invocar os deuses".

(...) aprendemos que a doença não pode ser reduzida à sua única dimensão anatômico--fisiológica, que ela não pode ser isolada da cultura, que ela faz parte de outros ritmos de equilíbrio, que ela se inscreve no âmago de outras lógicas da desgraça, em suma, que ela não advém da biomedicina apenas, mas também da etnomedicina.

Neste sentido, Carvalho (2007) cita Sérgio Buarque de Holanda, em seu livro *Raízes do Brasil*, quando este autor considera a vida brasileira como uma acentuação enérgica do afetivo, irracional, passional e uma atrofia das qualidades racionalizadoras. E, quanto à formação do *ethos* brasileiro, diz Carvalho ser nossa característica histórica não considerar o poder da razão na organização de nossa vida. Este autor cita ainda Max Weber, por considerar que o processo da racionalização, marcando a modernidade, desencantou o mundo. "Isto é, perdeu-se a magia que envolvia as esferas da vida humana".

Na medicina popular, o curador ouve atentamente a queixa do doente e, usando dos recursos que julga os mais adequados, busca restituir ao indivíduo que sofre o estado anterior à instalação do mal que o levou à consulta. O curador, com base em sua experiência, é capaz de perceber que o sofrer implica na interação de fatores físicos, mentais, sociais e espirituais, conjugados subjetivamente por aquele que sofre algum mal. Este mal pode ser traduzido em dor física localizada, possibilitando ao curador, depois de determinada a etiologia subjetivamente construída e por ele decodificada, determinar o órgão afetado ou a parte do corpo atingida e a terapia a ser aplicada. Certamente está na onipotência de ordem sacral, creditada na figura do curador por todos os envolvidos no ritual de cura, a total segurança na eficácia da terapêutica por ele indicada.

Porém, não podemos desconsiderar a capacidade intuitiva dos curadores, donos do profundo conhecimento da alma humana que os anos de atividade no amparo espiritual aos seus seguidores lhes outorgou. Nos diálogos com os doentes, conforme França (2002: 49), são capazes de formular perguntas de forma a corrigir a estrutura semântica das respostas, conduzindo-os à crença na verdade do significado premonitório enunciado. Esta ideia corrobora o que diz Prandi (1996: 98) quanto à eficácia do diagnóstico e da terapia prescrita nos candomblés pelo jogo de búzios, os quais dependem em grande parte do prestígio e do carisma do pai ou mãe de santo. São estes capazes de transferir ao cliente a segurança quanto à magia de seus poderes, fazendo-o crer no oráculo dos "odus". Segundo Mauss (1974), a magia é, por definição, objeto de crença. Só se procura o mágico porque se crê nele.

3.2.1. A complementaridade dos papéis sacral e funcional do conjunto ritualístico de cura

Diante da apreensão da natureza religiosa do pensar médico popular, sejam quais forem os modelos de crença envolvidos: catolicismo, pentecostalismo, kardecismo, afro-brasileiros, entre outros, podemos entendê-la como uma medicina sacralizada, cujas práticas de cura se concentram em rituais de caráter essencialmente mágico-religioso. Entendendo que todo e qualquer ritual, religioso ou não, envolve procedimentos certamente diferenciados segundo a natureza do evento. Nas terapias da medicina popular, tais procedimentos vêm a ser os elementos de ordem material e imaterial que passam a compor o conjunto ritualístico de cura, desempenhando cada um duplo papel, embora complementares:

◆ papel sacral e papel funcional.

Embora, considerando a complementaridade dos dois papéis, propomos analisá-los separadamente.

1º. Papel sacral de valor simbólico, subjetivamente construído no mito e legitimado no rito, fazendo impregnar todos os elementos presentes no conjunto ritual dos poderes curativos emanados de forças sobrenaturais, segundo ditam os sistemas de crença dos quais fazem parte o doente, o curador e seu grupo familiar e social.

2º. Papel funcional – na apreensão dos elementos de que compõe o conjunto ritualístico, considerando-os, separadamente, em seu valor intrínseco, passíveis de verificação empírica, a exemplo das plantas medicinais em seus componentes químicos, empregadas em diferentes situações dos rituais de cura.

Esta dicotomia possibilitará ao estudioso enveredar por discussões mais abrangentes, dada a multidisciplinaridade que caracteriza os estudos da medicina popular, ao envolver diferentes áreas do conhecimento.

No papel sacral, percebe-se a prevalência do pensamento subjetivo de explicações passíveis de diferentes interpretações, enquanto, no papel funcional, prevalece o pensamento passível de verificação empírica.

Uma investigação com as plantas medicinais, particularmente as psicoativas presentes nos rituais de cura, em sistemas de crença afro-brasileiras – candomblé e umbanda – foi por nós encetada, a fim de procurarmos entender e explicar seu papel no conjunto ritualístico de cura, visto sabermos de antemão que a escolha das espécies botânicas não é aleatória em seus papéis medicinais e litúrgicos, pois cada uma tem seu lugar bem definido nos rituais.

3.2.1.1. A pesquisa sobre o papel funcional das plantas psicoativas no conjunto ritual de cura

A escolha das plantas psicoativas para a pesquisa por nós encetada no contexto mágico-religioso dos sistemas de crença afro-brasileiros decorreu de suas propriedades de propiciar estados alterados de consciência, possibilitando as condições ideais para o contato com o sobrenatural, por meio da incorporação das entidades invocadas, a fim de assumir os corpos dos médiuns com todas as características que lhes são peculiares. Estas podem estar na movimentação de corpo enquanto dançam ao som de atabaques ou quando em ritual de cura, comum na umbanda, posicionando-se diante daqueles que os procuram para buscar solução para problemas de saúde física, mental ou espiritual.

Não é nosso propósito entrar nas discussões sobre a natureza dos transes de possessão próprios das religiões afro-brasileiras, iniciadas no final do século XIX pelo médico legista Nina Rodrigues. Para este médico e antropólogo, o transe é entendido como moléstia mental, ideia que coadunava com o pensamento da época, a qual procurava difundir a nocividade das práticas médicas praticadas por pais e mães de santo, tal como divulgou o *Jornal de Notícias*, de 22 de maio de 1897, na Bahia, segundo Rodrigues (1976: 240):

> (...) *Compete ao poder público especialmente ao honrado Sr. Dr. Chefe da Segurança dar caça a essa malta de fanáticos e curandeiros de fetiche que fazem danças macabras nos terreiros e vão até abusar da boa fé dos inexperientes prometendo curá-los de moléstias e afugentar deles os maus-olhados e outras afecções de que dizem únicos conhecedores.*

Nina Rodrigues, conforme diz Puttini (2011: 77), "considerava as pessoas em transe no candomblé baiano, uma forma patológica, doença mental por excelência". Porém, comenta este autor sobre Roger Bastide (1960, 1972), como o protagonista do primeiro diálogo com o campo médico no contexto da estruturação das ciências sociais, quando descreveu o transe no campo religioso como prática cultural. Tendo sido o primeiro a conceituar o estado de transe fora da teoria médica defendida por Nina Rodrigues, Puttini traça com habilidade o perfil das posições teóricas aventadas por antropólogos e sociólogos sobre o transe no campo religioso, perpassando pelas ideias de Renato Ortiz (1978), que não poupou críticas às sociologias de Roger Bastide (1960) e de Cândido Procópio de Camargo (1961). Este, admitiu nos espaços da religião a oportunidade de desenvolvimento da mediunidade religiosa como forma terapêutica, assunto a ser retomado mais adiante, quando trataremos das medicinas alternativas aventadas pelas Políticas Públicas de Saúde.

A princípio, fixamo-nos na ideia de que, no transe de possessão, estariam os subsídios que nos levariam a entender o poder de convicção da entidade incorporada junto ao doente quanto à cura almejada. Neste sentido, apoiamo-nos na ideia da presença das condições especiais propícias para uma comunicação, como linguagem verbal. Assim, o médium, por meio da entidade incorporada, usando de um linguajar com forte carga emocional e de convicção quanto aos seus poderes, propicia ao doente, impregnado de sentimento de fé e após cumprir as orientações que lhes são passadas, sentir curado. Este um estado de espírito movido pelo convencimento por parte do doente, na certeza de ter travado um diálogo direto com a entidade curadora, enquanto incorporado no médium, passando-lhe a ideia da cura.

O transe de possessão tem seu papel sacral no desenvolvimento de ritual de cura nas religiões mediúnicas, a exemplo das afro-brasileiras, podemos admiti-lo também; tem seu papel funcional, se usarmos como parâmetro, em uma experimentação empírica, o transe hipnótico empregado em ambientes não religiosos, na busca da cura de transtornos mentais ou psicossomáticos, como veremos abaixo.

3.2.1.2. **O transe de possessão em seu papel funcional**

Técnicas de indução ao transe em ambientes não religiosos, a fim de se atingir as etapas na escala de profundidade hipnótica, já foram aventadas por vários estudiosos no assunto, tais como descritas em Maia (1985: 137), ao tratar da escala de profundidade hipnótica, segundo Torres Norry, modificada por Moraes Passos (1984). Comparando-as às técnicas usadas em rituais religiosos afro-brasileiros, vamos encontrar muita similaridade, considerando, porém, quem é o submetido ao transe, em ambos os ambientes. Em ambientes não religiosos, é o paciente a ser o submetido ao transe hipnótico, momento quando aquele que o conduz à hipnose procura introduzir ideias em sua mente, enquanto nos rituais afro-brasileiros é o médium que entra em transe para assumir uma entidade que, incorporada nele, passa a ser o agente curador.

Para efeito comparativo, apresentamos alguns procedimentos adotados em ambos os ambientes, como indutores das etapas necessárias para a ocorrência do transe hipnótico ou de possessão, tal como descritas na obra acima.

1. Em ambientes não religiosos, iniciam-se os procedimentos pela etapa hipnoidal. Esta ocorre quando o condutor da sessão, falando pausadamente e repetidas vezes, solicita ao paciente que mantenha os olhos fechados, procurando senti-los cansados, enquanto induz o paciente a manter os braços frouxos, apoiados sobre os joelhos, até o relaxamento total. Nos rituais afro-brasileiros, neste estágio, os médiuns procuram mentalizar, como pré--condicionamento, a ideia da incorporação da entidade à qual está ligado por laço de parentesco religioso, obtido com o desenvolvimento da mediunidade, segundo os regimentos da casa de culto à qual o médium está ligado.

2. Na etapa média do transe hipnótico, os estímulos compreendem o uso de palavras pronunciadas suavemente de forma cadenciada, acompanhadas de sons musicais também suaves. Quanto à postura do paciente, esta compreende olhos fechados, sem tensão, nuca relaxada e mole e braços soltos. Quanto mais as palavras do operador são repetidas, mais o relaxamento corporal e mental se aprofunda.
Nos ambientes religiosos afro-brasileiros, ocorre a percussão rítmica e cadenciada dos atabaques, enquanto os médiuns se mantêm de cabeça e braços ligeiramente pendidos, estes em ligeira movimentação para os lados, enquanto entoam os cantos lerdos e cadenciados dos pontos cantados das linhas das entidades chamadas para incorporação.

3. Na etapa leve do transe hipnótico, o paciente, induzido pelo comando do operador, realiza movimentação automática, independente de sua vontade, enquanto mantém os braços moles, frouxos, com relaxamento cada vez mais profundo.

   Nos rituais afro-brasileiros, sob o som percutido dos atabaques, os médiuns se mantêm em posturas semelhantes, executando com os braços movimento pendular independente de sua vontade.

4. Na etapa média do transe hipnótico ocorrem alterações da sensibilidade superficial, podendo ser hiperestésicas ou anestésicas (próximo à convulsão). Nesta etapa em que a hipnose é empregada, por exemplo, na clínica médica e odontológica, não ultrapassa esta etapa, como salienta Maia (1985: 146).

   Nos rituais afro-brasileiros, nesta etapa são percebidas as exacerbações dos movimentos corporais semelhantes à convulsão, no momento exato em que a entidade invocada assume o corpo do médium, passando, em seguida, a executar movimentos estereotipados de dança característicos daquela entidade, logo reconhecidos pelos presentes.

5. Na etapa profunda do transe hipnótico ocorre amnésia superficial, permitindo ao submetido à hipnose conversar e abrir os olhos sem acordar.

   Em rituais afro-brasileiros observam-se as entidades que, incorporadas nos médiuns, dialogam com seus consulentes, mantendo os médiuns os olhos abertos ou fechados, comum na umbanda, nas sessões para consultas médicas.

6. Na etapa sonambúlica, o mesmo que alucinatória, ocorre visualização de cenas não existentes.

   Quanto aos transes de possessão em rituais afro-brasileiros, não conhecemos nenhum registro sobre visualização cênica por parte das entidades incorporadas nos médiuns.

7. Sinal hipnógeno ou signo-sinal é o condicionamento que visa a fornecer ao hipnotizado um sinal, a partir do qual ele entra em transe, assim como no final da sessão, a fim de despertar o paciente.

   Nos rituais afro-brasileiros, há um toque dos atabaques característico para "despachar" as entidades incorporadas, momento em que os "cambonos" (auxiliares durante os rituais) amparam os médiuns para que não se machuquem durante a desincorporação.

Da similaridade entre as técnicas de indução do transe hipnótico realizado em ambientes não religiosos e aqueles empregados em rituais afro-brasileiros, foi possível compreender nestes, de forma objetiva, o papel funcional dos instrumentos indutivos do transe de incorporação passíveis de verificação empírica: percussão dos atabaques associada ao canto e aos movimentos corporais manifestados por meio das coreografias estereotipadas, reproduzindo movimentos corporais próprios das entidades invocadas e prontamente reconhecidos pelos presentes no ritual, o que vem a permitir uma leitura convincente de suas reais presenças entre os presentes. O papel funcional está, também, no estado de transe em si. Este, como um corpo apto a assumir uma incorporação, de onde se denota uma interação entre o processo fisiológico ocorrido sob a ação dos estímulos indutivos do transe e o componente psicológico que o próprio evento proporciona aos envolvidos em um ritual de cura. Porém, está no papel sacral de tais estímulos, chamando a entidade, ansiosamente aguardada pelo doente, o ponto alto do fervor religioso. Nele, está concentrada a total confiança nos poderes da entidade incorporada, amparada pelo consenso expresso por todo o grupo familiar, social e religioso em seus reais poderes. No papel sacral foi onde pudemos apreender os motivos que dão sentido ao gesto do adepto religioso de recorrer a uma entidade espiritual, a fim de recuperar a saúde alterada, geralmente decorrente de estados emocionais debilitantes, passíveis de enfermidades de várias ordens.

Lembramos que, na década de 1970, no tratamento de pacientes neuróticos e com distúrbios psicossomáticos, Akstein (1974) introduziu uma técnica terapêutica a que se deu o nome de Terpsicoretranceterapia (TTT), baseada nos transes cinéticos de rituais religiosos afro-brasileiros, com as mesmas músicas, porém, acompanhadas por conjunto instrumental e sem qualquer elemento místico. Admitia-se que o transe cinético proporcionava intensa liberação emocional benéfica a seus adeptos, acrescentando, ainda, que a música bem ritmada realmente induzia ao transe. Dizia-se que, durante o transe ritual, ocorria inibição parcial do córtex cerebral e desinibição de outras áreas corticais filogeneticamente mais antigas. Tal técnica foi seguida por Zuazola *et al.* (1995) na Universidade de Valparaiso – Chile, procurando esclarecer que, por tratar de transe cinético, difere da hipnose estática convencional caracterizada pela comunicação verbal entre o paciente e o condutor da hipnose. Por meio do TTT, o paciente fixa sua atenção em um objetivo pessoal. Este objetivo é estruturado, internalizado e elaborado nas esferas mais profundas do inconsciente, produzindo uma mobilização da energia e de recursos do próprio indivíduo a fim de alcançar seus objetivos. Segundo os autores, a fenomenologia do transe cinético vai possibilitar a liberação das emoções reprimidas através da dinâmica do transe, como o girar incessantemente, dançar, cantar e emitir gritos. Concluem os autores ser este recurso terapêutico uma alternativa de tratamento no controle do estresse e, consequentemente, dos distúrbios orgânicos de ordem psicossomática.

3.2.1.3. Resultados da pesquisa

Estudar somente o papel funcional das plantas, mesmo as psicoativas, nesses experimentos religiosos que têm no transe seu ponto alto envolvendo curas, nos fez perceber estarmos fragmentando a investigação. Postura dessa natureza não nos leva a um resultado capaz de entender as curas, uma vez que as plantas, mesmo as psicoativas, são apenas parte de um conjunto de outros elementos do conjunto ritualístico que, combinados, buscam os mesmos fins – a cura.

Assim, passamos a admitir estarem as supostas curas, na complementaridade dos papéis sacral e funcional de todo o conjunto ritualístico, interagindo com a maneira como o doente em sua fé religiosa assimila a etiologia subjetivamente construída e decodificada pelo curador e a terapêutica por ele indicada, fazendo-o crer em sua eficácia e na certeza da cura. Consideramos que nesse conjunto ritualístico podem estar presentes, além de passes, rezas, invocações a entidades divinizadas, danças, canto, palmas, instrumentos musicais, também plantas em seu estado natural ou em preparações, a exemplo das garrafadas.

Podemos considerar que a eficácia das terapias adotadas pode estar em quatro elementos básicos:

a) Na palavra do curador, dono de profundo conhecimento humano e da arte da perspicácia capaz de induzir o doente a se sentir curado ou a vir a sentir-se como tal.

b) Na crença do curador na eficácia das técnicas adotadas, assentadas em sua experiência pessoal, deixando transparecer total segurança no que faz.

c) Na crença do doente nos poderes sobrenaturais do curador que provêm de dons divinos.

d) No consenso, ou seja, na confiança expressa por todo o grupo familiar, social, religioso sobre os poderes do curador, transmitindo total confiança ao doente quanto à certeza da cura almejada.

3.3. Princípios básicos que regem a medicina popular no Brasil

A partir da revisão historiográfica ora apresentada foi-nos possível localizar no tempo e no espaço as fontes influenciadoras mais significativas da medicina popular. Somada ao que apreendemos das pesquisas de campo por nós encetadas desde a década de 1970, pudemos perceber de maneira clara em que pilares se assentam os princípios que regem essa medicina eleita pelo povo brasileiro, em suas múltiplas maneiras de ser. Diante do exposto, ponderamos ser a medicina popular regida por quatro princípios básicos:

1. Princípio da coerência:
   Com relação ao posicionamento generalizado dos curadores ao admitirem como postulado o respeito aos saberes dos antepassados, seus precursores, entendendo-os em sua importância na cadeia da sucessão dos novos valores que vão se incorporando ao *corpus* da medicina popular.

2. Princípio da legitimidade:

Todos os instrumentos de ordem material e imaterial presentes no conjunto ritualístico de cura têm seus papéis legitimados por ritos próprios. Estes, certamente, obedecendo aos ditames que orientam os sistemas de crença, aos quais pertencem os grupos sociais em uma dada sociedade, onde os ideais religiosos voltados às práticas de cura de doenças são partilhados por todos.

3. Princípio da sacralização:

Tornam-se sagrados todos os elementos de que compõe o conjunto ritual de cura, aqueles que, separados de seu contexto original por meio de ritos próprios, são impregnados de poderes sobrenaturais, traduzidos pelos curadores como: axé, força vital, energia, vibração etc. Como parte deste contexto, estão as plantas a que, deslocadas de seu *habitat* natural – o do contexto vegetal propriamente dito –, são imputados valor sacral.

4. Princípio da credibilidade:

a) na crença do curador na eficácia das técnicas por ele adotadas, assentadas em sua experiência;

b) na crença do doente nos poderes sobrenaturais do curador, que provém de dons divinos;

c) na crença expressa pelo consenso, considerando todo o grupo familiar, social e religioso, nos reais poderes do curador, capazes de devolver ao "doente" o estado anterior à instalação do mal que o levou à consulta, permitindo-lhe sentir-se curado.

Lembramos que os itens do princípio da credibilidade já foram aventados por Lévi-Strauss (1975: 194,215,233), ao tratar da eficácia simbólica da magia ligada a curas xamânicas, certamente por estas não serem explicadas cientificamente, passando tais curas para o patamar do simbólico. Entretanto, como já mencionado anteriormente, entendemos que todos os rituais, mágico-religiosos ou não, envolvem procedimentos, os quais variam segundo a natureza da situação. Neste sentido, tratando-se da medicina popular, tais procedimentos são aqueles que vão compor o conjunto ritualístico de cura, compreendido de elementos de ordem imaterial e material, passíveis, estes, de verificação empírica, tal como as plantas medicinais. Assim, a eficácia terapêutica resulta da interação de todos os elementos presentes, face à dinâmica do corpo humano em seus componentes: físicos, psicológicos e bioquímicos, levando o doente a "sentir-se curado", ou seja, o estado de saúde almejado pelo doente e proporcionado pelo curador.

O "sentir-se curado" ganha dimensões que ultrapassam uma simples concepção simbólica. A planta deixa de ser um agente isolado de cura, embora, cientificamente, comprovados seus potenciais farmacológicos, a fim de participar do processo da interatividade entre todos os elementos presentes no conjunto ritual de cura, em seus papéis sacral e funcional junto à dinâmica do corpo humano, entendendo-o em sua dualidade – corpo e mente –, cujas explicações repousarão em meras probabilidades, se buscarmos os porquês pelos meios disponíveis da biomedicina. Procuramos incorporar a materialidade da farmacobotânica com a ritualística e a crença. Esta já era nossa postura há cerca de 20 anos, quando de nossas buscas na medicina popular, entendendo-a em seu paradigma interativo, conforme está em Camargo (1998: 71). Neste sentido, discordamos de Levi-Strauss (1975, 215-236) quando, em sua *Antropologia estrutural*, tratando da cura xamânica, vem a admiti-la como resultante de eficácia simbólica, embora, conforme o próprio autor comenta à página 194, já se admitia, em sua época, citando Walter B. Cannon (1942), em *Voodoo Death*, que fenômenos complexos já se explicavam no plano fisiológico.

3.4. Considerações sobre a medicina popular perante a medicina hegemônica

Assim, assentadas nas bases expostas no desenvolver deste livro, certamente vem a medicina popular a contrariar os princípios da ética médica que regem a medicina hegemônica, sancionados em 1957, que reza: "o médico deve aplicar um método de cura fundado em bases científicas e não deve associar-se voluntariamente, do ponto de vista profissional, com quem quer que viole este princípio" (Pascale, 1971: 14).

Decorrente, portanto, das diferenças dos princípios éticos que alimentam os dois sistemas médicos – popular e hegemônico – em disputa na sociedade brasileira contemporânea, as razões das cobranças deste último quanto à falta de comprovações científicas dos procedimentos médico-populares.

Essa cobrança já tem muita idade. Pascale, no mesmo texto mencionado, à página 6, extraído dos *Arquivos de Higiene e Saúde Pública* volumes XXXII-XXXIII (1977: 111-118), comenta que "Hipócrates fez baixar a medicina do céu à terra e, desde então, à mercê de um labor incessante no terreno da observação e da experimentação, granjeou ela foros de ciência positiva através da esteira luminosa dos seus progressos e das suas conquistas".

Mas, vale lembrar que os médicos hipocráticos admitiam a influência da vida psíquica sobre o corpo e, quando em momentos de crise, como nas epidemias, havia o estabelecimento de uma relação de complementaridade entre as formas de pensamento mítico com o racional. Neste sentido, importante uma referência ao que diz Aranda (2007: 48):

> *Hay que tener sumo cuidado de hacer afirmaciones rotundas en lo que a la medicina racional helénica se refiere en el sentido de sua racionalidad especulaticva y crítica con carácter excluyente. En efecto, las reminiscências de la medicina pretécnica y mágica griega perduro durante el classicismo griego del siglo V a.C. y muchos siglos despues.*

La fascinación de la magia hoy, y de la curación en el templo há perdurado hasta hoy, y se pone de manifesto en las peregrinaciones a los grandes santuários marianos en diversas latitudes del mundo.[71]

Fator importante, conforme Aranda (2007: 48), na eficácia das curas no templo, era a fé no deus curador reforçada pelo ambiente místico e ricamente sugestivo, citando Pergola *et al.* (1986: 107).

Séculos depois, nova cobrança, agora, em pleno Brasil do século XVIII, quando autoridades sanitárias buscavam entender os porquês das atividades curativas de remédios de fórmulas secretas preparadas, não só por curandeiros, como por médicos, a exemplo de Curvo Semmedo, já tratado na Parte II deste livro. Divulgou-se, em 1785, o *Discurso crítico* do médico José Henriques Ferreira, uma autoridade, tecendo severas críticas às formulações secretas preparadas por médicos seus contemporâneos, procurando mostrar as incompatibilidades entre a ciência médica e o empirismo mágico, não bastando saber apenas que curavam, mas também porque curavam. Admitia-se que os segredos deveriam ser revelados, testados e comprovados cientificamente (Marques, 1997).

Conhecer a medicina popular que assistimos hoje no Brasil em suas particularidades é fator preponderante para dimensionar as circunstâncias em que se desenvolve a cosmovisão médica de seu povo, calcada fundamentalmente na espiritualidade/religiosidade. Neste universo, desempenhando seu papel sacral, estão as plantas medicinais, com destaque para as espécies psicoativas. Desde eras que se perdem no tempo, tal categoria de plantas já era usada por adivinhos e xamãs consultados para resolver problemas de saúde, tal como fazem os curadores na medicina popular atual. São plantas desempenhando papéis na ascensão ao espaço sagrado, onde habitam entidades divinizadas, aquelas que dão sustentação às práticas de cura capazes de proporcionar a quem sofre algum mal sentir-se curado. Sentir-se curado de doenças cujas designações populares são desconhecidas, de modo geral, do sistema médico hegemônico que despreza o saber médico popular. O desprezo, este um dos maiores senões que pairam entre os dois sistemas médicos. São patologias, tais como: espinhela caída, cobreiro, mau-olhado, mal de sete dias, quebranto, entre outras, que em tempos passados foram alvo de atenções nas primeiras escolas médicas no Brasil (Santos Filho, 1947), mas, hoje, causam risos. Muito se enriqueceria a medicina hegemônica se voltasse sua atenção a essas "patologias", buscando elaborar uma correlação nosológica a fim de equipará-las às interpretações médico-científicas. Quem sabe, assim, não seria outra a visão dos doutos empenhados em Saúde Coletiva na elaboração das políticas públicas de saúde? Lembramo-nos dos muitos brasileiros ainda desassistidos de qualquer atenção médica, nos afastados rincões deste Brasil, aqueles que têm nas crenças religiosas e nos recursos que a natureza lhes oferece o suporte para enfrentar a diversidade de problemas que envolvem a saúde, carentes de

---

71. Tem que se ter muito cuidado em fazer afirmações sobre o que a medicina racional helênica se refere, no sentido de sua racionalidade especulativa e crítica com caráter de exclusão. De fato, as reminiscências da medicina pré-técnica e mágica grega perduraram durante o classicismo grego do século V a.C., muitos séculos depois. A fascinação pela magia e a cura no templo perdura até hoje, manifestando-se nas peregrinações aos grandes santuários, nas diversas latitudes do mundo.

atenção médica digna, não importando as classes social e econômica às quais pertençam. "Saúde para todos no ano 2000" foi o que pregava em 1978, uma reunião da Organização Mundial de Saúde, em Alma-Ata (Rússia).

Fritjof Capra (1988: 241-2), em um diálogo entre membros de um Simpósio em que se debatiam assuntos ligados a mudanças de paradigmas em vários campos, ao discutirem sobre as múltiplas dimensões da saúde, diz:

> Hoje a ciência médica evoluiu a tal ponto que essa distinção nítida entre coisas materiais e coisas espirituais está sendo superada. Portanto, não é mais anátema afirmar que algo se deve ao dom de cura de alguém. Já podemos perguntar: O que isto significa? Já podemos investigar a dinâmica do dom de cura.

Nesse ínterim, Margaret Lock, como médica, argumenta:

> Sinto que, se quisermos superar o raciocínio linear e o arcabouço reducionista, não poderemos ter medo de usar nossas reações subjetivas e emocionais aos acontecimentos, nem de expressá-los em situações onde temos de lidar com pessoas que só trabalham dentro do arcabouço científico. É preciso causar impacto nessas pessoas passando-lhes a ideia de que existem outras maneiras de expressar as coisas. Mesmo a observação sistemática não é a única técnica que podemos empregar. A experiência puramente subjetiva também constitui informação válida que pode ser usada e sobre a qual se pode trabalhar.

Em se tratando de medicina popular no Brasil, o importante é procurar entendê-la sem puni-la e discriminá-la. Calcada na espiritualidade, em seus diferentes matizes de religiosidade, é esta medicina que o povo elege, na qual as plantas medicinais são investidas do imponderável valor sacral.

Bibliografia

Obras de referência

BEAUREPAIRE-ROHAN, Visconde de. *Diccionario vocabulario tupi-guarani*. 3ª ed. Rio de Janeiro: Imprensa Nacional; 1889

BLUTEAU, Raphael. *Dicionário da língua portuguesa*. Reformado e acrescentado por Antonio Moraes Silva, Lisboa, Off. Simão Thaddeo Ferreira; 1877-1878.

BRANCO, Manoel Bernardes. *Novo diccionario portuguez-latino*. 2ª ed. Lisboa: Livr. Ferreira; 1884.

CACCIATORE, Olga G. *Dicionário de cultos afro-brasileiros*. Rio de Janeiro: Editor Forense Universitária; 1977.

CLERO, Leon F. R. *Vocabulário de termos populares e gíria da Paraíba*. Rio de Janeiro: Riachuelo; 1959.

CORREA, M. Pio. *Dicionário das plantas úteis do Brasil*. 5 vols. Rio de Janeiro: Imprensa Oficial; 1931.

DORLAND. *The American Illustrated Medical Dictionary*. 20ª ed. Filadelphia and London: W. B. Saunders Company; 1945.

FREIRE, Laudelino. *Diccionario da língua portuguessa*. Rio de Janeiro: A Noite Ed.; 1939.

HOLANDA, Sérgio Buarque de. *Novo Dicionário da língua portuguesa*. Rio de Janeiro: Editora Nova Fronteira; 1975.

HOUAISS, Antônio. Dicionário eletrônico da língua portuguesa; 2007.

LANGGAARD, Theodoro J. H. *Diccionario de medicina domestica e popular*. 2ª ed. Rio de Janeiro: Laemmert; 1873.

LIMA, Bernardo & BACELLAR, Melo. *Diccionario da língua portuguesa*. Lisboa: Off. José de Aquino Bulhões; 1783.

LODY, Raul. *Dicionário de arte sacra afro-brasileira*. Rio de Janeiro: Pallas; 2003.

MACEDO, Antônio Soares. *Diccionario brasileiro da lingua portuguesza*. Elucidário etymologico-crítico. 1675-1878. Annaes da Biblioteca Nacional do Rio de Janeiro, v. XIII, Fasc.1 Typ. Leuzinger Filhos; 1889.

MAZURKIEWICS, Anselmo. *Dicionário de termos próprios e relativos*. Petrópolis: Vozes; 1968.

MIRANDA, Vicente Chermont de. *Glossário paraense ou coleção de vocábulos peculiares da Amazônia e especialmente à Ilha de Marajó*. Universidade Federal do Pará; 1968.

MOLINA, Fr. Alonso de. *Vocabulário en lengua castellana y mexicana*. Antonio Spinola, México (1571). Madrid: Editora Cultura Hispanica; 1944.

MONTEIRO, João. *Fórmulas e notas terapêuticas*. 4ª ed. São Paulo: Paulo Azevedo; 1921.

PEQUENO dicionário brasileiro da língua portuguesa. Il., 3 vol. São Paulo: Ed. Abril; 1973.

PHARMACOPEIA lusitana. s/l: s/ed.; 1754

PINTO, Pedro A. *Dicionário de termos médicos*. 5ª ed. Rio de Janeiro: Editora Científica; 1949.

ROIG y MESA, Juan Tomás. *Diccionario Botánico de nombres vulgares cubanos*. La Habana, Cuba: Ministério de Cultura/ Editorial Científico-Técnica; 1988.

SÃO PAULO, Fernando. *Linguagem médica popular no Brasil*. Salvador: Itapuã; 1969.

SILVA, Antônio Moraes. *Diccionario da língua portugueza*. 7ª ed. Tomo I e II. Lisboa: Typographia de Joaquim Germano de Souza Neves; 1877-1878.

TESCHAUER, Carlos. *Novo dicionário nacional*. 2ª ed. Porto Alegre: Globo; 1928.

VANDELLI, Domingos. *Diccionario dos termos technicos de Historia Natural extraidos das Obras de Linnéo* – A memória sobre a utilidade dos Jardins Botânicos. Coimbra: Real Officina da Universidade; 1788.

Bibliografia

A arte egípcia no tempo dos faraós. (Exposição do acervo do Museu do Louvre, Paris). São Paulo: Museu de Arte Brasileira, Fundação Armando Álvares Penteado; 2001.

AICHELBURG, U. Médicos e medicina na Antiga Roma. *Rasseggna Médica cultural* X-1972-4. São Paulo: Rassegna Editora e Publicidade; 1972.

AKSTEIN, David. Terpsihcorentrancenterapy: a new hypnotherapeutic method. *Journal Clin. Exp. Hypn*, 21; 1973.

ALBARRACIN, Agustín. O fármaco no mundo antigo – O fármaco em Roma A obra de Galeno. *História do medicamento*. V.2. Rio de Janeiro: Glaxo do Brasil; 1993.

ALBUQUERQUE, Ulysses Paulino; MOTA, Clarice Novaes. Jurema nas práticas dos descendentes culturais do africano no Brasil. *As muitas faces da Jurema* – de espécie botânica à divindade afro-indígena. Recife: Bagaço; 2002.

ALBUQUERQUE, Ulysses Paulino. O uso de plantas e a concepção da doença e curas nos cultos afro-brasileiros. *Ciência & Trópico* 2; 1994.

_____. Contribuição etnobotânica para o universo ritual dos cultos afro-brasileiros. *Anais do VI Congresso afro-brasileiro*. Recife: Fundaj/Editora Massangana; 1996.

_____. *Folhas sagradas* – As plantas litúrgicas e medicinais nos cultos brasileiros. Recife: Ed. Universitária da UNIPE; 1997.

_____ & CHIAPPETA, A. A. Levantamento das espécies vegetais empregadas nos cultos afro-brasileiros em Recife-PE. *Biológica Brasílica* 7; 1994/1995.

ALONSO, J. R. *Tratado de Fitomedicina* – Bases clínicas e farmacológicas. Buenos Aires, Argentinas ed.; 1998.

AMARAL, Amadeu. *Dialeto caipira*. São Paulo: Editora O Livro; 1920.

AMARAL, Rita de Cássia. *Povo-de-santo, Povo de festa* – Estudo antropológico sobre o estilo de vida dos adeptos do candomblé paulista. Dissertação de mestrado apresentada ao Departamento de Antropologia da Universidade de São Paulo. USP, São Paulo, 1992.

AMORÍN, José L. Las plantas de la flora argentina relacionadas con alucinógenos americanos. *Publicaciones de La Academia de Farmacia y Bioquímica*. Buenos Aires; (1) 1974.

AMORIN, José Pimentel. Medicina popular em Alagoas. *Revista do Arquivo Municipal de São Paulo* n. CLXII; 1920.

ANCHIETA, José. Do irmão José de Anchieta ao general P. Diogo Laínes, Roma (carta sobre coisas naturais de São Vicente, São Vicente, 31 de maio de 1560. In: Minhas cartas. Extraídas do livro: *Cartas e correspondência ativa e passiva do padre Hélio Abranches Viotti*, S. J. São Paulo: Edições Loyola; 1984.

ANCHIETA, José. *Minhas cartas*. São Paulo: Edições Loyola; 1984.

ANDRADE, Mário de. *Namoros com a medicina*. Porto Alegre: Globo; 1939.

_____. *Aspectos da música brasileira*. São Paulo, Martins, 1965.

ARAGÃO, A. C. F. *Diabruras, santidades e prophetas*. Lisboa: Academia Real de Sciencias; 1894.

ARANDA, Júlio Cezar Gómez. Las proyecciones de la medicina pretecnica y mágica griega en el hipocratismo del siglo de Péricles. *Revista de la Facultad de Medicina* v. 8(1) da Faculdad Nacional de Tucumán; 2007.

ARAÚJO, Alceu Maynard de. Alguns ritos mágicos – abusões, feitiçaria e medicina popular. *Revista do Arquivo Municipal* 26 (161); 1959.

_____. *Medicina rústica*. São Paulo: Ed. Nacional; 1961.

ARAUJO, Mundinha. *Breve memória das comunidades de Alcântara*. São Luís: SIOGE; 1990.

ARAÚJO, Melvine A. M. *Das ervas medicinais à fitoterapia*. São Paulo: Ateliê Editorial/FAPESP; 2002.

ARNES, D. Paulo Evaristo. Festas juninas e problemas de evangelização. *Revisa Brasileira de Folclore* ano XI (30) maio/agosto de 1971.

ASSUNÇÃO, M. Quilombos no Maranhão. In: Reis, João José; Gomes, Flávio dos Santos. *Liberdade por um fio*: história dos quilombos do Brasil. São Paulo: Companhia das Letras; 1999.

_____. *Reino dos mestres*: a tradição da jurema na umbanda nordestina. Rio de Janeiro: Pallas; 2006.

AZEVEDO, Thales. O vegetal como alimento e medicina do índio. São Paulo: *Revista do Arquivo Municipal*, 76; 1941.

BAKER, George. *Deuses e heróis*. Romance da mitologia grega. São Paulo: Brasiliense; 1960.

BARBALHO, Nelson. *Série Folclore nº 20*. Recife: Instituto Joaquim Nabuco de Pesquisas Sociais; 1976.

BARRADAS, Jose Perez de. *Plantas mágicas americanas*. Madrid: Consejo Superior de Investigaciones Cientificas, Instituto "Bernardino de Sahagun", 1957.

BARROS, José Flávio Pessôa de. *EWÊ o Ossayín*: sistema de classificação de vegetais nas asas de santo jeje-nagô de Salvador. Bahia. Tese de doutoramento. FFLCH – Universidade de São Paulo; 1983.

BASTIDE, R. *Sociologia do folclore brasileiro*. São Paulo: Anhembi; 1959.

_____. *Religiões africanas no Brasil*. São Paulo: Ed. Pioneira/EDUSP; 1960.

_____. La transe. In: Bastide, R. *Le rêve, la transe et folie*. Paris: Flamarioun; 1972. p. 55-104.

_____. *Estudos afro-brasileiros*. São Paulo: Perspectiva; 1973.

_____. *Candomblé da Bahia (rito nagô)*. São Paulo: Ed. Nacional; 1978.

_____. *As Américas negras*: As civilizações africanas no Novo Mundo. São Paulo: DIFEL/EDUSP; 1974.

_____. *Imagens do Nordeste místico em branco e preto*. Rio de Janeiro: O Cruzeiro; 1945.

BATES, H. Walter. *The naturalist on the river Amazon*. São Paulo: Editora Nacional; 1944.

BECKHÄUSER, Frei Alberto. *Símbolos litúrgicos em forma popular*. Petrópolis: Vozes; 1976.

BELTRÁN, Gonzalo Aguirre. Medicina y magia. El processo de aculturación en la Estrutura colonial. In: *Obra antropológica* VIII. México: FCE; 1992.

BENNETT, B. C. *Hallucinogenic plants of the Shuar and related indigenous groups in Amazonian Ecuador an Peru*. In: Brittonia 44 (4): 483-493 Oct-Dec., 1992.

BÉNITEZ, Nayive Pino. *Plantas usadas con fines mágico-religioso en el Pacífico Colombino Norte*. Medellin: Editorial Uryco; 2008.

BERG, Elisabeth van den. *Aspectos botânicos do culto afro-brasileiro da Casa das Minas do Maranhão*. Belém: Museu Paraense Emílio Goeldi, Dep. Botânica; 1988.

BERNIK, V. Normas para a prescrição dos principais psicofármacos. *Revista Paulista de Medicina* – Editorial Científico, junho 83 (6); 1974. p. 259-266.

BESPALY, I. *Les plantes cultives en Afrique Occidentale*. Moscou: MIR; 1984.

BEZERRA, Nizomar Falcão. *Algumas plantas medicinais nativas e cultivadas na região de Mossoró*. Mossoró: ESAM; 1977. (Coleção Cadernos da Caatinga 3).

BIANCHI, Píer Gildo. Os médicos dos faraós. *Rassegna Médica Cultural*. São Paulo; X-1972-2.

BOLÉO, Oliveira. *Descobrimentos marítimos e explorações terrestres* (Conferências – Johannesburg, 1953). Lisboa, Agência Geral do Ultramar/Divisão de Publicações e Biblioteca; 1955.

BORDEAU, Fabrice; FESNEAU, Max. *La medicine aromatique*. Paris: Robert Laffont, 1976.

BORDIEU, Pierre. Gostos de classe e estilos de vida. *Coleção Grandes Cientistas Sociais*. (39). São Paulo: Ática; 1983.

BRANCAGLION JR., A. *O banquete funerário no Egito Antigo – Tebas e Saqqara*: tumbas privadas do novo império (1570-1293 a.C.). Tese de doutoramento – Faculdade de Filosofia, Letras e Ciências Humanas da Universidade de São Paulo; 1999.

BRANDÃO, Maria das Graças Lins. *Plantas úteis de Minas Gerais na obra dos naturalistas*. Belo Horizonte: Código Comunicação; 2010.

BRITO, Bernardo Gomes. *História trágico-marítima*. Rio de Janeiro: Lacerda Editores/Contraponto; 1998.

BRITO, Glacus de Souza. Farmacologia humana da hoasca (chá) preparado de plantas alucinógenas usado em contexto ritual no Brasil. In: *O uso ritual da ayahuasca*. (orgs.) Beatriz Caiuby Labate e Wladimyr S. Araujo. Campinas: Mercado de Letras; 2004. p. 623-652.

BROSSE, Jacques. *As plantas e sua magia*. Rio de Janeiro: Rocco; 1993.

BRUNETON, Jean. *Pharmacognosy*. Phytochemistry medicinal plants. 2ª ed. France. Lavoisier Publishing; 1999.

BUENO, Eduardo. *Náufragos, traficantes e degredados*: as primeiras expedições ao Brasil. Rio de Janeiro: Objetiva; 1998.

CÁCERES, A. *et al*. Antigonorrhoeal activity of plants used in Guatemala for the treatment of sexually transmited diseases. *Journal of Ethnopharmacology* 48 (2); 1995. p. 85-88.

_____. Jurema (*Mimosa hostilis* Benth. Fabaceae) e sua relação com o transe nos sistemas de crença afro-brasileiros. In: Mota, Clarice Novaes da; Albuquerque, Ulisses Paulino de. *As muitas faces da jurema*: de espécie botânica à divindade afro-indígena. Recife: Bagaço; 2002. p. 151-169.

CALAINHO DB. Jambacousses e gangazambes: feiticeiros negros em Portugal. *Afro-Ásia* (25-26). Bahia: Universidade Federal da Bahia; 2001. p. 141-176.

CALLAWAY, J. C. Tryptamines B-carbolines and you. MAPS *Newsletter of the Multidisciplinary Association of Psycedelic Studies* 4(2); 1993. p. 30-32.

CALMON, Pedro. *Espírito da sociedade colonial*. São Paulo: Brasiliense; 1935.

CAMARGO, Cândido Procópio de. *Kardecismo e umbanda*. São Paulo: Pioneira; 1961.

CAMARGO, Maria Thereza Lemos de Arruda. *Garrafada* (Monografia). Rio de Janeiro: Ministério da Educação e Cultura – Departamento de Assuntos Culturais (MEC/DAC – Programa de Ação Cultural). Campanha de Defesa do Folclore Brasileiro; 1975.

_____. *B. I. do milho*. Lisboa: Instituto de Estudos de Literatura Tradicional, Fundação para Ciência e Tecnologia/ Universidade Nova de Lisboa; 2012. (Coleção Bilhetes de Identidade vol. 40).

_____. Denominação de doenças na linguagem médica popular. Anais do II Encontro Cultural de Laranjeiras – Sergipe. *Revista Sergipana de Cultura* – Conselho Estadual de Cultura; 1978.

_____. O cobreiro na medicina popular. In: *Antologia de folclore brasileiro*. (Org.) Américo Pellegrini Filho. São Paulo: [João Pessoa]: Universidade Federal da Paraíba; 1982. p. 129-143.

_____. *Medicina popular. Aspectos metodológicos para pesquisa. Garrafada – objeto de pesquisa. Componentes medicinais*. São Paulo: ALMED; 1985.

_____. *Medicina popular*. Campanha de Defesa do Folclore Brasileiro/Ministério da Educação e Cultura/Departamento de Assuntos Culturais (FUNARTE): Rio de Janeiro; 1976

_____. Mirra, incenso e estoraque. *Meu sinal está em seu corpo. Escritos sobre a religião dos orixás*. Carlos Eugênio Marcondes Moura (Org.). São Paulo: EDICON/EDUSP; 1989.

_____. As plantas condimentícias nas comidas rituais de cultos afro-brasileiros. *Revista do Instituto de Estudos Brasileiros* (31). Universidade de São Paulo. São Paulo; 1990.

_____. Contribuição ao estudo etnobotânico de plantas do gênero *Erytrina* usadas em rituais de religiões afro-brasileiras. *Rojasiana* v. 3 (2); 1996. p. 186-196.

_____. Contribuição ao estudo da *Ipomoea purpúrea* Roth. *I. alba* e *I. pes-caprae* SW. empregadas em rituais de religiões de origem e influência africana no Brasil. *Rojasiana* 5 (1); 1999. p. 37-55.

_____. *Plantas medicinais e de rituais afro-brasileiros I*. São Paulo: ALMED; 1988.

_____. *Plantas medicinais e de rituais afro-brasileiros II*: Estudo etnofarmacobotânico. São Paulo: Ícone; 1998.

_____. *Herbário Etnobotânico (Banco de dados de plantas medicinais e de rituais afro-brasileiros) – As plantas do Catimbó em Meleagro de luis da Câmara Cascudo*. São Paulo: Humanitas Editora – FFLCH/USP/FAPESP; 1999. (Coleção Religião e Sociedade Brasileira v. 7 – FFLCH-CER).

_____. *As plantas do Catimbó em Meleagro de Luís da Câmara Cascudo*. São Paulo: Humanitas/FFLCH/USP/FAPESP; 1999.

_____. Plantas rituais de religiões de influência africana no Brasil e sua ação farmacológica. *Dominguezia* v. 15 (1); 1999. p. 21-26.

_____. Influência portuguesa na medicina popular do Brasil desde seu descobrimento. *Trabalhos de Antropologia e Etnologia* v. 40 p. 3-4. Porto/Portugal: Sociedade de Antropologia e Etnologia; 2000. p. 179-187.

_____. Contribuição ao estudo etnofarmacobotânico da bebida denominada jurema e seus aditivos psicoativos, usada em rituais religiosos afro-brasileiros. *X Simpósio latinoamericano y VII Simpósio Argentino de Farmacobotânica* – Comodoro Rivadavia, Patagônia Argentina; 2001.

_____. Jurema (*Mimosa hostilis* Benth. Fabaceae) e sua relação com o transe nos sistemas de crença afro-brasileiros. In: *As muitas faces da jurema:* de espécie Botânica à divindade afro-indígena. Clarice Novaes da Mota; Ulysses Paulino de Albuquerque (Orgs.). Recife: Bagaço; 2002. p. 151-169.

_____. *Etnofarmacobotânica:* conceituação e metodologia de pesquisa. São Paulo: Humanitas/FFLCH/USP: Terceira Margem; 2003.

_____. Os poderes das plantas sagradas numa abordagem etnofarmacobotânica. *Revista do Museu de Arqueologia e Etnologia da Universidade de São Paulo.* São Paulo: (15/16) 2005/2006.

_____. Amansa senhor: a arma dos negros contra seus senhores. *Revista Pós Ciências Sociais* 4 (8); 2007. p. 31-42. São Luís; 2007.

_____. *O milho e a mandioca nas cozinhas brasileiras, segundo contam suas histórias.* São José dos Campos: Fundação Cultural Cassiano Ricardo/Centro de Estudos de Cultura Popular; 2008. (Série Cadernos de Folclore – 18° volume)

_____. Garrafada na medicina popular. Uma revisão historiográfica". *Revista Dominguezia* 27 (1); 2011. p. 41-49.

_____. *Pajelança a dois.* Um estudo comparativo entre *Meleagro* de Luís de Câmara Cascudo e *Namoros com a medicina* de Mário de Andrade. Natal: EDUFRN; 2011.

_____. *Medicamento na medicina popular do Brasil: a "garrafada" numa abordagem etnofarmacobotânica.* Instituto de Estudos de Literatura Tradicional/Universidade Nova de Lisboa; 2013. (Coleção A Mão de Respingar, vol. 48)

CAMINHA, Pero Vaz de. *Carta a El-Rei D. Manuel.* São Paulo: Dominus Ed.; 1963.

CAMINHOÁ, Joaquim M. *Elementos de botânica geral e médica.* 2 vols. Rio de Janeiro: Typographia Nacional; 1877.

CAMPOS, Eduardo. *Medicina popular.* Superstições e mezinhas. 2ª ed. Rio de Janeiro: Casa do Estudante; 1955.

CANNON, Walter B. "*Voodoo*" *Death.* Amer. Antropol. 44; 1942.

CAPRA, Fritjof. *Sabedoria incomum.* São Paulo: Cultrix; 1988.

CARDIM, Fernão. *Tratados da terra e gente do Brasil.* Belo Horizonte: Ed. Itatiaia; São Paulo: Ed. da Universidade de São Paulo; 1980. [1540?-1625].

CARLINI, Elisaldo A.; NAPPO, Solange A.; GALDURÓX, José Carlos F.; NOTO, Ana F. Drogas psicotrópicas, o que são e como agem. *Revista IMESC* (3); 2001. p. 9-35.

_____. Elisaldo A.; RODRIGUES, Eliana; MENDES, Fúlvio Rieli *et al.* Da planta medicinal ao medicamento. *Scientific American Society*; 2007.

CARNEIRO, Alexandre Lima; LIMA, Fernando Pires de. *Medicina popular* – Artes de talhar e erisipela. Portugal, Porto: 1943.

CARNEIRO, Edison. *Candomblés da Bahia.* 2ª ed. Bahia: Publicações do Museu do Estado (8); 1948.

_____. *O quilombo dos Palmares.* São Paulo: Brasiliense; 1947.

CARNEIRO, Henrique. S. *Afrodisíacos e alucinógenos nos herbários modernos: a história moral da botânica e da farmácia (século XVI ao XVIII).* Tese de doutoramento. Faculdade de Filosofia, Letras e Ciências Humanas da Universidade de São Paulo; 1997.

_____. *Amores e sonhos da flora* – Afrodisíacos e alucinógenos na botânica e na farmácia. São Paulo: Xamã; 2002.

_____. *Filtros, Mezinhas e Triacas.* As drogas no mundo moderno. São Paulo: Xamã Editora; 1994.

CARVALHO, Alonso Bezerra. A presença católica no Brasil. *Jornal UNESP* – Suplemento – ano XXI, (221) abril/2007.

CARVALHO, Augusto da Silva. *História da medicina portuguesa.* Lisboa: s/ed; 1929.

CARVALHO, Cláudia Constante. O poder das palavras, às palavras do poder. *Revista Portuguesa de psicossomática.* Sociedade Portuguesa de Psicossomática 6 (001); 2004. p. 55-62.

CARVALHO, Francisco Moreno. Garcia (Avraham) da Costa. Disponível em: <www.vidaslusofonas.pt/garcia_da_orta. htm> [1/10/2010].

CARVALHO, José Jorge. Violência e caos na experiência religiosa. *Religião e Sociedade* 15 (1); 1990. p. 191-222.

CARVALHO, P. E. R. *Espécies florestais brasileiras: recomendações silviculturais e potencialidades e uso da madeira.* Colombo: EMBRAPA/CNPF; 1994.

CASCUDO, Luís da Câmara. *Dicionário do folclore brasileiro.* 5ª ed. São Paulo: Melhoramentos; 1980.

_____. *História da alimentação no Brasil.* São Paulo: Editora Nacional; 1968.

_____. *Meleagro.* Rio de Janeiro: Perspectiva; 1951.

CASTRO, Paulo P. *Apontamentos de história antiga. História da Grécia.* Disponível em: <www.fflch.usp.br/dh/heros/pcastro/grecia/1975.html>.

CASTRO, Celso. *Evolucionismo cultural (Textos de Morgan, Tylor e Frazer).* Rio de Janeiro: Jorge Zahar; 2005.

CASTRO, Yeda Pessoa de. *A língua mina-jeje no Brasil:* um falar africano em Ouro Preto do século XVIII. Belo Horizonte: Fundação João Pinheiro/Secretaria de Estado da Cultura; 2002.

CAVALCANTI, Nirei. *O Rio de Janeiro setecentista:* a vida e a construção da cidade, da invasão francesa até a chegada da corte. Rio de Janeiro: Jorge Zahar; 2004.

CEBRID. *Livreto informativo sobre drogas psicotrópicas.* Departamento de Psicobiologia – Universidade Federal de São Paulo – Escola Paulista de Medicina. São Paulo: Cromosete; 2003.

CECIL, Russel L.; A. B.; Sc. D. *Tratado de medicina interna.* 10ª ed., 2 vols. México: Editorial Interamericana; 1960.

CEZAR, Getúlio. *Crendices do Nordeste.* Rio de Janeiro: Irmãos Pongetti; 1941.

CHAPUT, A. *et al.* Action of Zea mays L. unsaponificable titre extract on Experimental period ontolysis in hamsters. *Med. Hyg.* Geneve (30); 1970. (1470-1, 1972).

CHAUÍ, M; FERES, C; LEOPOLDO E SILVA, F. *et al. Primeira filosofia – Lições introdutórias.* s/l: Vozes; 1985.

CHERNOVIZ, Pedro Napoleão. *Diccionario de medicina popular e das sciencias accessoras.* 6ª ed. Paris: A. Roger & Fr. Chernoviz; 1890.

_____. *Formulario e guia médico.* 18ª ed. Paris: A. Roger & Fr. Chernoviz; 1908.

CHIFA, Carlos; RICCIARDI, Armando. *Plantas medicinales usadas por las comunidades aborígenes del Chaco argentino.* Buenos Aires: Elemento; 2011.

CLAUS, Edward P.; TYLER, Varo. *Farmacognosia.* Buenos Aires: El Ateneo, 1968.

CLAVREUL, Jean. *A ordem médica:* poder e importância do discurso médico. São Paulo: Brasiliense; 1983.

COARACY, Vivaldo. *Memórias da cidade do Rio de Janeiro.* Belo Horizonte: Itatiaia. São Paulo: Editora Universidade de São Paulo; 1988.

COELHO, V. P. *Os alucinógenos e o mundo simbólico.* São Paulo: EDUSP; 1976.

Comissión del Codex Alimentarius – Organización de las Naciones Unidas para agricultura y la alimentación/Organización Mundial de la Salud – 3ª Reunión, Rotterdam, Países Bajos: 23 – 27/3/2009. p. 23-27.

CONCONE, M. H. V. B. *Umbanda* – Uma religião brasileira. São Paulo, FFLCH/USP/CER; 1973.

COOPER, J. M. O uso das plantas silvestres da América do Sul tropical. In: *Suma – Etnologia brasileira.* 1 – Etnobiologia. 2ª ed. Petrópolis: Vozes/Finep; 1987.

COSTA, Cristovão da. *Tratado das drogas e medicinas das ìndias Orientais.* Lisboa: Junta de Investigações do Ultramar, 1964. Original: Tractado de las drogas y medicinas de las Índias Orientales, com suas plantas debuxadas al bivo por Christovão Acosta medico e que las vio ocularmente en elqual se verifica mucho de o que escrevio el Garcia de Orta. Burgos: Martin de Victoria; 1578.

COSTA, Gutemberg Medeiros. *Santa Luzia e os olhos:* da religiosidade ao folclore. Natal: Editora Boáguа; 1997.

COVOLAN, Nádia T. *O medo da perda do si-mesmo:* de Odisseu ao cyborg. Área de Estudos Interdisciplinares de Gênero (58) – Dezembro de 2003.

CRULS, Gastão. *Hileia amazônica* – Aspectos da flora, fauna, arqueologia e etnografia indígenas. 4ª ed. Rio de Janeiro: José Olympio Editora/INL; 1976.

CRUZ, Gilberto Luiz da. *Livro verde das plantas medicinais e industriais do Brasil.* 2 vols. Belo Horizonte: Velloso; 1965.

CUNHA, Antônio P.; RIBEIRO, José Alves; ROQUE, Odete R. *Plantas aromáticas em Portugal* – Caracterizações e utilizações. Lisboa: Fundação Calouste Gulbenkian; 2007.

_____. *Aspectos históricos sobre plantas medicinais, seus constituintes ativos e Fitoterapia.* Disponível em: <www.antoniopcunha.com.sapo.pt> [05/04/2010].

_____. O emprego das plantas aromáticas desde as antigas civilizações até o presente. Disponível em: <www.antoniopcunha.com.sapo.pt/cap1arom.htm> [08/01/2012].

CUTLER, H. C.; CARDENAS, Martin. Chicha, a native South American beer. *Botanical Museum Leaflets*. Harward University 13(3); 1947. p. 33.

DA Matta, Augusto. *Flora médica braziliense.* Manaus: Imprensa Oficial; 1913.

DAMASCENO, Darcy; Cunha, Waldir (orgs.) *Os manuscritos do botânico Freire Alemão* – Catálogo e Transcrição. Rio de Janeiro: Divisão de Publicações da Biblioteca Nacional; 1964.

DAMIÃO Filho, C. F. *Morfologia vegetal.* Jabuticabal: FUNEP, 1993.

DANTAS, Beatriz Goes. *Vovó nagô e papai branco – Usos e abusos da África no Brasil.* Rio de Janeiro: Graal; 1988.

_____. *Mitos, ritos e a iconografia de São Benedito no catolicismo tradicional.* Trabalhado apresentado no XXV Encontro Cultural de Laranjeiras, Larnjeiras SE; 2000.

_____. Nanã de Aracaju: trajetória de uma mãe plural. *Caminhos da alma.* Vagner Gonçalves da Silva (Org.). São Paulo: Summus; 2002.

DAVIDSON, Brasil. *A descoberta do passado de África.* Lisboa: Sá da Costa; 1978.

DAVIS, Wade. *A serpente e o arco-íris.* Zumbis, vodu, magia negra. Rio de Janeiro: Zahar; 1986.

DAWSON, Andrew. Spirit possession in new religious context: the umbanization of Santo Daime. *The jornal of alternative and emergente religious.* University of California Press 15 (4); 2012. p. 60-84.

DEAN, Warren. A botânica e a política imperial: a introdução e a domesticação de plantas no Brasil. *Estudos Históricos.* Rio de Janeiro, 4 (8); 1991. p. 216-228.

DEBRET, Jean B. *Viagem pitoresca e histórica no Brasil.* 2ª ed. São Paulo: Martins; 1949.

DEGADO, Sebastião Rodolfo. *Glossário Luso – Asiático.* Reimpr – Humburg: Buske; 1982. (Romanistik in Geschichte und Gegenwart; Bd. II) (Reimpr. da ed. orig. de Coimbra, 1921-1982).

D'ESAGUY, Augusto. Garcia de Orta et l'inquisition. *Imprensa Médica.* Lisboa; 1952.

DETTIENE, Marcel. *Dionísio a céu aberto.* Rio de Janeiro: Zahae; 1988.

DEUS, Frei Gaspar da Madre de. *Memórias para a história da Capitania de São Vicente.* São Paulo: Martins; 1953.

DEVEREUX, G. *Psicoanalysis and the occult.* New York: International University Press; 1972.

DEVISSE, Jean; Labib, Shuhi. As relações intercontinentais da África no período pré-colonial. *História Geral da África.* v. 4. São Paulo: Ática; 1981.

Diálogo das grandezas do Brasil. Rio de Janeiro: Academia Brasileira de Letras; 1930.

DIAS, Ana Paula P. Relações entre fenícios e neo-assírios nos séculos VIII e VII a.C. e seus reflexos na Península Ibérica. *Letras & Letras* (Ensaios). Centro de Informática da Universidade do Minho; 1997.

DIAS, J. P. Sousa. *A conquista do planeta azul. O início do reconhecimento do oceano e do mundo* (versão preliminar) Universidade do Algarve, e-book 47; 2004.

_____. *História da farmácia e dos medicamentos.* Ricardo Fernandes de Menezes (Org.). Disponível em: <www.acd.ufrj. br/consumo/leituras/lm_historiafarmaciamed.pdf> [05/09/2007].

DIAS, Antônio M. Lopes. Estudo da primeira centúria de Amato Lusitano. *Medicina na Beira Interior – Caderno de Cultura* (8); 1944. p. 11-16.

DIAZ, del Castillo, Bernal. *Historia verdadera de la conquista de la Nueva España.* Valle de Mexico: Mexico Editorial; 1976.

DIEGUES Junior, Manuel. O culto de Nossa Senhora na Tradição popular. *Revista Brasileira de Folclore* (20); 1968. p. 17-32.

_____. *Medicina no Brasil nos séculos XVI – XVII.* Rio de Janeiro: Conselho Federal de Cultura/FENAME/MEC; 1976. (História da Cultura Brasileira V. II).

DIEPGEN, Paul. *História de la medicina.* Barcelona: Salvat; 1932.

DINIZ, Denise Scofano. *A ciência das doenças e a arte de curar:* trajetória da medicina hipocrática. Dissertação de mestrado em Saúde Coletiva – Instituto de Medicina Social da Universidade do Estado do Rio de Janeiro, 2006.

D'ORBIGNY, Alcide. *L'homme américain.* 2 vols. Paris; 1939.

DUCHE, Adolfo. *As plantas de cultura pré-colombiana.* Belém: Boletim do Instituto Agronômico do Norte. Belém; 1946.

DUFOR, Médéric. Odisseia. In: *Homero.* Trad. A. P. Carvalho. São Paulo: Abril Cultural; 1978. p. 40-41.

DURAN, Boaventura C. *Introducción de la oftalmologia.* Barcelona: Labor; 1962.

DURKHEIM, Emile. *Formas elementares da vida religiosa*. São Paulo: Paulinas; 1989.

_____. *Durkheim: Sociologia*. (org. José Albertino Rodrigues; coord. Florestan Fernandes) São Paulo: Ática; 1978. (Grandes cientistas sociais 1).

EKSTEIN, David. Los trances cinéticos en el tratamiento y profilaxis de psiconeurosis y enfermidades psicosomaticas. *Revista Ibero-Americana de Sofrologia* VI (4); 1967.

ELIADE, Mircea. *O sagrado e o profano*: a essência das religiões. São Paulo: Martins Fonte; 1992.

_____. *História das crenças e das ideas religiosas*. Rio de Janeiro: Zahar; 1979.

ELISABETSKY, Elaine. Etnoformacologia de algumas tribos brasileiras. In: *Suma Etnológica Brasileira*. 1-Etnobiologia. Petrópolis: Vozes/FINEP; 1986.

_____. Etnofarmacologia de algumas tribos brasileiras. In: *Suma Etnológica brasileira – 1 Etnobiologia*. 2ª ed. Petrópolis: Vozes/FINEP; 1987.

EMMERT, Susan. Banisteripsis caapi. In: *Ethnobotanical Leaflets*. Southern Illinois University Carbondale, last updated: 15-May-1998. Disponível em: <www.stu/%/Eebl/leaflets/ayahuas.htm> [09/02/2002].

ENTRALGO, Pedro Lain. *La medicina hipocrática*. Madrid (Espanha): Alianza Universidad; 1970.

_____. *História universal de la medicina*. 7 vols. Barcelona (Espanha): Salvat; 1972.

ESCOHOTADO, Antonio. *Magia, farmácia, religião*. Disponível em: <www escohotado, Antonio.com/articulosdirectos/magiafarmaciareligion.hjtm> [28/06/2009].

FARINA, Duílio Crispim. *Esculápios portugueses das "sete partidas"*. São Paulo: HUCITEC-EDUSP; 1979.

_____. *Medicina no planalto de Piratinga*. São Paulo: Pannartz; 1981.

FAUSTO, C. Se Deus fosse jaguar: canibalismo e cristianismo entre os Guarani (séculos XVI-XX). Rio de Janeiro: *Mana* II (2); 2005. p. 385-418.

FELIPIM, Adriana P. *Sistema agrícola guarani Mbyá e seus cultivadores de milho*: um estudo de caso na Aldeia Guarani da Ilha do Cardoso, Município de Cananeia, SP. Dissertação de mestrado pela Escola Superior de Agricultura "Luís de Queiroz. Piracicaba; 2001

FERICGLA, Josep M. *Cognición y psicologia de los Shuar (Jívaros)* – Chamanismo, Ayahuasca y Oniromancia. Conferências realizadas na Universidad de Salamanca, Institut de Prospectiva Antropológica, em abril de 1994. Disponível em: <www.users.servicios.retecal.es/buctro/amigós/psiconautas/Fericgla_shuar.htm> [10/09/2007].

FERNANDES, Gonçalves. *Folclore mágico do nordeste*. Rio de Janeiro: Civilização Brasileira; 1938.

FERNANDEZ, M. Tejado. *Aspecto da vida social em Cartagena de Indias durante el seiscientos*. Sevilha: s/ed; 1954.

FERRANDIZ, Vicente L. *Medicina vegetal*. Barcelona: Ediciones Cedel; 1974.

FERRÃO, José E. Mendes. *A aventura das plantas e os descobrimentos portugueses*. Lisboa: Instituto de Investigação Científica Tropical, Comissão Nacional para as Comemorações dos Descobrimentos Portugueses/Fundação Berardo; 1992.

_____. Mendes, José Eduardo; Caixinhas, Maria Lisete; Liberato, Maria Cândida. A *ecologia, as plantas e a interculturalidade*. Disponível em: <www.bioversiyinternational.org> [2-9-2011].

FERRAZ, Márcia H. M. Química médica no Brasil Colonial; o papel das novas terras na modificação da farmacopeia clássica. In: Alfonso-Goldfarb, A. M.; C. A. Maia (orgs) *História da ciência: o mapa do conhecimento*. Rio de Janeiro/São Paulo: Expressão e Cultura/EDUSP; 1995.

FERREIRA, A. R. *Bibliografia etnológica de Moçambique*. Lisboa: s/ed.; 1962.

FERRETTI, Mundicarmo. Pajelança do Maranhão no século XIX. O processo de Amélia Rosa In: *Religião afro-brasileira e pajelança de negro no Maranhão: pensando sobre a intolerância* (Org.) Mundicarmo Ferretti. São Luís: CMF/FAPEMA; 2004.

_____. A representação do índio em terreiros de São Luís-MA. *Pesquisa em Foco* 5 (5); 1997. p. 47-57.

_____. O caboclo em rituais públicos de um terreiro de São Luís: Mina, Cura, Baião, Canjerê e samba de Angola na casa de Fanti-Ashanti. *ANAIS: II Reunião de Antropólogos do Norte e Nordeste*. Recife: UFPE/CNPq/FINP-ABA,; 1991. p. 235-243.

_____. *Terra de caboclo*. São Luís-MA: SECMA; 1994.

FERRETTI, Ségio. *Querebentã de zomadônu* – Etnografia da Casa Minas do Maranhão. 2ª ed. São Luís: EDUFMA; 1986.

_____. *Repensando o sincretismo* – Estudo sobre a Casa das Minas (São Luís – Maranhão). Tese de doutorado defendida na Faculdade de Filosofia, Letras e Ciências Humanas da USP. São Paulo; 1991.

FERRI, Mário Guimarães. *Ecologia:* temas e problemas brasileiros. Belo Horizonte: Itatiaia; São Paulo: EDUSP; 1974.

FIABANI. A. *Quilombo:* africanos, índios e seus descendentes lutaram pela liberdade. II Encontro "Escravidão e Liberdade no Brasil Meridional". Disponível em: <www.labhstc.ifsc.br/poa2005/01> [04/12/2005].

FICALHO (Conde), Francisco de Melo. *Plantas úteis da África Portuguesa.* 2ª ed. Lisboa: Divisão de Publicações e Biblioteca/Agência Geral das Colônias; MCMXLVII; 1947.

FICHTE, Hubert. Die Pflanzen der Casa das Minas. In: *Curare* – Etnobotanik sonderband 3185, mars, 1985.

FIGUEIREDO, Napoleão. *Revista do Instituto Histórico e geográfico de Alagoas.* v. 32, Maceió; 1976.

FRADE, Cascia. *Santo de casa faz milagre:* a devoção a Santa Perna. 16 v. Fundação Cultural Cassiano Ricardo. Centro de Estudos de Cultura Popular, 2006. (Série Cadernos de Folclore).

FRAGOSO, Juan. *Discurso de las cosas aromáticas, arvoles y frutales, y de outras muchas medicinas simples que se traen de la India Oriental, y sirven al uso de medicina.* Madri: Francisco Sanchez; 1572.

FRANÇA, Elvira Elisa. *Crenças que promovem a saúde.* Mapas da intuição e da linguagem de curas não convencionais em Manaus, Amazonas. Manaus: Ed. Valer/Governo do Estado do Amazonas; 2002.

FRANCO, Hilário Júnior. A *Idade Média* – Nascimento do Ocidente. 4ª ed. s/l: Brasiliense; 1992.

FRANCO, Francisco de Mello. *Medicina teológica* – súplica humilde feita a todos os senhores confessores e diretores, sobre o modo de proceder com seus penitentes na emenda dos pecados principalmente na lasciva e bebedice. Lisboa: Oficina de Antônio Galhard; 1794.

FREITAS, Fábio O. As expansões do milho – *Zea mays* L. para a América do sul, baseado no resgate e estudo de DNA ancião de amostras arqueológicas. *Boletim de Pesquisa e desenvolvimento* 32, dezembro. Brasília: EMBRAPA; 2002.

_____. *Estudo genético-evolutivo de amostras modernas e arqueológicas de milho (Zea mays mays L.) e feijão (Phaseolus vulgaris L.)* Tese de doutoramento apresentada na Escola Superior de Agricultura "Luiz de Queiros" USP. Piracicaba; 2001.

FREYRE, Gilberto. *Casa grande e senzala.* São Paulo: Circuito do Livro; 1993.

_____. *O escravo nos anúncios de jornais brasileiros do século XIX.* Recife: Imprensa Universitária; 1963.

_____. *Nordeste.* 4ª ed. Rio de Janeiro: José Olympio; 1967.

FRIEDENWALD, Harry. *The jews and medicine.* Baltimore: John Hopkins Press; 1944.

FUNARI, P. P. A. A arqueologia de Palmares. In: Reis J. J; Gomes FS. *Liberdade por um fio:* história dos quilombos no Brasil. São Paulo: Companhia das Letras; 1996.

FURST, Peter. *Alucinógenos e cultura.* México: Fondo de Cultura Economica; 1980.

GALENO, Juvenal. *Medicina caseira.* Fortaleza: Ed. Henriqueta Galeno; 1969.

GÂNDAVO, Pero de Magalhães. *Tratado da Terra do Brasil* – História da Província de Santa Cruz. Belo Horizonte: Ed. Itatiaia; São Paulo: Ed. da Universidade de São Paulo; 1980. [Século XVI].

GAROCHI, Pe. A. *Compendio Del arte de la lengua mexicana.* Imprenta Mexicana, 60; 1948.

GARRISON, Fielding H. *História de la medicina.* Buenos Aires: Interamericana; 1966.

GENOVESE, E. *From rebellion to revolution. Afro-american revolts in the making modern world.* Lousiania: s/ed.; 1981.

GIL, Luis Fernandes. La medicina pretécnica grega. In: Entralgo, Lain *et al. História Universal de la medicina.* Barcelona: Salvat; 1972.

GINZBURG, Carlo. *Os andarilhos do bem:* feitiçaria e cultos agrários nos séculos XVI e XVII. São Paulo: Companhia das Letras; 1988.

GNEK, Mirko D. (Org.) *Histoire de la pensée medicale en Occident.* 3 vols. Paris: Senil; 1995-1999.

GOLOUBINOFF, P.; Pääbo, S.; Wilson, A. C. Evolution of maize interred from sequence diversity of an Adth2 gene segment from archaeological specimens. *Washington Proceedings of the National Academy Sciences* 90; 1993. p. 1997-2001.

GOMES, Bernardino Antonio. *Plantas medicinais do Brasil.* São Paulo: Revista dos Tribunais; 1972. (Brasiliensia Documenta v. V)

GOMES, Laurentino. *1808 – Como uma rainha louca, um príncipe medroso e uma corte corrupta enganaram Napoleão e mudaram a história de Portugal e do Brasil.* São Paulo: Editora Planeta do Brasil; 2007.

GOMES, M. Boshaw. *DMT e neurociências*. Disponível em: <www.universomistico.or/artigos/artigos;php?op=ayhuasca005> [10/3/2009].

GOMES, Raymundo P. *Fruticultura brasileira*. São Paulo: Nobel; 1973.

GONZALESZ, Frederico. *El simbolismo pré-colombiano:* cosmovisión de las culturas arcaicas. 1ª ed. Buenos Aires: Kier; 2003.

GRAÇA, Luís. *Evolução do sistema hospitalar:* Uma perspectiva sociológica. Lisboa: s/ed.; 1996.

_____. Proto-história do ensino e da prática da medicina. *Textos sobre saúde e trabalho*. Disponível em: <www.ensp.unl. pt/graça/textos145html> [jul. 2007].

GRANT, M. *História resumida da civilização clássica*. Rio de Janeiro: Jorge Zahar Editor; 1994.

GRUNEWALD, Rodrigo. Sujeitos da jurema e o resgate da ciência do índio. In: Labate, B.; Goulart, S. (Orgs.). *O uso ritual das plantas de poder*. Campinas: Mercado de Letras; 2005. p. 239-278.

GUEDES, R. R.; PROFICE, S. R.; COSTA, E. L. *et al.* Plantas utilizadas em rituais afro-brasileiros no Estado do Rio de Janeiro. Um ensaio Etnobotânico. In: *Rodriguezia*, 37 (63); 1985. p. 3-9.

GUÉNON, René. *Introduction Générále a l'étude des Douctrines hinduoues*. Paris: Les Editions Véga; 1964.

GUERRA, Francisco. *História da medicina*. Madrid: Ed. Norma; 1982.

GUILLÉN, Diego Gracia. O fármaco na Idade Média. *História da medicamento* fasc. 3, Rio de Janeiro: Glaxo do Brasil; 1987.

_____; ALBARRACÍN, Agustin; ARQUIOLA, Elvira *et al*. *História del medicamiento*. Barcelona: Doyma; 1987.

HAAG, Carlos. O paraíso religioso holandês. *Pesquisa FAPESP* 179; 2011. p. 84-89.

HARNER, Michael. *Alucinógenos y chamanismo*. Londres: Punto Omega; 1976. (Colección Universitaria de Bolsillo).

HENMAN, Anthony Richard. O uso da ayauasca num contexto autoritário: o caso da União do Vegetal no Brasil. In: Comunicações do ISER. Ano 8 (33); 1989.

HERRERA, A. *História general de los hechos de los catellanos en las islas y tierra firme del mar occeano (1601-1615) (1726-1730)*. Paraguay: Ass. Paraguay, Tomo V: 297

HERSON, Bella. *Cristãos-novos e seus descendentes na medicina brasileira (1500/1850)*. São Paulo: EDUSP; 1996.

HISTÓRIA *do medicamento* (2). A relação remédio-veneno. 1993.

_____. O fármaco em Roma – A obra de Galeno; 1993.

HIPÓCRATES. *Prognosis*. Translation by Jones Loeb Classical Library. Harvard: University Press; 1995.

HOEHNE, F. C. *Plantas e substâncias vegetais tóxicas e medicinais*. São Paulo: Graphicars; 1939.

_____. *O que vendem os hervanários na cidade de São Paulo*. São Paulo: Serviço Sanitário do Estado de São Paulo; 1920.

HOLANDA, Sérgio Buarque de. *O extremo oeste*. São Paulo: Brasiliense; 1986.

HORKHEIMER, H. *Nahrung und Nahrungsgewinnung usw*. Colloquium Verlag. Berlim; 1960.

HUXLEY, Aldous Leonard. *As portas da percepção; e Céu e inferno*. Porto Alegre/Rio de Janeiro: Globo; 1984.

INABA, Darryl S.; Cohen, William E. *Uppers, downers, all arounders*. Physical and mental effects of psycoactives drugs. Ashland, 1993. Berlin, 98; 1960.

IVANOVIC-ZUVIC, Fernando. Consideraciones epistemológicas sobre la medicina y las enfemidades mentales en la antiga Grécia. *Revista Chilena de neuro-psiquiatria* 42 (3); 2004. p. 163-175.

JEFFREY, Richards. *Sexo, desvio e danação – as minorias na Idade Média*. Rio de Janeiro: Jorge Zahar; 1993.

JENKINS, Ana E. Introductory essay: Esquisse de mes voyages au Brésil et Paraguay considerées principalement sous le rapport de la botanique by Saint-Hilaire. *Chronica Botânica* 10 (1); 1946.

JENSEN, Franz Streiner V. *Mito y culto entre pueblos primitivos*. México: Fondo de Cultura Econômica; 1966.

JIMENEZ, Abraham Caycho. Sistemática nosográfica del folklore médico en el Peru. *Folklore americano*. dez.; 1979. p. 159-191

JOLY, Aylthon B. *Botânica. Introdução à taxonomia vegetal*. 3ª ed., São Paulo: Editora Nacional; 1976.

_____. *Botânica econômica*. As principais culturas brasileiras. São Paulo: HUCITEC/Ed. Univesidade de São Paulo; 1979.

JONES, V. Peter. *O mundo de Atenas*. São Paulo: Martins Fontes; 1997.

JORNAL da Medicina – Milagres de Epidauro. *Rassegna Médica Cultural* VII (3); 1969.

KEE, Howard C. *Medicina, milagro y magia en tiempos del Nuevo Testamento.* Córdoba (Espanha): El Almendro; 1992.

_____. Sarau de Gala de Dioscórides. *Razenha Médica Cultural* VII (4); 1969.

KENBB, Mohammed. *Marrocos.* São Paulo: Fundação Armando Álvares Penteado – Museu de Arte Brasileira; 2008.

KERR, Warwick E. Agricultura e seleções genéticas de plantas. *Suma etnológica brasileira.* 1. Etnobiologia 2ª ed. Petrópois: finep; 1987.

KRAMER, Heinrich; Sprenger, James. *O Martelo das feiticeiras* – Malleus Maleficarum. Rio de Janeiro [1486]: Editora Rosa dos Tempos; 1991.

KREIRE, Heinrich. *Die Bedeutung der Alpha-amylase für dir Verzuckerung Stärkehaltiger Brennereirohstoffe.* Die Branntwein Wirtschaft. F. Spiritusind; 1967.

KREUMAYER, I. *et al.* Plantas en la cultura andina. Descripción. *Medicina, alimentación y cultura.* Peru: CEDEPAS; 2000.

KRIVENKO, V.; POTEBNIA, G.; LOIKO, V. Experience in treating digestive organ diseases with medicinal plants. *Vrach. Delo* (3); 1989. p. 76-78.

LABATE, Beatriz Caiuby. A literatura brasileira sobre as religiões ayahuasqueiras. In: Labate, Beatriz C.; Sena Araújo, Wladimir (Orgs.). *Uso ritual da ayahuasca.* Campinas: Mercado de Letras; 2004. p. 231-276.

LADEIRA, Maria Inês. M'bya Tekoa: o nosso lugar. *São Paulo em Perspectiva* v. 3 (4) – Ecologia e Meio Ambiente. São Paulo: Fundação Seade; 1989.

LANGOWISK, Vera B. Ribeiro. *Contribuição para o estudo dos usos e costumes do praiano do litoral de Paranaguá.* Paraná: Cadernos de Artes e tradições populares – Museu de Arqueologia e Artes populares (1); 1973.

LAPLANTINE, François. *Aprender etnopsiquiatria.* São Paulo: Brasiliense; 1998.

_____. *Antropologia da doença.* 3ª ed. São Paulo: Martins Fontes; 2004.

_____. *L'ethnopsychiatrie.* Paris: Editions Universitaires; 1973.

_____. *La culture du Psy ou l'effondrement des mythes.* Toulouse: Privat; 1975.

LAVAL, Francisco Pyrard de. *Viagem de Francisco Pyrard de Laval.* Porto – Portugal: Domingos de Oliveira; 1944.

LEAL, Catarina C.; FERREIRA, Manuela A. *Cuidados de higiene e de saúde em uma comunidade monástica do século XVII:* o caso do Mosteiro de Santa Clara-a-Velha de Coimbra. Portugália Nova série v. XXVII-XXVIII, 2006/2007.

LE COINTE, Paul. *Árvores e plantas úteis. Indígenas e aclimatadas.* Rio de Janeiro, Ed. Nacional, Imprensa Nacional, 1947. (Brasiliana v. 251).

LEITÃO, E. A. de. Subsídios para o estudo dos kaingang do Paraná. *Revista do Instituto Geográfico.* São Paulo: v. XV. p. 227-228.

LEITE, Serafim. *Artes e ofícios dos jesuítas (1549-1579).* Porto-Portugal: Tipografia Porto Médico; 1953.

_____. *Cartas dos primeiros jesuítas do Brasil* 3 vols. São Paulo: Comissão do IV Centenário da Cidade de São Paulo; 1953.

_____. *História da Cia. de Jesus no Brasil.* s/l, s/ed; 1938.

LEMOS, Maximiano. *História da medicina em Portugal – Doutrina e instituições.* Vols. I e II, Manuel Gomes. Lisboa: Ed. Livreiro de suas Majestades e Altezas, R. (Garrett (Chiado); 1899. p. 70-72.

LÉPINE, Claude. Análise formal do panteão nagô. *Bandeira de Alairá – Escritos sobre a religião dos orixás.* Carlos Eugênio Marcondes Moura (Org.). São Paulo: Nobel; 1982. p. 13-70.

LERY, Jean de. *Viagem à Terra do Brasil (1555-1557).* São Paulo: EDUSP/Martins; 1972. (Biblioteca Histórica Brasileira) EDUSP/Martins Ed.; 1972.

LÉVI-STRAUSS, Claude. O uso das plantas silvestres da América do Sul tropical. *Suma Etnológica Brasileira – 1 Etnobiologia.* 2ª ed. Petrópolis RJ: lozes/FINEP; 1987

_____. *Antropologia estrutural II.* Rio de Janeiro: Tempo Brasileiro; 1976.

_____. O uso de plantas silvestres da América do Sul tropical. In: *Suma Etnológica brasileira – 1. Etnobiologia.* 2ª ed. Rio de Janeiro: Vozes; 1987.

LEWIS, Walter H.; ELVIN-LEWIS. Memory P. F. *Botanical botany – Plants affecting mans's health.* New York: John Wiley & Son; 1977.

LIMA, Fernando C. Pires; Carneiro, Alexandre Lima. Arquivo de medicina popular. 2 vs. *Jornal Médico.* Porto: Costa Carregal; 1944.

LIMA, Manuel de Oliveira. *D. João VII no Brasil (1808)*. 3ª ed. Rio de Janeiro: Topbooks; 1996.

LIMA, Oswaldo Gonçalves de. *Pulque, balchê e pajauaru*. Recife: Univ. Federal do Pernambuco; 1975.

_____. Observações sobre o vinho de jurema utilizado pelos índios Pankararu de Tacaratú (PE). *Arquivos do Instituto de Pesquisas Agronômicas*. Recife: 4; 1946. p. 46-80.

LODY, Raul. *Tem dendê, tem axé. Etnografia do dendezeiro*. Rio de Janeiro: Pallas; 1992.

_____. *Santo também come*. Recife: Instituto Joaquim Nabuco de Pesquisas Sociais; 1979.

_____. *Dicionário de arte sacra afro-brasileira*. Rio de Janeiro: Pallas; 2003.

LOPES, Antônio Manuel. *Estudo da primeira centúria de Amato Lusitano*. O uso das plantas, imagens de aromáticas da região da Serra da Estrela: abordagem da sua composição. Disponível em: <www.historiadamedicina.ubi.pt/cadernos.html> [2004].

LOPES, Flávia C. N. *Avaliação da atividade imunológica in vitro de Alchornea spp., quanto à produção de peróxido de hidrogênio, óxido nítrico e fator de necrose tumoral por macrófagos murinos*. Dissertação de mestrado em Imunologia Clínica. Faculdade de Ciências Farmacêuticas – UNESP – Campus de Araraquara; 2004.

LOPES, Maria Margaret. *As ciências naturais e os museus*. (Tese de doutorado). São Paulo: FFCL da Universidade de São Paulo; 1993.

LOURIDO, Rui D'Ávila F. A. Do Ocidente à China pelas Rotas da Seda. *Administração* XIX (73); 2006-3º. p. 1073-1094.

LUCCOCK, John. *Notas sobre o Rio de Janeiro e partes meridionais do Brasil tomadas durante uma estada de dez anos nesse país, de 1808 a 1818*. São Paulo: Martins; 1942.

LUHNING, Ângela. Ewé: As plantas brasileiras e seus parentes africanos. *Faces da tradição afro-brasileira*. Rio de Janeiro/Salvador: Pallas; 1999.

LUNA, Eduardo L. *The concept of plants as teachers among four mestizo shamans of Iquitos, Northeastern Peru*. Symposium on shamanism of phase 2 of the XI International Congress of Anthropological and Ethnological Sciences. Vancouver: August 20-23; 1983. p. 20-23.

_____. *Vegetalismo: Shamanism among the mestizo populations of the Peruvian Amazon*. Estocolmo: Almquist and Wiksell Interntional; 1986.

LUSITANO, Amato (João Rodrigues de Castelo Branco). *Centúrias de curas medicinais*. [1551]. 4 v. Lisboa: Universidade Nova Lisboa – Faculdade de Ciências Médicas; 1980.

MABIT, Jacques. Produção visionária da ayahuasca no contexto curanderil da Alta Amazônia Peruana. In: Labate Beatriz C.; Araujo, Sena (Orgs.). *Uso ritual da ayahuasca*. Campinas: Mercado de Letras; 2002.

MACHADO, José de Alcântara. *Vida e morte do bandeirante*. São Paulo: Martins/INL; 1978.

MAESTRI FILHO, Mário J. *A agricultura africana nos séculos XVI e XVII no litoral angolano*. Porto Alegre: Instituto de Filosofia e Ciências Humanas – UFRGS; 1978.

MAGALHÃES, Josa. *Medicina folclórica*. Ceará: Imprensa Universitária; 1966.

MAIA, Joel Priori. Metodologia de indução hipnótica. In: Monteiro, José. *Práticas da hipnose na anestesia*. 2ª ed. São Paulo: J. Monteiro; 1985.

MALHEIROS, Agostinho M. Perdigão. *A escravidão no Brasil. Ensaio histórico-jurídico-social*. 2 vols. São Paulo: Edições Cultura; 1944.

MALINOWISKI, Bromislar. *Magia, Ciência e Religião*. Lisboa: Edições 70; 1984.

MARCGRAVE, Jorge. *História Natural do Brasil*. São Paulo: Imprensa Oficial; 1942 [1648].

MARINO JÚNIOR, Raul. *A religião do cérebro*. Novas descobertas da neurociência a respeito da fé humana. São Paulo: Editora Gente; 2005.

MARQUES, Vera R. Beltrão. *Remédios secretos – Saberes e poderes*. Trabalho apresentado no 49º Internacional de Americanistas, Sección Medicina y salud. 7-11 de julio, Quito – Equador; 1997.

_____. *Artes e ofícios do curar no* Brasil: Capítulos de história social. Campinas: UNICAMP; 2003.

MARTINEZ, Sabrina T.; ALMEIDA, Márcia R.; PINTO, Ângelo C. Alucinógenos naturais: um voo da Europa Medieval ao Brasil. São Paulo: *Química Nova* 32 (9); 2009. p. 2501-2507.

MARTINS, J. E. C. *Plantas medicinais de uso na Amazônia*. 2ª ed., Belém: Edições CEJUP; 1989.

MARTIUS, Friedrich Philipp Von. *Natureza, doenças, medicina e remédios dos índios brasileiros (1844)* 2ª ed. Rio de Janeiro: Ed. Nacional; 1938/1979.

MATTA, Alfredo Augusto da. *Flora médica braziliense.* Manaus: Imprensa Oficial; 1913.

MAUÉS, Raymundo Heraldo. A pajelança cabocla como ritual de cura xamânica. In: *Pajelanças e religiões africanas na Amazônia.* (orgs.) Raymundo Heraldo Maués e Gisela Macambira Villacorta) Belém: EDUFPA; 2008.

_____. Catolicismo e xamnismo: reflexões sobre pajelança amazônica, renovação carismática e outros movimentos eclesiais. *Revista Pós Ciências Sociais* 4 (8); 2007. p. 12-15.

MAUGANS, T. A. The spiritual history. *Archives of Family Medicine* 5 (1); 1996. p. 11-6.

MAUSS, Marcel. *Sociologia e Antropologia* v. 1. São Paulo: EPU/EDUSP; 1974.

MCEVEDY, Colin. *Atlas da história medieval.* São Paulo: Verbo/EDUSP – Universidade de São Paulo; 1979.

MCKENNA, Dennis J.; LUNA, Luís. E.; TOWERS, G. H. N. Ingredientes biodinâmicos en las plantas que se mezclan al ayahuasca. Uma farmacopea tradicional no investigada. *América Indígena* v. XLV. México; 1986.

MEDINA, Júlio Cezar. *Plantas fibrosas da flora mundial.* Campinas: Instituto Agronômico; 1959.

MELCHIORS, Yamara Soneght. *Aspectos do folclore vienense.* Espírito Santo: Comissão espiritosantense de Folclore; 1962.

MELO, Gladstone Chaves. *A língua do Brasil.* Rio de Janeiro: Agir; 1946.

MELO, José Leite C. P. Vasconcelos. *Etnografia portuguesa.* Lisboa: Imprensa Nacional; 1933.

MELO Neto, Antônio G. *Tempo dos flamengos. Influência da ocupação holandesa na vida e na cultura do Norte do Brasil.* Rio de Janeiro: José Olympio; 1947.

MELLO e Souza, Marina. *Parati a cidade e as festas.* Rio de Janeiro, UFRJ: Tempo Brasileiro; 1994.

MERCK Manual of Diagnoosis and therapy. USA, Merck Co. Inc.; 1960.

MERLIN, M. D. *Archeological evidence for the tradition of psychoactive plant use in the Old World.* New. York, Bronx, NY, USA: New York Botanical Garden Press; 2003.

MESQUITA JUNIOR, Geraldo. Política e Ciência Política. In: *Política ao Alcance de Todos.* Brasília: Senado Federal; 2004.

MÉTRAUX, A. Le shamanisme chez les indigènes de l'Amérique du Sud tropicale. In: *Acta Americana.* v. II; 1994.

_____. Lês Zés. Boissons fermentées. *Revista Universidade Nacional de Tucuman.* To. I, Argentina; 1930. p. 169-171.

MONTEIRO, Paula. *Da doença à desordem: a magia na umbanda.* Rio de Janeiro: Edições Graal; 1985.

_____. A doença e o corpo. *Ciência & Cultura* 31 (1); 1979. p. 25-31.

MONTEIRO, João. *Fórmulas e notas terapêuticas.* 4ª ed. São Paulo: Paulo Azevedo; 1921.

MONTIEL, O. G. Alucinógenos y chamanismo: consideraciones sobre el poder del lenguagje e el lenguagje de poder. Los curandero Mazatecos. In: *Memorias del segundo coloquio de Medicina Tradicional – Un saber en recuperación.* Zaragoça: Escuela Nacional de Estudios Profesionales/Universidade Nacional Autonomia de Mexico; 1988.

MORAES, Rubens Borba; BERRIEN, William. *Manual bibliofráfico de estudos brasileiros.* Rio de Janeiro: Gráfica Editora Souza; 1949.

MOTA, Clarice Novaes; BARROS, José Flávio de. O complexo da Jurema: Representações e Drama Social. In: *Muitas faces da jurema: de espécie Botânica à divindade afro-indígena.* Mota, Clarice Novaes e Albuquerque, Ullisses Paulino (Orgs.). Recife: Bagaço; 2002. p. 19-60

_____. Jurema: Black-indigenous drama and representations. *Ethnobilogy: Implications and applications,* Posey, D. A. & Overall, W. (eds). Museu Paraense Emílio Goeldi. Belém: v. 2 part. F, 1990. p. 171-180.

MOTT, Luís. *A inquisição no Maranhão.* São Luís: EDUFMA. 1995.

MOURA, Carlos Eugênio Marcondes de. *Afronegros, seus descendentes: Brasil uma bibliografia em construção (1637-2011).* São Paulo: Museu Afro-Brasil; 2012.

MOURA, Clovis. *Rebeliões da senzala: quilombos insurreições, guerrilhas.* São Paulo: Edições Zumbi; 1959.

MURARO, Rose Marie. Breve introdução histórica. In: Kramer, Heinrich; Sprenger, James. *O Martelo das feiticeiras – Malleus Maleficarum.* Rio de Janeiro: Editora Rosa dos Tempos; 1991.

MURRAY, Margareth A. *El culto de la brujeria em Europa occidental.* Barcelona: Labor; 1978. (Colección Labor 215)

NASCIMENTO JUNIOR, Antônio Fernandes. Um olhar sobre o estudo dos seres vivos na Idade Média: Temas fundamentais da Biologia na filosofia da natureza. *Theoria* Revista eletrônica de Filosofia 3 (6); 2011. p. 20-38.

NEPOMUCENO, Rosa. *O Brasil na rota das especiarias. O leva e traz de cheiros, as surpresas da nova terra.* Rio de Janeiro, José Olímpio; 2005.

NARANJO, Plutargo. Etnofarmacologia de las plantas psicotropicais de América. *Terapia* Ano XXIV: 1 p. 5-62. Quito: Laboratórios LIFE; 1969

NIEUHOF, J. *Memorável viagem marítima e terrestre ao Brasil (1640-1649).* São Paulo: Martins; 1942.

NOVAES, Maria Stella de. *Medicina e remédios no Espírito Santo: História do Folclore.* Vitória: Instituto Histórico e Geográfico do Espírito Santo; 1964.

O'DEA, Tomas F. *Sociologia da religião.* São Paulo: Pioneira; 1969.

OLIVEIRA, Gerson Lapa. *Aspectos psicofisológicos de substâncias psicoativas.* Disponível em: <www.guardiaodoportal. hpg.ig.com.br/gelson.htm> [2002].

OLIVEIRA Walter F. *A construção cultural da saúde e o espaço da medicina tradicional.* Disponível em: <www.ccs.ufsc. br/spb/walter1.doc> [outubro 2010].

OLIVEIRA, Paula Maria. *O diagnóstico e o ver em Hipócrates e Tucídedes.* Disponível em: <www.gaialhia.kit.net/artigos/ paulamaria 2001.pdf>.

OMEGNA, Nelsom. *Diabolização de judeus* – Matírio e presença dos safaradins no Brasil colonial. São Paulo: Record; 1969.

ORTA, Garcia da. *Diálogos* (ver em Costa, Cristovão). Colóquios dos simples e drogas da Índia. Lisboa: Imprensa Nacional, 1892 [1563]. [*Colóquios dos simples, e drogas he cousas mediçinais da Índia e assi dalguas frutas achadas nella onde se tratam algumas cousas tocantes a medicina, pratica, e outras cousas boas, pera saber.* Goa: Ioannes de Endem.

ORTIZ, Renato. *A morte branca do feiticeiro negro:* umbanda, integração de uma religião numa sociedade de classes. Petrópolis: Vozes; 1978.

OTT, Joanattan. *The age of enteogens.* Kennewick: Natural Products DC; 1995.

_____. Pharmacopo-psychonautics: Human intranasal, sublingual, intrarectal, pulmonary and oral pharmacology of bufotenine. (resumo) In: *Journal of Psychoactive drugs*, 33 (3): 273-281 Jul – Sep, Haight – Ashbury Publ. San Francisco; 2001.

OTTO, Rudolfo. *O sagrado.* Lisboa: Edições 70; 1992.

PACHECO, Renato. J. C. *Medicina Popular em São Mateus.* Vitória: Comissão Espiritosantense de Folclore; 1963.

PALMER, Plilip. *Der Einfluss der Neuen welt usw.* Carl Winters Universitaetsbuch, Heidelberg, 59; 1933.

PARACELSO. *As plantas mágicas Botânica oculta.* São Paulo: Hemus; 1976.

PARDAL, Ramon. *Medicina aborigen americana.* Buenos Aires: Humanitor; 1937. (Biblioteca del americanista moderno). Seccion C

PATACA, Ermelinda M.; PINHEIRO, Rachel. Instruções de viagem para a investigação científica do território brasileiro. *Revista da SBHC.* Vol 3(1), jan./fev.; Rio de Janeiro; 2005. p. 58-79.

PASSOS, Antônio Carlos Moraes. Hipnose: Atualização de seus conceitos e suas diferentes aplicações terapêuticas. *Revista. Brasileira de Medicina* 4 (3); 1984. p. 96-97.

PATIÑO, Victor M. R. *Historia de la cultura material en la América Equinocial.* Bogotá, Colombia: Biblioteca Científica de la Presidencia de la Republica; 1984. (Tercer año de la segunda expedición botánica)

PECKOLT, Theodoro; PECKOLT, Gustavo. *História das plantas medicinais e úteis do Brasil.* Rio de Janeiro: Pap. Modelo; 1914.

PEIXOTO, Júlio Afrânio. *História do Brasil.* 2ª ed. São Paulo: Editora Nacional, 1944. Digitalizado – BooksLibris eBooksBrasil; 2008.

PELT, Jean-Marie. A revolução verde da medicina. *Correio da Unesco* Ano 1 (1). Rio de Janeiro; 1973.

PEREIRA, Nunes. *Panorama da alimentação indígena – Comidas, bebidas e tóxicos na Amazônia brasileira.* Rio de Janeiro: Livr. São José; 1974.

_____. *Moronguetá: um Decameron indígena* 2ª ed. 2 vols. Rio de Janeiro: Civilização Brasileira; INL; 1980. (Coleção Retratos do Brasil: v. 50-50a).

_____. *A casa das Minas.* 2ª ed. Petrópolis: Vozes; 1979.

PEREIRA, Huascar. *Pequena contribuição para um Diccionario das plantas úteis do Estado de São Paulo (Indígenas e aclimatadas)*. São Paulo: Typographia Brasil de Rothschild; 1929.

PERGOLA, Federico; Ockner, Osvaldo H. *História de la medicina*. Buenos Aires: Edições Médicas; 1986.

PINTO, Paulo Mendes. Portugal: uma terra mítica para os judeus? In: *Grandes enigmas da história de Portugal. V. I. Da pré-história ao século XVI.* (Orgs. Miguel Sanches de Baêna e Paulo Alexandre Loução). Portugal: Ed. Ésquilo; 2008. p. 89-97.

PINTO, Ângelo C.; SILVA, Dulce Helena S. S.; BOLZANI, Vanderlan P. *et al.* Produtos naturais: atualidades, desafios e perspectivas. *Química Nova* 25 (Supl. 1); 2002. p. 45-61.

PISO, Guilherme. *História natural do Brasil ilustrada.* [1648] São Paulo: Ed. Nacional; 1948.

PITA, Sebastião da Rocha. *História da América Portuguesa, desde mil e quinhentos: do seu descobrimento até o de mil setecentos e vinte e quatro.* Belo Horizonte: Itatiaia; EDUSP; 1996.

PITA, João Rui. *História da Farmácia.* Coimbra: Ed. Minerva; 2007.

_____. *História e Sociologia da Farmácia.* Coimbra: Ed. Minerva; 1998.

PITTA, J. C. N. Diagnóstico e conduta dos estados confusionais. *Psiquiatria na prática médica* 4 (4) 2001/2002.

PORTO, M. T. Anatomia e Fisiologia na Idade Trágica dos Gregos. In: *MNEME Revista de Humanidades* – UFRN – CERES. Disponível em: <www.seol.com.br/mneme/ed4/016-p.htm> [10/09/2007].

PORTUGAL, Henrique F. *Linguagem popular (folclore) do bócio endêmico e outras endemias.* Recife: Soc. de Escritores Médicos/Ed. Universidade Católica; 1974.

PRADO, Paulo. *Paulística. História de S. Paulo.* São Paulo: Companhia Graphico-Editora Monteiro Lobato; 1925.

PRANCE, G. T. An ethnobotanical comparison of four tribes of Amazonia indians. In: *Acta Amazônica* 2 (2); 1972.

PRANDI, Reginaldo. *Herdeiras do axé.* São Paulo: UCITEC/Departamento de Sociologia da Faculdade de Filosofia, Letras e Ciências Humanas/USP; 1996.

Pré-socráticos. Os pensadores. São Paulo: Abril Cultural; 1973.

PROUS, A. Alimentação e "arte" rupestre: nota sobre alguns grafismos pré-históricos. *Revista de Arqueologia* 6, 1991. p. 1-15.

_____. L'archeologie au Brésil: 300 siécles d'occupation humaine. *L'Anthropologie* 90, 1986. p. 8-21.

PUTTINI, Rodolfo. *Medicina e espiritualidade.* São Paulo: Annablume/FAPESP; 2011.

PYRARD de Laval, Francisco. *Viagem de Francisco Pyrard de Laval.* Porto: Domingos de Oliveira; 1944.

QUER, P. Font. *Plantas medicinales. El Dioscorides renovado.* Espanha: Editorial Labor; 1978.

QUERINO, Manuel. *Costumes africanos no Brasil.* Recife: Fundação Joaquim Nabuco/Ed. Manssangana; 1988.

QUINTANA, M. Alberto. *A ciência da benzedeira: mau olhado, simpatias e uma pitada de psicanálise.* Bauru; São Paulo: EDUSP; 1999.

RAGIP, Hajji Sheikh Muhmmad. Islam e as ciências médicas. *Revista Mundo da saúde.* Universidade São Camilo, novembro; 2000.

RAMOS, Arthur. *Introdução à Antropologia Brasileira. – Culturas não europeias 1.* São Paulo: Casa do Estudante do Brasil; 1961. (Coleção Estudos Brasileiros – Arthur Ramos – Obras completas)

RAMOS, Fábio Pestana. *No tempo das especiarias. O império da pimenta e do açúcar.* São Paulo: Contexto; 2004.

REGO, Ivone C. *Feiticeiros, profetas e visionários – Textos antigos portugueses.* s/l: Imprensa Nacional – Casa da Moeda; 1981.

REZENDE Joffre M. *História da medicina – O diagnóstico e os tratamentos. Disponível em:* <www.farmaconline.ufg.br/modules.php?name=News&file=article&sid=64> [3/19/2007].

_____. A crença na autointoxicação por estase intestinal e sua história. *Brasília Médica* 40; 2003. p. 32-33.

RIBAS, João Carvalhal. *As fronteiras da demonologia e da psiquiatria.* São Paulo: EDIGRAF; 1964.

RIBEIRO, Márcia Moisés. *A ciência dos trópicos. A arte médica no Brasil do século XVIII.* São Paulo: Hucitec; 1997.

RIBEIRO, Cinara T. Uso de substâncias tóxicas: História, modalidade e efeitos na subjetividade e nos laços sociais. *Psicologia em foco* v. 3 (2) jul/dez; 2009.

RIBEIRO, Darcy. *O povo brasileiro: a formação e o sentido do Brasil.* São Paulo: Companhia das Letras; 1995.

RIBEIRO Filho, Anibal. *Medicina folclórica.* Paranaguá: Museu de Arqueologia e Artes Populares, maio (2); 1975.

RIBEIRO Filho, Wilson A. Introdução ao período greco-romano. *Graecia Antiqua*. Disponível em: <www.greciantiga. org/his/his09.asp+greco-romano&hl=pt-BR&ct=1&gl=br> [06/07/2008].

RIBEIRO, P. A. Arqueologia e botânica. *Caderno de Pesquisa Série Botânica* 5(1); 1993. p. 53-63.

RIBEIRO, Joaquim. *Folclore de Januáriua*. Rio de Janeiro: Campanha de Defesa do Folclore Brasileiro; 1970.

RIOS, M. Dobkin De. Visionary vine: Psychedelic healing in the Peruvian Amazon. *International Journal of Social Psychiatry* 17; 1972. p. 256-269.

RIVERS WHR. *Medicine magic and religion*. London: Kegan Paul; 1924.

RIVIER, Laurent; LINDGREN, Jan-Erik. Ayahuasca, the South American allucinogenic drink: An Ethnobotanical and Chemical investigation. *Economic Botany* 26: 101-129; 1972. p. 101-129.

RIZZINI, Carlos Toledo; MORS, Walter B. *Botânica econômica brasileira*. São Paulo: EPU, Ed. da Universidade de São Paulo; 1976.

RODRIGUES, Lopes. *Anchieta e a medicina*. 2ª ed. Belo Horizonte/MG: Biblioteca Mineira de Cultura; s/d. (Edições Apolo).

RODRIGUES, José Albertino. *Durkheim* – Sociologia (org.) São Paulo: Ática; 1978. (Coleção Grandes cientistas sociais 1)

RODRIGUES, Raymundo Nina. *Os africanos no Brasil*. 4ª ed. São Paulo: Editora Nacional; 1976.

_____. *O animismo fetichista dos negros baianos*. Rio de Janeiro: Civilização Brasileira; 1935.

ROMERO, Silvio. *Cantos populares do Brasil*. Lisboa: s/ed; 1883.

ROMO, Ignácio R. *História de la medicina*. Barcelona: Vergara; 1971.

SÁ, Lenilde D.; LOPES, Ana Maria; OLIVEIRA, Rinalda de Araujo G.; LIMA, Edeltrudes Oliveira. *As ervas e o jardim de Gaia*. Disponível em: <www.yeso5d.sites.uol.com.br/cadernos/Edição1/ervas.htm> [outubro – 2012].

SAAD, Marcelo; MASIERO, Danilo; BATTISTELLA, Linamara R. Espiritualidade baseada em evidências. *Fisiátrica* 8 (1); 2001. p. 18-23.

SAINT-HILAIRE, August. *Segunda viagem a São Paulo e quadro histórico da provincial de São Paulo*. Biblioteca Histórica Paulista, Comissão do VI Centenário da cidade de São Paulo; 1953.

_____. *Viagem à província de São Paulo e resumos das viagens ao Brasil, província Cisplatina e Missões do Paraguai*. São Paulo: Martins, Editora da Universidade de São Paulo; 1972.

SALVADOR, Frei Vicente do. *História do Brasil* (1590-1627). São Paulo: Melhoramentos; 1954.

SALUSARSKI, Simone R. Histórico botânico. In: *Temas biológicos* – Botânica, março; 2004.

SAMNER, J. *The natural history of medicinal plants*. Portland: Timber Press; 2000.

SAMPAIO, Francisco Antônio. *História dos reinos vegetal, animal e mineral do Brasil pertencentes à medicina*. Anais da Biblioteca Nacional v. 89. Rio de Janeiro: Divisão de Publicações e Divulgação; 1971 [1782].

SANTIAGO, Paulino. *Dinâmica de uma linguagem*. Maceió: Ed. Universidade Federal de Alagoas. s/d.

SANTOS, Lara de Melo dos. *Resistência indígena e escrava em Camamu no século XVII*. Dissertação de mestrado em História da Faculdade de Filosofia e Ciências Humanas da Universidade Federal da Bahia (UFB); 2004.

SANTOS, Carla A.; BELLATORA, Carmem. Arqueologia judaica no Concelho de Trancoso. (Novos elementos). *Cadernos de Estudos Sefarditas* (1); 2001. p. 10-39.

SANTOS, Fernando Santiago dos. *As plantas brasileiras, os jesuítas e os indígenas do Brasil: história e ciência na Triaga Brasílica (século XVII-XVIII)*. São Paulo: Novo Autor Editora; 2009.

SANTOS, Sandra. R. N. *Vozes do quilombo – História e narrativas contemporâneas*. Tese de doutoramento pela Escola de Comunicação e Artes. USP; 2006.

SANTOS, Jocélio T. *O dono da terra: o caboclo nos candomblés da Bahia*. Salvador Bahia: SarahLetras; 1995.

SANTOS, Eugênio O. *O homem português perante a doença: atitudes e receituário*. São Paulo: Instituto de Estudos Avançados da Universidade de São Paulo; 1992. (Série Cátedra Jaime Cortesão).

SANTOS Filho, Lycurgo. *História da medicina no Brasil (Do século XVI ao XIX)*. São Paulo: Brasiliense; 1947.

SANTOS, Regina do Nascimento. *Vozes do quilombo*. Tese de doutoramento – Escola de Comunicação e Ares (USP); 2006.

SÃO PAULO, Fernando. *Linguagem médica popular no Brasil*. Salvador: Editora Itapuã; 1943.

SARIAN, Haiganu. O Neolítico e o bronze no Egeu. *Rev. Hist.* (119) 1988. Disponível em: <www.revistausp.br/scielo. php?script=sci_arttext&pid=30034-8> [junho 2011].

SAURA, Fulgêncio Martinez. *La Ilíada y el Corpus Hyppocraticum. Espacio, Tiempo e Forma – Historia Antiga* 9, Série II; 1996.

SCARANO, Julita. *Fé e milagre.* São Paulo: Editora Universidade de São Paulo; 2004.

SCHOUTEN, J. ...what says the doctor to my water. *Revista Roche Imagem Médica* 17. Rio de Janeiro; 1968.

SCHAUENBERG, Paul; Paris, Ferdinand. *Guia de las plantas medicinales.* Barcelona: Omega; 1980.

SCHADEN, Egon, *Aculturação indígena.* Ensaio sobre fatores e tendências da mudança cultural de tribos em contato com o mundo dos brancos. São Paulo: Pioneira/EDUSP; 1969.

SCHULTES, R. Evans. *Hallucinogenic plants.* Wisconsin: Golden Press Vew York; 1973.

_____; Hofmann, Albert & Rätsch, Christian. *Plants of Gods. Their sacred, healing, and hallucinogenic powers.* 2ª ed. Rochester, Vernont: Healing Arts Press; 2001.

SEABRA, Odete Carvalho Lima. *Cotidiano e vida de bairro na metamorfose da cidade em metrópole, a partir das transformações do bairro do Limão.* Tese de Livre-Docência do Departamento de Geografia da USP, área: Geografia Urbana; 2003.

SILVA, Alberto da Costa e. *A enxada e a lança: a África antes dos portugueses.* Rio de Janeiro: Nova Fronteira; São Paulo: EDUSP; 1992.

SILVA, José Amaro. (trad.) *Compendio histórico, e universal de todas as sciencias, e artes, em diálogos por perguntas e, respostas, para uso dos curiosos.* Porto: Typ. Da Viuva Alvares Ribeiro Filho; 1817.

SILVA, Lemuel Rodrigues. *O discurso religioso no processo migratório para o Caldeirão do beato José Lourenço.* (Tese de doutoramento) em Ciências Sociais do Centro de Ciências Humanas, Letras e Artes da Universidade Federal do Rio Grande do Norte (UFRGN); 2009.

SILVA, Vagner Gonçalves. *Candomblé e Umbanda. Caminhos da devoção brasileira.* São Paulo: Ática; 1994.

_____. *História Viva – Grandes Religiões – Cultos Afro:* Confusão sobre a origem. São Paulo: Duetto; 2007.

_____; VAGNER, G. *Memória Afro-brasileira – Caminhos da alma.* Vagner Gonçalves da Silva (Org.). São Paulo: Summus; 2007.

SLUZARKI, Simone R. Histórico botânico. *Temas Biológicos – Botânica,* março; 2004

SOUSA, Mirian P.; MATOS, Maria Elisa O.; MATOS, Francisco José A.; MACHADO, Maria Iracema L.; CRAVEIRO, Afrânio A. *Constituintes químicos ativos de plantas brasileiras.* Fortaleza: EUFC Laboratório de Produtos Naturais; 1991.

SOUSA, Rainer. *Logosofia.* Uma ciência que estuda o sentido da vida. Disponível em: <www.brailescola.com/história/grecia-periodo-homerico.htm> [março 2009].

SOUZA, Gabriel Soares de. *Notícia do Brasil.* São Paulo: Departamento de Assuntos Culturais do MEC; 1974 [1587].

SOUZA, Laura de Mello E. *Inferno atlântico – demonologia e colonização século XVI-XVIII.* São Paulo: Cia. das Letras; 1993.

SPRUCE, Richard. *Notes of a botanist on the Amazon and the Andes.* T. II. Londres: s/ed; 1908.

STERPELLONE, Luciano. *Os santos e a medicina. Médicos, taumaturgos, protetores.* São Paulo: Paulus; 1998.

SZYMANSKI, Júlio. *Oftalmologia.* Curitiba, Paraná. Typ. Dergint; 1920.

_____. *O diabo e a terra de Santa Cruz.* São Paulo: Cia. das Letras; 1944.

TAUNAY, Affonso E. Escorço biográfico de Guilherme Piso (1611-1678). In: Piso, Guilherme. *História do Brasil ilustrada.* São Paulo: Ed. Nacional; 1948.

TEIXEIRA, Fausto. *Medicina popular mineira.* Rio de Janeiro: Organizações Simões; 1954.

TEIXEIRA, Manuel J.; OKADA, Massako. Dor: evolução histórica dos conhecimentos – Parte 1 Considerações gerais. Disponível em: <www.download artmed.com.br/public/N/Neto> [3/1/2011].

TEIXEIRA-SANTOS, Isabel. *Resíduos alimentares, infecções parasitárias e evidência do uso de plantas medicinais, em grupos pré-históricos das Américas.* Dissertação de Mestrado pela Fundação Oswaldo Cruz, Escola Nacional de Saúde Pública, Rio de Janeiro; 2010.

TELES, Patrícia R. *Cérebro, Crença e ciência – A fé, as Ciências Naturais e uma nova visão da realidade humana.* Pré-projeto de pesquisa para o Programa de Ciências da Religião da Pontifícia Universidade Católica de São Paulo – PUC/SP; 2005. Disponível em: <www.fma.if.usp.br/~patrebel/resumo-projeto.pdf> [5/03/2010].

TORRES, Ulysses Lemos. Alguns termos e expressões médicas populares. *Publicações Médicas.* Ano XXIX (202) s/l. s/d.

_____. *Na passarela do tempo.* São Paulo: Editora Gráfica Nagy; 1981.

TOSI, Lúcia. Caça às bruxas. O saber das mulheres como obra do demônio. *Ciência Hoje,* setembro/outubro 1985. *Tramil 4 – Investigación cientifica y uso popular de plantas medicinales en el Caribe Tela,* Honduras; 1989.

TREUIL, René. *Le Néolithique et le Bronze Ancien Egéens. Les problèmes stratigraphiques et chronologiques, les tecniques, les hommes.* Bibliothèque des Écoles Françaises d'Athenes et de Rome. Fasc. 248; Paris. Diffusion De Boccard; 1983, XX-542 p. 268

TUCÍDEDES. *História da Guerra do Peloponeso.* Tradução Mário da Gama Kury. Braília: Ed. UNB; 1999.

VACCARO, Julio W. Palácios. *Plantas medicinales nativas del Peru.* Série Ciências, Lima, Peru, CONCYTEC; 1997.

VALENTE, Waldemar. *Folclores regionais na medicina brasileira.* Recife, Soc. Brasileira de Escritores Médicos; 1974.

VALNET, Jean. *Aromathérapie.* Paris: Librairie Maloine; 1974.

VANDELLI, Domingos. *Diccionario de termos techinicos de historia natural extraídos das obras de Linnéo.* Coimbra: Real Officina da Universidade; 1788.

VASCONCELOS, Simão de. *Vida e obra do venerável José de Anchieta* [1672]. Rio de Janeiro: Imprensa Nacional; 1943.

VENDRAMINI, Maria do Carmo. Dança de São Gonçalo em Ibiúna. *Revista Brasileira de Folclore* Ano XIV (41). MEC/DAC/FUNARTE/Campanha de Defesa do Folclore Brasileiro; 1976. p. 45-74.

_____. *A festa do Divino em Mogi das Cruzes.* Recife PE: Instituto Joaquim Nabuco – Dep. Antropologia, Centro de Estudos Folclóricos; 1978. (Coleção Folclore 69).

_____. Sobre o sino nas igrejas brasileiras. In: Bispo, Antonio Alexandre *et al.*: Collectanea Musicae Sacrae Brasiliensis. *Musices Aptatio.* Liber Annuarius, Institut für Hymnologische und Musikethnologische Studien. E. V. Köln-Arbeitstelle Maria Laach/*Consociationis Internationalis Musicae Sacrae Romae Publicaciones*; 1981. p. 47-64.

VEPSÄLÄINEN, Jouko J.; AURIOLA, Seppo; TULIAINEN, Mikko; ROPPONEN, Nina; CALLAWAY, J. C. Isolation and chracterization of Yuremaminem, a new phytoindole. *Planta Médica* 71; 2005. p. 1053-1057.

VERGER, Pierre Fatumbi. *Awon ewe osanyin – yoruba medicinal leaves.* Ife: Institute of África Studies – University of Ife; 1967.

_____. *Tranquillizers and stimulants in yoruba pharmaceutics.* Special Seminar on: The traditional background to medical practice in Nigéria, University of Ibadan – Institute of African Studies in collaboration with University College Hospital; 1966.

_____. *EWE. O uso das plantas na sociedade iorubá.* São Paulo: Companhia das Letras; 1995.

_____. Bori, primeira cerimônia de iniciação ao culto dos *òrisà* nagô na Bahia, Brasil. In: Moura, Carlos Eugênio Marcondes (org.). *Olóòrisa – escritos sobre as religiões dos orixás.* São Paulo: Agora; 1981

VIEIRA, R. J. Intoxicação por folha de *Datura arborea* através da pele. *Associação Médica do Brasil* 22 (3); 1976. p. 90.

VILELA, Jarba D. Mumificação e medicina no antigo Egito. *Revista Paulista De Medicina* 98 (5/6); 1977.

VILLACORTA, Gisela Macambira. Novas concepções da pajelança cabocla na Amazônia (nordeste do Pará). In: *Pajelança e religiões africanas na Amazônia.* Raymundo Heraldo Maués e Gisela Macambira Villacorta (Orgs.). Belém: EDUFPA; 2008.

VOEKS, Robert. Sacred leaves of brazilian candomblé. In: *The Geographical Review* 80; 1990. p. 118-131.

WASSON, Gordon; Kramrisch S., Ott, J.; Ruck, C. A. P. *La busqueda e Perséfone. – Los enteógenos y los origenes de la religión.* Mexico: FCE; 1992.

_____. *Soma-Divine Mushroom of immortality.* New York: Harcourt Brace Jovanovich; 1968.

WATT, J. M.; BREYER-BRANDWIJT, M. G. *The medicinal and poisonous plants of southern and easthern África,* Edimburg E. & S. Livingstone; 1962.

ZANINI, W.; OGA, S. *Farmacologia aplicada.* 3ª ed. São Paulo: Atheneu; 1985.

ZUAZOLA, Ricardo Voss; TORRES, Reys Juan; BERNARDI, Nuños *et al.* Terpsicorentranceterapia en control del stress. *Rev. Odontol Univ. Valparaiso* (5); 1995. p. 249-253.

Índice Remissivo

A

Areca catechu: 24

Aristolochia cymbifera: 120

Arruda: 64, 122, 179, 240

Artemísia: 43, 44, 47, 86, 176

Artemisia absinthium: 64, 122

Artemisia spp Asteraceae: 47

Artemisia vulgaris: 43, 44

Artocarpus intergrifolia: 191

Asclepíades: 33, 49, 58

Ascochyta cypericola: 153

Asparagus officinalis: 83

Aspargo: 83

Assa-fétida: 40

Atropa belladonna: 44, 46, 71, 72, 135

Avicena: 81

Ayahuasca: 139, 153, 244, 252

Azinheira: 89

B

Babaçu: 196

Babilônia: 51, 79

Babosa: 66

Bananeira: 185, 187

Bandeirante: 131

Banisteriopsis caapi: 139, 153, 154, 155

Barbatimão: 119, 193

Batata-de-purga: 119, 193

Batata-doce: 121, 187

Bauhinia forficata: 120

Beato José Lourenço: 172, 253

Bebidas fermentadas: 113, 138, 139, 152, 158, 161, 162

Bebidas rituais: 146

Beladona: 44, 46

Beldro: 120

Beldroega: 187, 191, 218

Benjoim: 43, 96

Berinjela: 120

Bexiga: 127

Bicuiba: 117

Bidens pilosa: 176

Bixa orellana: 133, 187, 191

Boerhavia hirsuta: 120, 193

Boerhravia hirsuta Wildd: 118

Bosta: 123

Brugmancia suaveolens: 120, 136, 139, 155

Brunfelsia spp: 153, 155, 207

Brunfelsia uniflora: 119, 139, 193

Bruxaria: 85

Buddleja brasiliensis: 119

C

Cabelo-de-milho: 114

Caboclos: 128

Cabreúva: 44

Cabureíba: 118

Cacau: 119, 122

Cajanus cajan: 188, 191

Cajazeira: 191

Caju: 121, 187

Cálamo: 43, 96

Calção-de-velha: 119

Calyptranthes aromatica: 117, 210

Cambará: 119

Camomila: 45, 64

Cana-de-açúcar: 187

Canafístula: 122, 187

Candomblé: 7, 8, 28, 32, 143, 148, 151, 153, 183, 184, 189, 190, 196, 197, 198, 200, 202, 215, 216, 219, 225, 226, 227, 238, 239, 241, 252, 253, 254

Canela: 41, 80, 96, 103, 123

Cânfora: 67, 94

Cânhamo: 41

Cannabis sativa: 41, 43, 78, 83, 91, 191, 192

Capeba: 119

Capim-limão: 64, 176, 217

Capsicum frutescens: 98, 121, 188

Cardamomo: 54, 82

Carica papaya: 119, 121, 188, 191, 193

Carimã: 193

Caroba: 119

Casearia sylvestris: 119

Cassia obovata: 67

Cassia occidentalis: 119, 191, 193

Castanha: 81

Catimbó: 128

Catimpuera: 113

Catolicismo: 28, 33, 36, 69, 93, 127, 145, 166, 169, 171, 173, 174, 184, 197, 201, 243

Catuaba: 119, 193

Cauim: 160, 162

Cebola: 43, 53, 176, 187

Cebolinha: 120

Cedro-do-líbano: 43, 96

Cenoura: 83, 187

Cephaelis ipecacuanha: 119, 193

Cevada: 54, 187

Chacrona: 139

Chenopodium ambrosioides: 120, 191, 193

Chicória: 120

Cicer arietimum: 89

Cidreira: 188

Cinnamomum cassia: 41, 96, 103, 123

Cinnamomum zeilanicum: 41, 96, 123

Cipó-suma: 209

Circe: 48, 51, 77

Cistite: 114

Citrus medica: 188

Coentro: 54, 64, 120, 122, 176, 188

Cola: 217

Cola acuminata: 151, 188, 191

Colóquios: 97, 123

Cominho: 45, 54, 102

Commiphora abyssinica: 197

Commiphora myrrha: 41, 42, 43, 54, 65, 67, 96

Companhia de Jesus: 130

Congo: 127

Consciente coletivo: 27

Convolvulaceae: 107

Copaíba: 118, 119

Copaifera langsdorffii: 118

Coriandrum sativum: 54, 64, 120, 122, 176, 188

Corpus Hyppocraticum: 54, 55, 56, 65, 253

Couratari tauari: 120, 193

Couve: 120, 188

Cravo: 94, 99, 102, 123, 176

Cravo-da-índia: 65, 78, 117, 118, 151, 210

Crista de galo: 135, 218

Cristão-novo: 163, 165

Cristianismo: 33, 44, 67, 68, 69, 170

Crocus sativus: 40, 82

Cubeba: 81

Cucurbita pepo: 120

Cuminum cyminum: 45, 54, 102

Cuncurbitaceae: 107

Cymbopogon citratus: 64, 176

Cyperus: 151, 152, 153, 155

D

Dandá: 151, 152, 153, 155, 275

Datura: 46, 72, 76, 80, 119, 136, 192, 204, 254

Datura stramonium: 72, 139

Demônio: 33, 40, 69, 70, 71, 73, 75, 85,
86, 94, 144, 202, 223, 254

Demonologia: 69

Dendê: 191, 196, 248

Dentes: 129

Dioscoreae alata: 185

Dioscórides: 35, 41, 42, 46, 58, 60, 61, 62,
64, 78, 82, 84, 88, 100, 247

Doenças tropicais: 116

Dorme-dorme: 119

Dracaena fragrans: 218

Dracena: 218

E

Eaelis guyneensis: 191

Egito: 32, 35, 40, 42, 43, 44, 45, 46, 49, 51,
54, 57, 58, 59, 65, 72, 83, 89, 90, 91,
95, 103, 139, 186, 187, 239, 254

Elettaria cardamomum: 54, 82

Endemoniados: 33, 69, 71, 223

Enteógeno: 24

Erisipela: 127

Erva-cidreira: 176

Erva-de-rato: 118

Erva-moura: 50

Erythrina verna: 193

Erythrophleum guineense: 220

Esculápio: 25, 52, 58, 85

Espada-de-ogum: 216

Espada-de-são-jorge: 218

Especiarias: 32, 36, 54, 61, 63, 64, 77, 82, 90,
91, 92, 95, 98, 99, 101, 102, 103, 104,
117, 118, 122, 123, 124, 250, 251

Espinafre: 120

Espinhela caída: 118

Espiritualidade: 29, 198, 199

Estimulantes: 82

Estupor: 118

Etnofarmacobotânica: 11, 36, 213, 241

Eucalípto: 81

Eugenia grandiflora: 164

Eugenia pitanga: 121

Euterpe edulis: 122

F

Farmacologia: 111, 240, 254

Fedegoso: 119, 191, 193

Feijão-guandu: 191

Feitiçaria: 25, 35, 42, 71, 72, 86, 144,
145, 146, 195, 238, 245

Feiticeiros: 251

Fenícios: 91

Ferula assa-foetida: 40

Fezes: 129

Ficus carica: 41, 188

Mentha: 81, 121, 122, 188

Mentrasto: 120

Mesopotâmia: 32, 35, 39, 40, 42, 52, 65, 67, 69, 72, 88, 90, 91, 139

Milho: 81, 109, 110, 121, 122, 188, 197

Mimosa hostilis: 119, 139, 140, 145, 146, 148, 149, 150, 151, 193, 204, 241

Mirra: 41, 43, 54, 67, 96, 240

Mirta: 41

Moléstias: 127

Momordica charantia: 191

Mostarda: 121

Mucuna: 120, 193

Mucuna urens: 120, 193

Mulungu: 120, 139, 140, 193

Murta caryophyllada: 210

Musa spp: 161, 185, 187

Myristica fragrans: 64, 78, 82, 95, 99, 102, 123, 152

Myrocarpus fastigiatus: 118

Myrtus communis: 41

N

Nabo: 121

Naturalistas: 8, 33, 34, 36, 59, 100, 116, 119, 125, 168, 169, 205, 207, 208, 239

Nefrite: 114

Negros feiticeiros: 86

Neolítico: 42, 43, 64, 88, 253

Neuroses: 71

Nicotiana tabacum: 75, 109, 122, 137, 139, 140, 146, 155, 183, 187, 188, 191, 193

Nobrega: 115

Noz-de-bétele: 24

Noz-moscada: 64, 82, 95, 102, 123, 176

Noz-vômica: 67

Nyctaginaceae: 118

Nymphaea alba: 45, 46, 49, 58, 84

O

Ocimum canum: 122

Ocotea pechry: 118

Ocotea pretiosa: 117, 120

Ocuúba: 117

Odisseia: 48, 49, 50, 243

Oliveira: 30, 56, 57, 81, 136, 153, 165, 239, 247, 248, 250, 251, 252

Operculina convolvulus: 119, 193

Ópio: 42, 43, 46, 61, 63, 65, 66, 78, 79, 83, 84, 85, 177

Orbignya: 196

Origanum majorana: 83, 122

Ossos: 129

P

Padre Cícero: 172

Painço: 89

Pajelança: 128

Pajés: 7, 16, 25, 30, 131, 132, 133, 140,
     141, 142, 143, 145, 195, 214

Palmito: 122

Papaver somniferum: 41, 46, 50, 53, 55, 60, 65, 66, 78, 83

Papaver Somniferum: 88

Papiro de Ebers: 47

Papo-de-peru: 120

Papoula: 41, 50, 53, 88

Paracelso: 84, 86, 87, 108, 250

Paricá: 120, 139, 193

Passiflora alata: 139, 176, 274

Passiflora edulis: 139, 280

Pata-de-vaca: 120

Pau-da-china: 122

Paullinia cupana: 119, 139

Pega-pinto: 120, 193

Pepino: 121

Persea americana: 84

Petiveria alliaceae: 31, 109, 119

Petroselinum: 121, 122, 188

Petroselinum crispum: 122

Peyiotl: 108

Phoenix dactylifera: 41

Picão: 176

Pilocarpus jaborandi: 119

Pimenta: 54, 82, 96, 99, 123, 191

Pimpinella anisum: 43, 44, 54, 75, 76, 83

Pinhão: 120, 193

Piper cubeba: 98

Piper guineense: 98, 188

Piper nigrum: 54, 82, 87, 96, 97, 99, 103, 123, 190, 191

Pitanga: 121, 206

Pittosporum undulatum: 43, 96

Plantago: 81, 121, 122

Plantas aromáticas: 43, 64, 65, 95, 96, 242

Plantas psicoativas: 135

Poaceae: 107

Poaya: 210

Poaya-da-praia: 210

Poaya-do-campo: 210

Poejo: 81, 121, 122

Polypodiaceae: 107

Pombagira: 202

Portugal: 115

Portulaca oleraceae: 187, 191

Possessão: 33, 66, 69, 71, 145, 189, 199

Psicoses: 71

Psidium guajava: 119, 121

Psychotria viridis: 139, 153

Punica granatum: 188

Q

Quercus rotundifolia: 89

Quercus suber: 89

Quiabo: 188, 191

Quilombo: 131

Quina: 209

Quina-da-serra: 209

Quina-do-campo: 209

Quina-do-mato: 209

Quinquina-de-remijo: 209

R

Rabanete: 188

Rábano: 83

Religiosidade: 29, 36, 62, 86, 158, 166, 168,
169, 170, 172, 174, 183, 184, 198, 242

Remédio divino: 222

Renascença: 32, 77, 85

Rheum spp: 67

Ricinus communis: 41, 191

Roma: 34, 35, 57, 58, 59, 62, 68, 79,
116, 133, 209, 238, 246

Romanzeira: 188

Rosmarinus officinalis: 64, 75, 122, 176, 187

Rotas da seda: 91

Ruibarbo: 67, 95

Ruta graveolens: 64, 122

S

Saccharum offinicarum: 187

Saint-Hilaire: 125

Saliva: 129, 145, 147, 159, 161

Salix alba: 41

Salsa: 121, 122, 188

Sândalo: 67, 95, 96

Sarampo: 114

Sarna: 127

Sassafrás: 120

Sassafrazinho: 117

Satureja hortensis: 54, 188

Scoparia dulcis: 120, 193

Segurelha : 122

Sene: 67, 80

Setaria: 109

Setaria itálica: 89

Sida rhombifolia: 218

Smilax china: 122

Smilax spp: 119

Solanum paniculatum: 119, 193

Solanum tuberosum: 121, 187

Soma: 90

Spondias mombin: 191

Stachytarpheta australis Moldenke Verbenaceae: 119

Strychnos nux-vomica: 67

Strychnos pseudoquina: 209

Stryphnodendron barbadetiman: 119, 193

Styrax benzoin: 43, 96, 102

Sudaneses: 31, 127, 144, 182, 189, 190,
193, 196, 197, 198, 219

Syzygium anomaticum: 99

Syzygium aromaticum: 65, 94, 102, 123

T

Tabaco: 122, 139, 188, 191

Talmud: 94

Tamarindo: 95, 191

Tambor de Mina: 128

Tanchagem: 121, 122

Tangaraca: 118

Tauari: 120, 142, 193

Teoria das assinaturas: 86, 87

Teriagas: 33, 61, 63, 80, 178, 223

Terpsicorentranceterapia: 254

Theobroma cacao: 119, 122

Thymus vulgaris L: 41

Tilia: 81

Tomilho: 54

Transe: 39, 58, 134, 146, 152, 184, 199, 241

Triaga Brasílica: 176, 177, 252

Trombeteira: 120, 139

Tuberculose: 128

Tupinambás: 128

U

Umbanda: 7, 8, 25, 28, 90, 142, 148, 183, 189, 198,
199, 200, 201, 202, 203, 215, 216, 219, 226,
227, 229, 239, 240, 242, 249, 250, 253

Unguentos: 72

Unhas: 129

Urina: 129

Urucum: 135, 191

V

Varíola: 127

Vassourinha: 120, 193

Verbasco: 81

Viagens Filosóficas: 34, 36, 205

Vitex agnus-castus: 84

W

Warburgia stuhlmannii: 67, 95

X

Xamãs: 23

Xylopia aethiopica: 218

Z

Zea mays: 81, 109, 111, 114, 121, 122,
147, 186, 188, 197, 242, 245

Zimbro: 45

Zingiber officinale: 102, 123, 188

Anexo – Fotografias

Trombeteira – *Brugmansia suaveolens* (Wild) Bercht & J. Presl. Solanaceae.
Coleção Alberto Gurni.

Goiabeira – *Psidium guajava* L. Myrtaceae.
Coleção Maria Thereza L. A. Camargo.

Algodão – *Gossypium barbadense* L. Malvaceae.
Coleção Maria Thereza L. A. Camargo.

Mandioca – *Manihot esculenta* Crantz Euphorbiaeae.
Coleção Maria Thereza L. A. Camargo.

Jurubeba – *Solanum paniculatum* L. Solanaceae.
Coleção Maria Thereza L. A. Camargo.

Colônia – *Alpinia zerumbet* (Pers) L. Burtt. & M.S.M.
Zingiberaceae.
Coleção Alberto Gurni.

Tabaco – *Nicotiana tabacum* L. Solanaceae.
Coleção Alberto Gurni.

Jurema –
Mimosa hostilis Benkh. Fabaceae.
Coleção Maria Thereza L. A. Camargo.

Carrapichinho –
Acanthospermum hispidum DC. Asteraceae.
Coleção Maria Thereza L. A. Camargo.

Cambará – *Lantana camara* L. Verbenaceae.
Coleção Maria Thereza L. A. Camargo.

Guaraná – *Paullinia cupana* Kunth. Sapindaceae.
Coleção Maria Thereza L. A. Camargo.

Cambará – *Lantana camara* L. Verbenaceae.
Coleção Maria Thereza L. A. Camargo.

Cambará – *Lantana camara* L. Verbenaceae.
Coleção Maria Thereza L. A. Camargo.

Guiné – *Petiveria alliaceae* L. Phytolacaceae.
Coleção Maria Thereza L. A. Camargo.

Alecrim – *Rosmarinus officilalis* L. Lamiaceae.
Coleção Maria Thereza L. A. Camargo.

Comigo-ninguém-pode – *Dieffenbachia picta* (Lodd) Scott Araceae.
Coleção Maria Thereza L. A. Camargo.

Trombeteira L. – *Datura stramanium* Humb. & Bonpl. Solanaceae.
Coleção Alberto Gurni.

Milho – *Zea mays* L. Poaceae.
Coleção Maria Thereza L. A. Camargo.

Maracujá – *Passiflora alata* Driand. Passifloraceae.
Coleção Maria Thereza L. A. Camargo.

Urucum – *Bixa orellana* L. Bixaceae.
Coleção Maria Thereza L. A. Camargo.

Quebra-pedra –
Phyllanthus corcovadensis Muell. Arg. Euphorbiaceae.
Coleção Maria Thereza L. A. Camargo.

Dandá ou Junça –
Cyperus rofundus L. Cyperaceae.
Coleção Maria Thereza L. A. Camargo.

Tapete de oxalá – *Coleus barbatus* Benth. Lamiaceae.
Coleção Maria Thereza L. A. Camargo.

Mamão –
Carica papaya L. Caricaceae.
Coleção Maria Thereza L. A. Camargo.

Picão –
Bidens pilosa L. Asteraceae.
Coleção Maria Thereza L. A. Camargo.

Manjericão –
Ocimum canum Sims. Labiatae.
Coleção Maria Thereza L. A. Camargo.

Abacate –
Persea americana Mill. Lauraceae.
Coleção Maria Thereza L. A. Camargo.

Carobinha-do-campo –
Jacaranda decurres Cham. Bignoniaceae.
Coleção Maria Thereza L. A. Camargo.

Babaçu –
Orbgnya maritima B. Rodr. Arecaceae.
Coleção Maria Thereza L. A. Camargo.

Paricá – *Anadenanthera colubrina* (Vell.) Brenan Poaceae.
Coleção Alberto Gurni.

Gitirana – *Ipomoea purpurea* L. Roth. Convolvulaceae.
Coleção Alberto Gurni.

Maracujá -roxo – *Passiflora edulis* Sims Passifloraceae.
Coleção Alberto Gurni.

Manacá – *Brunfelsia australis* Benth. Solanaceae.
Coleção Alberto Gurni.